▲ 1988 年在书房中

▲ 拜望冰心（1990 年）

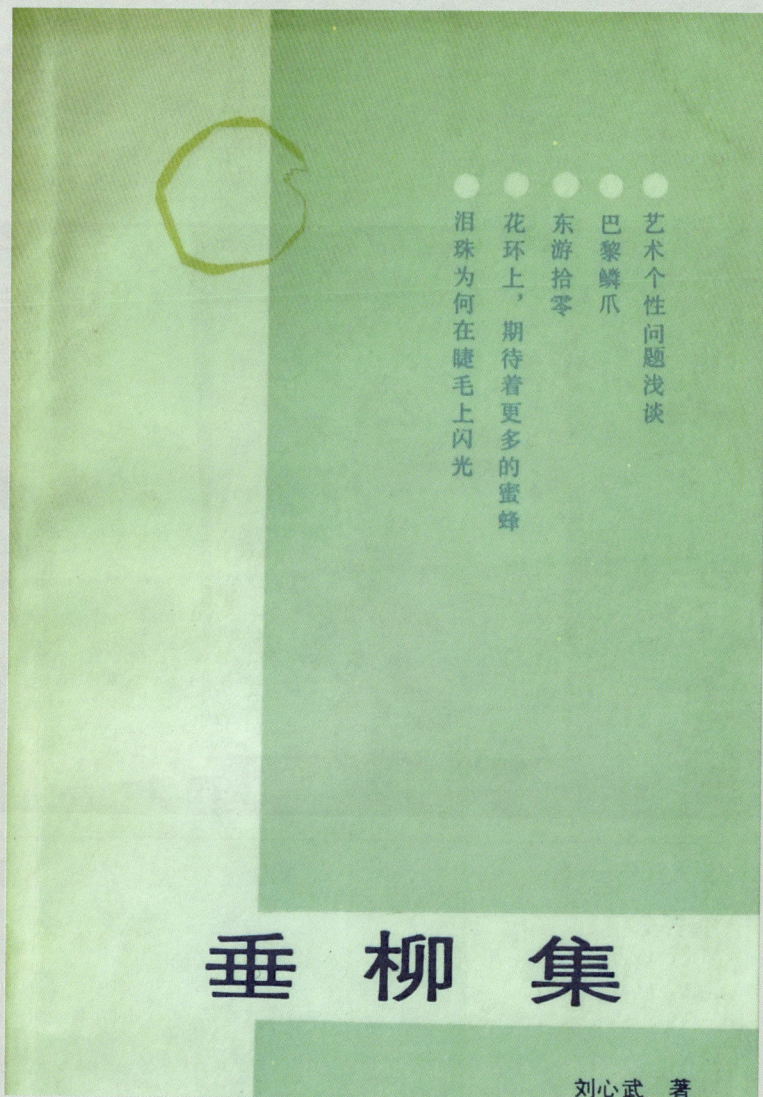

●● 艺术个性问题浅谈
●● 巴黎鳞爪
●● 东游拾零
●● 花环上，期待着更多的蜜蜂
泪珠为何在睫毛上闪光

垂柳集

刘心武 著

▲ 刘心武几种散文随笔集书影

刘心武文存23

[1958—2010]

散文随笔　第一卷

垂柳集

刘心武◎著

江苏人民出版社

图书在版编目（CIP）数据

垂柳集／刘心武著 . —南京：江苏人民出版社，
2012.11

（刘心武文存；23. 散文随笔. 第1卷）

ISBN 978-7-214-08195-7

Ⅰ.①垂… Ⅱ.①刘… Ⅲ.①散文集－中国－当代
②随笔－作品集－中国－当代 Ⅳ.① I267

中国版本图书馆 CIP 数据核字（2012）第 099189 号

书　　　名	垂柳集
著　　　者	刘心武
责 任 编 辑	刘　焱
统 筹 编 辑	李　丹
特 约 编 辑	朱　鸿
文 字 校 对	陈晓丹　郭慧红
装 帧 设 计	门乃婷工作室
出 版 发 行	凤凰出版传媒股份有限公司
	江苏人民出版社
出版社地址	南京湖南路1号A楼　邮编：210009
出版社网址	http://www.book-wind.com
经　　　销	凤凰出版传媒股份有限公司
印　　　刷	三河市金元印装有限公司
开　　　本	700毫米×1000毫米　1/16
印　　　张	17
字　　　数	274千字
彩　　　插	4
版　　　次	2012年11月第1版　2012年11月第1次印刷
标 准 书 号	ISBN 978-7-214-08195-7
定　　　价	46.00元

（江苏人民出版社图书凡印装错误可向本社调换）

《刘心武文存》出版说明

　　《刘心武文存》收录刘心武自 1958 年 16 岁至 2010 年 68 岁公开发表的文字约 900 万字。《文存》共 40 卷，按文章门类收录，计有长篇小说 5 卷、中篇小说 4 卷、短篇小说 5 卷、小小说 1 卷、儿童文学 1 卷、建筑评论 2 卷、《红楼梦》研究 4 卷、散文随笔 11 卷、杂文 1 卷、海外游记 1 卷、多品种（图文交融文本、报告文学、诗歌、剧本、足球评论、译述）1 卷、创作谈 1 卷、理论批评 1 卷、早期（1958 年至 1976 年）作品 1 卷、自述 1 卷。因跨越时间达半个世纪以上，收录定有遗漏，但其此期间的主要作品，相信均已收入。

　　《刘心武文存》各卷均附有《刘心武文学活动大事记》及《刘心武著作书目》，可备检索。

　　编辑出版《刘心武文存》的目的，意在供各方面人士阅读欣赏、分析研究、批评批判、收藏保存。

目录

泪珠为何在睫毛上闪光 · 001

比风景更美的 · 005

西行剪影（五章） · 007

滇行散记（三章） · 013

苏三离了洪洞县 · 017

金秋书简（三章） · 019

花环上，期待着更多的蜜蜂 · 023

让我们创造 · 026

难忘的一杯酒 · 028

默默想音容 · 030

猪年随想 · 032

这里玫瑰盛开 · 034

云雀在欢鸣 · 037

夜渡多瑙河 · 041

森林里跑出一只玻璃鹿 · 047

从现代文学馆想起 · 050

记冰心 · 053

珍珠为什么闪光 · 056

从源泉出发 · 060

滋润心灵的溪流 · 063

家门前的风景 · 065

人情似纸 · 067

炸酱面 · 069

焦灼的期望 · 072

八渣儿 · 076

兔儿灯 · 081

微笑无价 · 085

雨巷歌声 · 088

湖畔静悄悄 · 092

亲笔信（外一篇） · 095

有一株树 · 098

"蛮" · 100

生命的一部分 · 103

读自己书架上的书 · 105

售书归来 · 107

杏儿出世 · 111

铺床的少年 · 114

每逢佳节倍思乡 · 119

魂　窗　·123

月亮的角色　·129

不是妄想　·133

寂寞的价值　·136

卧读记畅　·140

我的近况　·142

我或许算个熟练工　·145

风·花·血·夜　·147

青春的门槛　·149

坐在门槛上的送煤工　·152

牧童短笛　·155

我的隆福寺　·158

在胡同里转悠　·160

从一个微笑开始　·162

村路上，告别母亲　·164

抱猫闲话　·167

你有一个情感世界　·169

校园的黄昏　·171

虽然篇　·174

如果篇　·177

倦读记怅　·179

豌豆苗的心香　·182

爱斯不难读　·184

朴素的阅读感情　·187

我要上天，我要入地　·189

在爱的船舶中　·191

桃　红　·194

淡黄的银杏　·196

跃向蓝天　·199

寄往仙界　·201

天　问　·204

丁香花又开了　·206

雪白的向往　·208

做一个"乡下铁匠"·210

鱼寿星　·213

聆听春声　·215

晶莹的珍珠　·218

只恐楠溪舴艋舟，载不动许多……·220

温州管窥　·222

美哉楠溪江　·226

楠溪江遇上海客　·233

【附】《垂柳集》序·冰心·235

附录一　刘心武文学活动大事记·236

附录二　刘心武著作书目·245

泪珠为何在睫毛上闪光

——回忆我的少先队生活

那是在中国文学艺术工作者第四次代表大会的闭幕式上，响起了少先队那嘹亮的号音与强劲的鼓点，几列少先队员在缨络镶边的红旗引领下，进入了人民大会堂。我望着这朝气横溢的场面，感情的闸门忍不住"轰"地开至极限，心潮的浪花涌出了眼眶，在睫毛上挂成了亮闪闪的泪珠……

人们现在把我称为作家。我几乎每天都要收到这样的读者来信，诚恳地、执拗地问我："你是怎样成为一个作家的？你小时候文章就写得很好吗？"

当我十多岁的时候，我胸前飘动着红领巾，每当风儿吹动着领巾，领巾的尖儿拂弄着我的心窝时，我就生出许许多多的愿望。而在我那五光十色的头一批愿望里，却并不包括"长大当个作家"这样的内容。不过，我的确幻想过："长大当个画家"。

当时我所在的学校里，少先队组织了许多课余活动小组，于是我兴致勃勃地参加了美术组。

头一回活动，辅导员让我们画一盆瓜叶菊。他说："先要学会画静物，这叫素描。然后，你们可以试着画活动的物体，那叫速写。"

当我把画好的瓜叶菊拿去给辅导员看时，他皱着眉，直咂嘴，围观的同学忍不住全笑了：我那画上的花儿活像一簇葡萄，叶片简直是几块三角板，而花盆又小得很不相称。

但是辅导员还是鼓励了我："画得认真。多练练会有改进的。"

我就多练。我临摹过杂志上的静物画，还画过我家的热水瓶和茶壶。我把画儿拿到中队里来，同学们笑了，有的还伸出大拇指说："真棒！"

于是我被选为中队的壁报委员。

我家的八仙桌很大，每期壁报都是在我家弄的。我们的壁报设计得很别致，不是把一篇篇稿子抄好了往一张大底子上贴，而是就用全开的大白纸，直接往上抄文章、画画儿。

我总是抢着画报头。有一回，我画一个小姑娘，手里抱着一捆野花，不知怎么搞的，总画不好她脸蛋的轮廓，要么把她画得很胖，要么把她画得像个老太婆，画错了就用橡皮擦，简直都快把纸擦破了。

于是另外几个壁报委员都说："让王中均画吧，他能画好。"

王中均确实比我画得好。他那回画的瓜叶菊，染上颜色以后，曾经在全校的壁报栏上展览过。

我心里不乐意了。我埋怨身边一个伙伴说："你净碰我胳膊肘。"我把笔往桌上一摔，两只胳膊往胸前一抱，对王中均说："你有能耐你画吧，反正我也得碰碰你的胳膊肘。"

于是几个伙伴都同我口角起来，只有王中均默不做声地修改着报头。

王中均只几笔就使那小姑娘变得端正可爱起来。有个同伴拍着手说："你瞧人家这两下子，你是拉不出屎来赖茅房！"

我生大气了，红着脸冲他嚷："得了得了，你瞎臭美什么！"

于是不欢而散，留下一张未画完的壁报。我心里发堵，晚上，我草草用些小花小草填上空白，第二天带到教室张贴了出来。同学们议论纷纷，对这期的壁报很不满意。

过队日的时候，辅导员把我和王中均找去了。我想这下我可得挨剋了。

辅导员见了我们根本不提壁报的事。他说大队要组织篝火晚会，晚会上要朗诵诗，他让我和王中均各写一首试试。

我已经在作文课上写过一首诗，是歌唱我那美丽富饶的故乡的，至今我还记得其中的两句：

豌豆花用露珠儿洗了个澡,

点头向太阳公公说:"你早!"

我就把这首诗改了一遍,抄出来给辅导员。王中均也写了一首关于锻炼身体的。辅导员把我们两首诗都大声念了一遍,然后就表扬我写得好,并且分析了好在哪里。读完了,他问王中均:"你看见他比你强,你心里怎么想呀?"

王中均老老实实地说:"我想,我得向他学习,努把力,争取赶上他。"

辅导员点点头,又问我:"王中均画画可比你画得好,你心里该怎么想呀?"

我注意到,他没问:"你心里是怎么想的?"而是问:"你心里该怎么想呀?"

我想起了挂在教室里的壁报,脸上火辣辣的,我低头望着红领巾的红尖尖,那红尖尖正落在我的心窝上,我发誓般地说:"我再也不嫉妒人了!"

辅导员微笑了,用手拍着我俩的肩膀往一块拢:"那,赶明儿出壁报,就各自发挥自己的长处,互相帮助,互相学习吧!"

下一回,我们的壁报出得特别好。我记得,有整整一半是小熊滑冰的连环画,画主要由王中均完成,我当帮手;解说诗主要由我执笔,他给修改。壁报在教室里挂出来以后,连教师们下了课也爱站在那儿看呀看呀……

多么值得怀念的少先队生活,多么好的伙伴,多么好的辅导员啊!那辅导员姓关,我不知道他的名字,那时候学生不兴知道老师的名字,背后说话也从不直呼老师名字,这体现着晚辈对长辈的尊重。关辅导员啊,现在您在哪儿呢?

篝火晚会是到钓鱼台去举行的。那时候的钓鱼台是一片自然风景区,富于野趣。

我永远难忘那个神奇的,美妙的,令人心弦颤鸣的夜晚。奇怪,就连后来我参加中国作家代表团到国外参观访问,那印象也难同童年时代篝火晚会留下的印象相比。我们童年时代头一回吃过的东西总是最可口的,看到头一部电影总是最难忘的,相信的头一条道理总是最难泯灭的……红领巾时代啊,你留给每一个祖国建设者的,都是镶在心上的永远璀璨的宝石!

当夜幕降临,星星在天上向我们眨眼时,我们的帐篷已经搭稳,灶坑已经挖好并且燃上了枯枝,我们把饭盒挂在支架上煮米饭,用从河沟里钓来的小鱼煮鱼汤,唉,难忘的晚餐!我后来有幸出席了各种各样的宴会,吃过各种各样的大菜,但少先队时代的那一次晚餐，却永远是最香最美的！我们开始作军事游戏了：互相偷营，进行跟踪追击……我至今记得当我和同伴们匍匐前进时，枯叶在我身下发出的嚓嚓之声，心是在怎样急促地跳，而耳朵又是在怎样仔细地谛听啊……

篝火晚会开始了！飘动的、仿佛是有生命的火苗儿啊！大伙儿那不甚整齐的、充满少年人诚挚感情的歌声啊……乃至四周的蛙鸣，宝蓝色夜空中穿天杨的伟姿……这一切一切，浸润着我的灵魂，往我的心田里，播撒着第一批爱的种子：爱我们的祖国，我们的生活，我们的人民，我们的伙伴，我们的老师，我们的事业，我们的明天……

我的第一个、正式的创作冲动，是我十四岁即将离开少先队的时候，偷偷地写出来的一篇小说，它就是表现这个篝火晚会的。那虽然是一件废品，而且早已不知失落到了何处，但是，难道在我成年后写出的《班主任》等小说中，没有潜移默化地体现着这样一种境界吗？少先队员时代啊，你在我记忆中留下的金线，将永远编织在我今后的作品之中……

这就是为什么我一听见少先队的鼓号声，泪珠便挂在睫毛上的原因。这是满蓄着幸福而甜蜜的回忆的泪珠，这是唤起我一种神圣的责任感的泪珠。当年我曾向着队旗呼号："时刻准备着！"现在准备期早已结束，我应该为下一代人的健康成长，贡献出我的全部力量。

我抹去睫毛上的泪珠，思考，并且行动。

1980 年春

比风景更美的

在庐山半月，几乎遍游了所有的风景点：烟云涌荡的锦绣谷，奇松怪石的五老峰，飞瀑奔泻的三叠泉……那绝妙的美景，今生今世，永难忘怀了。

然而，庐山还有比风景更美的存在。

从三叠泉回来，带着甜蜜的疲劳感，回到住室沐浴更衣。事毕，发现在登攀的过程中，衣衫绽线，急需缝补，恰好服务员小程来送开水，遂请求她借给针线，几分钟后，小程跑回来了，她手中举着两轴插有缝针的线，一黑一白，热情地对我说："不知道你需要哪种颜色的，所以都拿来了……"我接过针线，不知如何感激她才好。

住的日子多了，也就常同小程她们聊天。她们的工作，并不算怎样繁重，在旅游的淡季，甚而全楼的客房都空锁着，她们一群二十岁上下的姑娘，扫完楼前楼后的落叶，便坐在一起集体值班，有的读读小说，有的打打毛线……乍看上去，她们真是过着仙女般的生活。然而，细一考究，就感觉到，她们为来来往往的游客，为社会主义的旅游事业，付出的是最可宝贵的东西，那就是她们的青春年华。在她们工作的这所芦林饭店的山坡上，有一道终年不冻的泉水，每日每夜潺潺地向坡下奔流着，注入到明镜般的芦林湖中。她们就仿佛是那并不引人注意的无名泉水。收拾房间、送开水茶叶、端菜供饭、洗换被单……她们把自己的光和热，一点一滴地汇入了我们灿烂的社会主义事业中。有谁能低估她们工作的价值和意义呢？

"哎呀，你们天天生活在仙境般的风景区，真羡慕你们呀！"这话不少游客对她们说过，我也未能免俗，很轻率地说过这类的话。然而，有多少人细想过，她们要买一样日常用品，到牯岭街上去，来回需要一个半小时以上，她们为了看一场在山下大城市里早已过时的电影，有时不得不在月黑夜里，顶着寒气，手拉手儿，从陡峭旋转的山路上徒步走回；哪个少女不喜欢穿得漂亮点呢？有人要到上海、广州去办事、探亲，她们激动地跑去央求，托人家给她们带回式样入时的成衣，然而往往是带回来一试，啊，太大！啊，太紧！她们不得不利用晚上的时间，拆开来改缝……饭店山坡上的鹅掌楸叶儿从小到大，从绿到黄，旅游的客人一批又一批，匆匆来去，她们却永远留在山上，她们当中有的人甚至还没有去过南昌，更不用说上海、广州、北京！她们默默地、忠实地、辛勤地、耐心地、细致地、毫无怨言地，向我们这些游客，为我们的社会，奉献着她们如花似玉的青春。这精神，这美德，这作为，这形象，难道不比庐山的奇景更奇，比庐山的美景更美吗？

这不仅是她们。在庐山植物园，我们结识了含辛茹苦在那里坚持科研工作的学者；在弯弯曲曲的山路上，我们看见了手持长刷刷平砂石的养路工，在云雾茶茶场，我们会见了双手在炭火锅里翻搅茶叶的烘茶师傅；在东林寺的红墙外，我们注意到赤膊打稻的稻农；在各个风景点，更有憨厚地向游客提供绿豆稀粥、大碗凉茶的许多阿婆阿公……没有他们的存在，庐山能像今天这么美吗？没有他们的存在，庐山能向前发展从而在明天更美吗？

我想到了庐山那满山满谷点缀着丛林巉岩的金鸡菊。金鸡菊诚然是平凡而渺小的，甚至不会有人去专门观赏这些并不惊人的野花，然而如果没有金鸡菊以及类似的野花，庐山的风景不就会显得单调而平板了吗？

我们要走了。小程她们问我："你又写什么新的小说了吗？"我说没有。"你要再写啊！"她们叮嘱着我。

是的，我还要再写。我要写比风景更美的东西。我要把我的作品，永远奉献给那些将自己的青春和生命，将自己全部的光和热，都无私地融汇到我们伟大事业中的普通劳动者。

1981 年秋

西行剪影(五章)

葡萄美酒夜光杯

五月份东游日本，返国前，日本文艺春秋社半藤一利先生赠我几幅他创作的木版画，每幅都以一首中国唐诗为内容。归国后，我以镜框悬挂了一幅在壁，画面上是一位戎装持戈的将军，正握缰待发，颜面上充满复杂的表情，虽然那盔头、箭囊、矛戈、战袍的造型都大可商榷，但整幅画的气氛，倒很能传达出王翰《凉州词》的意境："葡萄美酒夜光杯，欲饮琵琶马上催。醉卧沙场君莫笑，古来征战几人回？"

上个月我西游甘肃、青海，恰好到了向往已久的夜光杯产地酒泉。王翰所说的凉州，今称武威。酒泉在武威西边三百多公里处，县城中有酒泉公园。穿过长达三十米的葡萄棚，可以看到仍在冒水的泉眼。传说汉将霍去病力挫匈奴，立下赫赫战功，汉武帝赐他美酒，他不愿独享，将美酒倒入泉中，请全体将士同饮泉水。从此泉水味甘如酒，古称酒泉。酒泉地区包括嘉峪关、敦煌千佛洞、玉门关和阳关等众多明珠般的古迹，而所产的传统工艺品夜光杯，也是其骄傲之一。

东游日本时，主人也曾请我们到京都、奈良、箱根、芦湖等名胜古迹游览，记得当时半藤一利先生问过我直感如何，我坦率地说："美则美矣，不过同我们中国的江山胜迹相比，只能算是小巧玲珑的盆景。"他笑着表示赞同。他们的传统工艺品亦然，虽不乏独特精美之作，然而如夜光杯这么具有悠久历史、充溢着诗情画意的产品，却并不多见。据东方朔《海内十洲记》称："周穆王时，西域献夜光杯……杯是白玉之精，光明夜照，暝夕出杯于中庭以向天，比明而水汁满中，汁甘而香美，斯实灵人之器。"可见夜光杯传入中国，已近三千年之久。古时候人们的"夜光"概念，限于当时科学技术的发展程度，当然比今天人们的要求低许多。犹如古时最好的铜镜，也终究比不了今时最一般的玻璃镜。所以如果你今天到酒泉夜光杯厂，见到他们生产的夜光杯在黑暗中并不发光，实在用不着"较真"。这些不同款式的大小夜光杯大多用酒泉、武威出产的玉石为原料，以半机械化的手段琢磨而成，其中以酒泉南山墨玉琢制的最佳，质地细腻，光泽晶莹，举在手中，诗意能溢出于胸襟，令人无酒自醉。

酒泉夜光杯驰名中外，在日本和东南亚尤有盛誉。在敦煌宾馆，我见到一些日本游客同时购买成对的夜光杯和中国红葡萄酒，想来他们同半藤一利先生一样，对王翰的《凉州词》都很熟悉。中国盛唐文明对日本民族影响之深，由此可见一斑。

西行归京，我买回一只最小型的夜光杯，望着这造型古拙、色泽莹润的夜光杯，我想我们足以自豪的和足需努力的，恰一样多！

戈壁绿洲啖瓜记

在荒芜的大戈壁上行车，双眼忍不住左右寻觅绿洲，往往发现一片水光就在前面，树影婆娑，苇丛摇曳，正欣喜间，司机告知曰："那是幻影，其实什么也没有！"所以当我们驶近南湖公社，地平线上露出一片蓊郁的墨绿色树林时，我们反倒迟疑起来了："难道又是海市蜃楼？"

汽车渐渐驶拢绿洲，终于穿行在高大挺直的胡杨林间，证实我们并没有堕入幻境，而是来到了南湖公社的林场当中。

南湖公社位于敦煌县西南，据唐德宗时一位叫马云奇的诗人形容，当年这里的景象是"数回瞻望敦煌道，千里茫茫尽白草"。白草就是白茨，一种比骆驼刺更低矮的沙漠植物。而到了五代南唐孙光宪笔下，这里已是"空碛无边，万里阳关道路。马萧萧，人去去，陇云愁……"似乎连白茨都已枯衰，更其荒凉了。

著名的玉门关和阳关，都在南湖公社境内，两关同为当年我国对西域的交通门户，是丝绸路上的重要关隘。唐代大诗人王维的名句"劝君更尽一杯酒，西出阳关无故人"，固然主要是伤离别，其实也隐含着阳关一带自然条件险恶、生活艰辛的意思。直到解放前的两千多年来，那里也确乎如此。建国以后，南湖一带才逐渐繁荣起来，现在小片的绿洲已经连成一大片彩色的林场田原，穿行其间，只觉绿杨高耸、麦地金黄、水渠淙淙、瓜菜飘香，恍若置身于北京郊区。建国三十多年来这里尽管也有挫折，有曲折，有过荒唐乃至荒诞的事情发生，然而总体来说，却增加了水浇地，建起了林场，盖起了新房，响起了歌声；过去这里只有骆驼的身影，驼铃的声响，如今南湖中已有天鹅的娇姿，树林中也有了百鸟的啭鸣。我们遇上的南湖姑娘，个个都穿得那么漂亮，特别是她们头上扎的头巾，或艳红或娇黄，或花团锦簇或素雅宜人，闪动在红柳树沙枣棵之间，煞是好看。

在社办林场，好客的主人请我们啖瓜。这里既产内地也有的西瓜、香瓜，也产从阳关以外引来的白兰瓜和哈密瓜，而这些不同品种的瓜，经他们一种，似乎会合了阳关内外诸瓜之长，格外香甜爽口。同行者之中，我和宗璞同志是啖瓜能手，我吃得多，她品得细，深得主人赞扬。林场长告诉我们，他们不但大种其瓜，而且已经引进了内地的蜜桃、苹果和新疆吐鲁番的葡萄，今年挂果状况甚佳。我回忆起进入林场时，从车窗里望见的几幢奇怪的新砖房，四面墙壁从上到下都砌得满布窟窿……这才恍然大悟，原来是准备用来晾葡萄干的。

离开那戈壁绿洲好久了，我们还瓜香满口。主人同我们约定，明年还去吃瓜，并且也尝尝他们的葡萄干。

玉门镇巧遇旅行家

原来我弄不清玉门市、玉门镇和玉门关有什么区别，这回到了甘肃，才知道各是一处地方。玉门市紧靠祁连山，是个石油城。玉门镇离它还有一百来公里，傍着疏勒河。而玉门关则远在三百多公里外的敦煌县西北，现遗迹已难辨认。

我们从酒泉乘越野汽车，横穿戈壁到敦煌去，一路上饱览"大漠孤烟直，长河落日圆"的浑莽景色。行车两个半小时许，进入一处绿洲，原来已是玉门镇。我们到镇外一所绿荫环绕的大众食堂吃瓜，权当饮茶。这大众食堂门外，屋柱上写着一副对联："村酒无涯游人醉，佳肴有心知音赏。"近旁大树上挑出一块酒招，倒也别有意趣。我们进入食堂以后,看见只有一位年轻人在就餐。他一边吃着饭,一边还看着一本翻开的《中国交通图册》。我们一边剖瓜,一边同他搭话。原来他是江西财经学院的学生,利用暑假,骑自行车来大西北旅行。我想起曾从中央人民广播电台的"青年节目"中,听到过一位大学生骑自行车赴黑龙江游览考察的事迹。一问,原来那正是他去年的游踪。他名叫万新华,立志利用每一年暑假,骑车饱览祖国的大好江山。他告诉我们:"我不一定去那些风景区,我有意选择比较艰苦的路线,观览比较偏僻的地区,除了沿途拍一些地貌景物照片,写一些游记,主要是看看各处人民的生活,并且在条件许可时,作些经济方面的社会调查。"问及他这回的旅行路线,他没有沿着通衢大道前进,而是穿越过大巴山、秦岭、祁连山三座大山,从东南直接插入到西北。他还要从这里继续沿河西走廊西进吐鲁番盆地去乌鲁木齐。为了不误开学,他将从那里乘火车折回南昌。

我们到兰州后,当时社会上的一大新闻,是说有一群日本学生,将从酒泉骑自行车去敦煌旅行。我们到酒泉后,在招待所中恰好遇上了这群学生。看他们贴在走廊上的日程表,是将酒泉到敦煌的四百多公里路程,分作九天陆续跑完。他们的行囊颇丰,携有帐篷、睡袋、罐头食品、瓶装饮料等物。而万新华的旅行工具,就是一辆自己改装的旧永久牌自行车。车梁上有一自制的工具箱,车把上挂一个水壶,车座后的架子上夹着一个简单的行囊,内装照相机和笔记本等最必需的物品。问他遇上雨雹怎么办,他说,就顶着雨雹前进,不能骑时便推着走,晚上常宿在热心的老乡家里,每日行程平均一百五十公里,从酒泉到敦煌,他打算两天跑完全程。

黝黑结实的万新华,终于和我们分别了。现在一想起他,他那带有浓重南昌口音的普通话,还响在我的耳畔。

默默无闻的献身者

每当朝阳透过三危山,把莫高窟的数百个佛洞照亮时,就有许多大小汽车把成百的参观者送到那里。他们被导游人员领入一个个的洞窟,饱览美轮美奂的彩塑和壁画。当他们披着夕阳乘车离开那里时,总忍不住要啧啧赞叹。那些灵动飘逸的飞天,那些端庄娴雅的菩萨,那些惊心动魄的经变壁画……仿佛烙印在人们的心上,一生一世也难以忘怀。

然而，当夕阳的余光从鸣沙山敛去，夜幕在这里降落后，是谁伴着这些艺术精灵，在那里默默地继续着他们的研究工作，在那里度过他们宝贵的年华呢？

去千佛洞以前，我以为那里是紧靠敦煌县城的一个小镇；及至到了敦煌县城，才知道千佛洞远在县城外二十公里处。头一回乘车去千佛洞，有二十几分钟的时间里，汽车行驶在四望无涯的荒凉砾原上，驶近三危山和鸣沙山相接的山口处，才从一片荒漠之中，透出一团并不宽厚的绿荫。驶进绿荫，才知道那里并无小镇；而绿荫后面，便是一线拖开的壮丽石窟。敦煌文物研究所，便设在石窟前面。所里的研究人员和工作人员，成年累月居住在绿荫另一角的简陋宿舍中。他们当中有不少人，在那里已经定居三十年或更多的岁月了。

我到美术研究室的李其琼同志家中拜访，进入她那村居般的居室，我的头一个问题禁不住是："你们到哪儿去打酱油呢？"

已经五十多岁、面庞清癯的李其琼笑着说："这算不了什么困难。所里有交通车，每周两次拉我们进县城买日用品。要说困难，比如说小孩上学的问题，那才真让人着急呢……"她那最小的儿子，从一年级起就送到县城读书，每回搭交通车进城，她总是一下车便直奔儿子寄宿的地方，常常发现屎尿拉在了裤子中，忍不住搂定落泪……而回到千佛洞，她仍进窟临摹壁画，就这样精心地一笔笔临摹，积累起来，已近一百平方米之多。她告诉我说："我的孩子，毕竟都拉扯大了。我们新提拔的副所长樊锦诗，她把孩子送到爱人所在的武汉大学，要求进附中上学，可是因为没户口，人家不收……这些同志的烦恼，比我就多了。我们这里近年来增加了些年轻的同志，他们找对象、生孩子、托儿……都将遇到困难。虽然如此，我们还是舍不得离开这个艺术宝库，这里有我们的事业啊！"

离开她家时，只见树丛中闪亮着扇扇窗户。啊，默默无闻地献身于敦煌学的人们，我尊敬和热爱你们！

嘉峪关下闻燕鸣

去嘉峪关的路上，我们偶然议起了这样一个问题：为什么不少诗文中用"呢喃"

来表示燕鸣？其实从我们的生活感受出发，燕子的鸣声与"呢喃"两音毫无相近之处。议论之中，已到了嘉峪雄关。我们都去过山海关，原以为东繁西简，谁知呈现在我们跟前的嘉峪关，不但比现在的山海关保存得更完整，就其城楼之宏伟瑰丽，瓮城与罗城之构局严谨，以及角楼、敌楼造型之古拙浑朴，乃至关中关帝庙、文昌阁、古戏台之巧妙配合，都远比山海关巍峨可观、丰富多彩。

从色彩上来说，山海关是砖石结构为主，呈青黑色；而嘉峪关除城楼和罗城系石条筑底内外包砖外，城墙基本上全是干打垒的黄土结构，呈沙黄色。从造型来说，山海关城楼似较厚重庄严，而嘉峪关东边的光化门与西边的柔远门上的城楼，看去都比较高俏秀美，特别是歇山顶屋脊正中高耸起宝瓶式饰件，把城楼的轮廓线调剂得尤为活泼生动。

我们一边慨叹着古代工匠民伕的建筑技艺，一边怀想着历史上西北边陲的烽烟战迹，不觉走到了柔远门城楼与城墙衔接的拐角处。有位同行者跑到拐角的城墙根，捡起一块石头，用它敲打着城墙下垫底的石条；陡然，我们耳边响起了连续不断的"啾啾"、"叽叽"声，仿佛有几只燕子，在我们头上盘旋鸣叫，我们不禁感到惊奇。嘉峪关一带，多年已不见燕子踪影，此时何来燕鸣声？

经介绍，我们才知道这个部位俗称"燕鸣壁"。燕鸣声不过是建筑结构所形成的声波多次反射交融的效应。

关于这"燕鸣壁"，有两种传说。一种说：曾有一对燕子筑巢关内，每日清晨双飞出关，黄昏比翼归巢。一日归巢时，由于体力消耗过大，不能越墙而进，只能穿门而返，雄燕飞进门洞后，正赶上城门骤闭，雌燕来迟，体力不支，竟触门而亡。雄燕因此悲戚，而雌燕之魂，从此溶于墙内，不时哀鸣，故而形成了"燕鸣壁"。另一种说：嘉峪关建成后，晓谕关外民众鸟兽，三日内进关报到，才能得到庇护。三日内关西烟尘滚滚，无数鸟兽纷纷来归。有一只燕子，得讯后从千里外赶回，竟因途遇风雪，迟归了一个时辰，届时关门已闭，它痛不欲生，便触墙而亡，从此燕魂入墙，遂成"燕鸣壁"。这两个传说，都颇扣人心弦。究竟哪个传说更好？能不能将两个传说融为一体，改写成更加动人的文学作品？离开嘉峪关时，我们兴奋地议论着，而同行的诗人公刘，独默坐沉思，想来不久之后，我们将能读到他有关的新作吧？

1981 年 8 月

滇行散记(三章)

在那遥远的地方

　　这个傣族村寨倚坡傍河，河对岸就是经常打来冷枪的外国。且不说它离北京有多么遥远，就是从它所在的哈尼族彝族自治州首府个旧出发，也要整整一天才能到达。而且，公路只通到它的对岸，要进寨，还得乘钢缆牵引的摆渡船，越过波涛汹涌的金水河。当进入这个被芒果林和香蕉林所环抱，掩映在番石榴和圆橄榄绿荫中的傣族寨子时，我心中不由荡起这样的歌声："在那遥远的地方，有个好姑娘……"

　　好姑娘其实不止一个。最出色的一位叫董秀英。当我们被迎进她家的竹楼，席地而坐之后，我仔细端详着这位知名的民兵连长。我很难想象出，那在敌人的炮火中奋不顾身地抢救伤员，并且面临着担架供应不上的危难局面，果敢地脱下筒裙，和同伴兜着伤员迅跑的，竟是如此纤弱、娟秀的一位傣族妇女。她因为这功劳，去过昆明，到过北京，被请到哈尔滨去作过报告，还被中央首长接见过，在人民大会堂参加过宴会。但无论是惊心动魄的炮火硝烟，还是花团锦簇的歌舞盛宴，似乎都没有改变她那时露羞涩的温静性格……

　　我们发现她正怀身孕，问道："您爱人也是这个寨子的吗？"

　　她甜甜地笑了："哪里——他在内蒙古哩！"

　　内蒙古！我几乎以为听岔了。同行的同志们赶紧告诉我：她的英雄事迹在报上刊载以后，内蒙古一个地质勘探队的小伙子，便给她写来了仰慕的信，她到北京参加庆功活动时，同那个小伙子见了面，于是他们相爱了，头年那小伙子坐了七天七夜火车，又坐了大半天的长途汽车，又步行了十几里地渡过了金水河，来到她家，当晚便和她成了亲……

"我们就用他带来的糖果和阿妈烧的茶水招待了乡亲们。"董秀英又把我们引进竹楼，指着一个大镜框里许多相片中的一小张对我们说："这就是他！我们不管人家怎样讲，我们两个要好就行啦！"我仔细地端详着那张在天安门前拍下的照片，他是个质朴无华的北方小伙子，穿着件肥硕的棉大衣，戴着顶普通的布帽子……

当我们离开村寨，绕行在大榕树下，呼吸着菠萝田的香气时，我总觉得耳边回响着一阕动人的乐曲。是呀，就把这时代儿女超凡脱俗挚爱不惑的乐曲，叫做"金水河的罗曼史"吧！

哈尼小草

我沐着红山茶般艳丽的夕阳，从金平县县城出来，攀上缓坡，拐了几拐，便置身在一个哈尼族的村寨旁。高大的木棉树后面，虽是一片交错的草顶土屋，但顺着通入寨子的青石板阶梯望进去，却分明可以看见一架压水机，几个妇女或蹲或立，正在那里淘米、汲水。她们都穿着藏青色的无领上衣和长裤，那银币做成的纽扣，在夕阳中闪闪发光；镶在衣角、大襟袖口及裤脚上的斑斓花边，尽管有些陈旧，却依然发出一种泼辣热烈的美感。

一个哈尼男孩，从寨子里走了出来。他也穿着一身藏青色的衣褂，只是脖颈上，围的是一条鲜艳的红领巾。他背着个竹编的粪箕，手拿个拾粪的小铲，一见到我，脸上便自然而然地现出微笑。

"你上几年级啦？"我一边同他并行，一边同他搭话。"四年级。"他的普通话简直和北京儿童没有差别。他仰起脸问我："叔叔，您是住在前头大军那儿的吧？"

大军是当地各族人民对解放军的爱称。我的确是住在附近解放军的一个团部中。

"你爱大军吗？"我问他。

"当然啦！"他显然觉得我问得很好笑，"我们大家都爱！——我们寨子里的压水机，就是大军给装的哩！"

他一边同我说话，一边俯首寻找着牛粪。奇怪！明明我们前面路上就有一大摊，他却不拾，绕开了走。我不由叫住他："小鬼，这牛粪不是很好吗？你为什么不拾呢？"他抬起头来，吃惊地望着我，说："叔叔，这上头插着草呢！"我仔细一看，可不，那牛粪上插着一种无名的双叶小草。草叶刚掐下来不久，闪着滋润的光泽。

"谁插的呢？插了小草你怎么就不能拾呢？"

"这是我们哈尼族的规矩，看见牛粪没带工具，可以插上一棵草，以后再来拾。拾粪的，见了人家插的草，就该给人家留着，到别处去拾哩！"

我低头望望小草，又抬头望望这哈尼男孩，我看见他双眼闪着纯洁睿智的光芒。在他身后，是翠绿的山谷，透过那些高大的棕树凤尾般的枝叶，露出了金平县县城的一角，几座粉红、浅蓝的三层楼房，在夕阳中犹如盛开的花朵……古老的民族美德，同社会主义的文明图画交融在一起。我心里喷涌出一股葱茏的诗意……

界鱼石

云南最负盛名的高山湖是滇池和洱海，其实另外两个少为人道的高山湖——抚仙湖和星云湖，风光也极为秀媚。这两个湖位于滇池东南，抚仙湖居上，星云湖居下。抚仙湖难得的是几乎未受污染，水色碧蓝可啜。星云湖比它小得多，呈灰绿色。有一条星河，将它们沟通。这星河是清末一位叫李密的县令组织开凿的。

星河的中段，穿过一个叫江门的村庄，村外有个小小的江门公园，公园内最使人兴味无穷的，是河边有一大块上伸下缩、峻峭嵯峨的天然巨石，上面刻有"界鱼石"字样，以及当年李密所书的八个字："石怪鳞惊，鱼各有性"。我们注意地观察着满布墨绿水草的河水，只见一群从抚仙湖那边游来的小鱼，到了此处以后，突然惊摆其尾，掉头回游。据说从星云湖来的鱼，游到此处也都要"惊回首"。这是什么道理呢？当地人目前有两种解释：一说是因为两湖水质不同，这儿正是两湖流出的水"变质"的汇聚点，所以两湖的鱼都不愿游过这个边界而使自己难受；一说是这"界鱼石"发射出一种鱼儿特别敏感的磁力线，所以鱼儿入"磁场"便掉头逃跑。当地人还告知我们，这"界鱼石"上面的山叫野牛山，传说以往在闲时，村里的家牛能自动结伙上山生活，每晚母牛与小牛睡在山凹处，公牛头朝外，卧成一圈，将它们保护起来。牛群并能自动在山上繁殖。到农忙将近，这些耕牛们便自动下山，连新生的牛犊一起，各回其主人家中，毫不混乱。

"野牛山"一说，显然仅属传闻。但"界鱼石"的使鱼群回游，我们都是亲见，不能不引起认真的讨论。我是比较倾向于按第一种说法来解释这一自然现象的。"鱼各有性"，一种水质，适应一些鱼的生长，另一种水质，又适应另一些鱼的生长；两种水质，经星河的勾连，有所渗透，有所交融，所以两边的鱼，也不能说完全不能从对方的水中撷取精华，但这种"交融"和"借鉴"，却不能超过一定的"临界值"。"界鱼石"处便是水质发生突变的处所，两边的鱼儿到此，凭着它们的直觉和敏感，都能掉头回游。此说是否合乎科学，就有待于生物学家指正了。

1982 年 11 月

苏三离了洪洞县

《玉堂春》这出戏,不光京剧唱它,各省的地方剧种几乎都唱它;京剧的梅、程、尚、荀四大名旦,虽说各有各的专门剧目,《玉堂春》这一剧目却是公用的,只是处理有所不同。把近十几年的报纸广告翻查一下,作个统计,除"文革"期间而外,戏曲上演剧目重复率最高的,大约也得算《玉堂春》中的《女起解》和《三堂会审》这两折吧。这究竟是什么原因呢? 似乎很值得研究。

小时候看《女起解》,苏三唱道:"苏三离了洪洞县,将身来在大街前",我颇不解:既然离了县城,已是乡间,何来大街呢? 上月去了洪洞,方知戏文里"洪洞县"指的是洪洞县衙门。现在洪洞县人民政府,仍在明、清两朝的洪洞县县衙门原址,出了它的大门,确确实实就是繁华的街道。

苏三和王金龙的爱情故事,据说发生在明孝宗时期,距今近五百年。对于我们这样一个文明古国来说,五百年前的东西似乎并不那么稀奇。直到十多年前,洪洞县人民政府那个院子里,还完整地存在着近五百年的明朝洪洞县县衙门附设的监狱,狱中关押重犯的牢房叫"狴犴牢",牢门上有巨大的狴犴头像,形似虎豹而獠牙外露。据说还能指出关过苏三的那间牢房和牢房前苏三取水的两眼水井。又据说关于苏三一案的档案材料,多少年来也还保存于斯。

现在再去寻觅这一切,已经荡然无存了,是有目的有计划且限期加以铲除的。事情自然又是发生在"文革"时期。一位来县主持县政府的人物,认为不能容忍这类"反动建筑"继续存在,于是一声令下,夷为平地了。他还认为旧社会既然有"衙门口朝南开，有理无钱莫进来"的说法，那么新社会的"衙门口"就一定不能朝南开，于是乎限令将原来的南大门拆除，砌为高墙，另修了一座朝西的大门，耗资近万元人民币。这一切在当年都是郑重其事地进行的。十几年过去，当人们谈起这件事时，才痛感它的滑稽，并为之扼腕——原来像洪洞县那样典型、完整的明代监狱，在六十年代已属全国古建筑群中的孤例，那本是具有多方面研究价值的珍贵文物。

现在县里的领导班子，非常重视文物的发现和保护。据《玉堂春》这出戏所说，苏三是被富商沈延龄带回洪洞的，可见明代的洪洞，已是个有着高宅大院的县城。现存的鼓楼及一些脊檐、门楼雕饰别致的明、清铺面和民宅确实显露着当年这里的畸形繁荣。县里现在决定把一条明、清建筑最多的街道尽可能按原样保存下来，当做一份立体的历史资料，实在是非常高明的做法。

金秋书简(三章)

白桦林的低语

从大兴安岭回来以后,我一直怀念着你。

那森林边的草地上,野牡丹和野百合开过了,现在是什么样的野花在怒放?我的思念越过蜿蜒曲折的碧蓝小溪,升到高高的冈峦上,在那塔亭般的望楼里,我要同你一起倚窗瞭望……

窗下是茫茫林海,随着山峦起伏,绣出层层叠叠、浓浓淡淡的绿浪。紧靠着望楼是一片白桦林。银白的树干,灰绿的树冠,随着阵阵山风,它们摇曳着身躯和手臂,仿佛在向我们低吟浅唱……

看林人呵,我的兄长,我们在那望楼上只相聚了几个小时,但一颗林业工人的闪光的心,却永远在我灵魂中涤除着虚荣与狂妄。

你本有烟瘾,但在岗位上,你的衣袋里绝没有一撮烟草、一根火柴棒;不错,你怀里揣着一小瓶酒,但你给自己规定:每两小时一口,绝不违章。你不带书报,不是你不爱看,因为你的双眼必须随时注意四周的情况——哪怕是一缕淡淡的细烟,也不能忽略轻放!你带了一台半导体收音机,但除了收听天气预报,你甚至不再收听你最爱的歌曲,因为你双耳必须随时捕捉远近异常的音响——哪怕有人偷伐一棵小树,你也不能将他原谅!

我问你:"寂寞吗?"你笑了,笑得那么爽朗,那么豪壮。你教我从各种鸟鸣中听出旋律，你教我从各种树姿中产生联想，你对我说："森林是大地的绿毯，我们要把这厚厚的绿毯，一直铺到北京城的边上！"怀念你呵，看林人，自从分别后，我又走过了那么多地方，你却日复一日，同你的伙伴们倒班守望在那同一塔亭上。四面风来时，塔亭里发出轰轰的震响，你一定还在睁大双眼，警惕着邪火出现的征象。在默默的思念中，我激励自己要有你那样的胸怀，你那样的目光……

白桦林该还在向你絮絮低语，你该还在用深情的注视同他们倾诉衷肠。在白桦林的低语中，愿你听到我的声音，我还要到大兴安岭去，如一滴雨，如一片雪，充满渴望地投向森林和你们的胸膛！

走在银白色的小路上

刚从太湖边上回来，我便忍不住提笔给你写信。

年轻的乡长啊，送别时，你握住我的手问："我们这里，什么给你留下的印象最深？"我一时答不出来，因为无论那果实累累的橘林，那飘逸馨香的金桂，还是那河汊中新漆过的乌篷航船，那竹丛中新盖起的红瓦小楼……都仿佛挂满露珠的花朵，簇拥在我脑际的花坛。

可是，现在我可以郑重地回答你了：开放在我记忆中那最艳丽最芳馥的花朵，是从你们镇上通往四乡的银白色小路。

在你们水乡小镇的拱桥上，在霏霏的细雨之中，你把万花筒般的集市街指给我看。我注意到花儿般浮动的伞，我注意到过街楼下琳琅的货摊，我嗅到了新出锅的糕团的香味，我听到了一片柔脆滑软的吴音……可是你却提醒我不要错过了最值得注意的细节：人们那移动的双脚，那脚上的鞋。

是的，我看见了，有矮腰和半高腰的雨鞋，男人的一律黑色，妇女和儿童的却或灰或黄，或红或白；也有人仍穿着球鞋、布鞋、草鞋……你进一步提醒着我："他们的鞋上，可有很多的烂泥巴？"我再仔细观察，在这江南的绵绵细雨中，在这乡镇喧阗的集市上，人们的鞋上并没有很多的泥巴。这是为什么呢？

你把我引到镇边，你指点着。啊，我明白了，不仅镇里的街巷一律铺上了沥青、石板，而且，从去年开始，你们乡政府已经把银白色的水泥块，铺砌到通往每一座小村的道路，在透明的雨幕中，在翠绿的田野映衬下，那蛛网般的银白色小路，闪动着催人沉思的光泽。自古以来，江南阴雨中，烂泥巴便折磨穿鞋人，而你们这里，却正式告别了延续几千年的泥泞，如今男女老幼出了家门，脚下便有这银白色的小路，顺着它，可以一直走到镇子，走拢集市，走上茶楼……

年轻的乡长啊！这银白色的小路，像一套新的《子夜吴歌》，吟唱着只有这几年才能出现的新鲜事，它让我们珍惜带来这物质、精神双重文明的源泉，它促使我们把幸福的飘带进一步伸向未来。

太湖归来，我曾做梦，梦中我走在那银白色的小路上，放喉与欢乐的水乡同胞相唱和。

窗外紫薇盛开

你们一定把我忘了，可我永远记得你们。你们苏州刺绣研究所，每天该有多少人参观啊！你们习惯了那沙沙的脚步声和抑制不住的惊叹。你们垂下睫毛，用纤纤细手，娴静地绣啊，绣……

你们绣出过栩栩如生的小猫和金鱼，你们绣出过飘飘欲出的嫦娥和玉兔。如今你们三姊妹，又在合作一幅双面异色绣的中堂屏风，你们绣的是虎丘景色。绣成以后，两面取景相同，但一面将是春光烂漫，另一面将是秋色宜人。你们要细心地选择丝线，有的地方，一根本已细如发丝的彩线，还需再劈分为四等份、八等份才好使用；你们运针不能打结，必须将两面的针脚妥帖掩藏；你们虽有图样可据，但具体下针时，却必须根据经验、悟性和灵感机动变通。面对着绣绷，你们暂时忘记了爱人和孩子，忘记了灶房中该去打油的空瓶，忘记了缝纫机上尚未完工的衣衫，你们低着头，默默地绣啊，绣……

我忍不住打搅了你们，问："这幅屏风，你们要绣多久才能绣完啊？"

你们中的一位抬起头来，淡淡地笑着，仿佛是不经意地告诉我："抓紧一点，两年可以绣完。"

啊，两年！你们手下一件劳动成果，竟要占有你们如许多的生命！我的苏州姊妹啊，你们以往的青春，已然默默地绣进了几件作品中？你们正在逝去的年华，又将默默地熔铸在几件作品中？你们手下出来的绣品，那么灿烂，那么辉煌，不仅为祖国赚取着宝贵的外汇，更发扬着我们民族艺术的传统之光，可你们自己却那样地朴素无华，无声无息！古人感叹："时光容易把人抛，红了樱桃，绿了芭蕉！"然而从樱桃谢落到蕉叶卷绿，你们手下的绣品还远不能告竣，如今，你们窗外紫薇盛开，待到庭院中腊梅放香时，你们才该绣至一半吧？我愿成为你们窗外的一枝紫薇，在默默的注视中，把你们的耐性、韧性和心灵中那丝丝缕缕抽取不尽的美，尽情吸收！

1983 年 10 月

花环上，期待着更多的蜜蜂

我愿做一只工蜂，到生活的花海中去采蜜。

我不仅应当用整块的时间去深入沸腾的实际生活，就是在紧张写作的间隙，也应当到屋子外面走走、看看、听听、想想……

于是有一天，我把笔搁在未写完的手稿边，去到崇文门，乘上了44路公共汽车。我顺内二环路转了一整圈。

呵，二环路！令人振奋的二环路！

北京城现在有三条环行路。一环，以东单、西单、平安里、北新桥为四个转折点。我在北京长大成人，从"红领巾时代"到"共青团时代"，我目睹了一环路的变化。记得上小学的时候，长安街还没有变成今天这般宽阔壮丽，乘坐那"当当当"一路发响的有轨电车，弯到北城时，那边的轨道竟是单轨，车到站了，要耐心等待对面的电车开拢来，拐到一侧仅供错车的一小段复轨上，这边的才能继续前行。有一回我坐那样的电车，从钱粮胡同到小经厂实验剧场去看话剧《小白兔》，车到北新桥，对面的车怎么也不见影儿，急得我抓耳挠腮，后来只好下车一路跑到剧场，浑身汗湿得像只落水猴儿……经过多年的经营，一环路如今已成为北京以往城市建设成绩的总标志，特别是东西长安街和世界头号城市广场——天安门广场。北京城目前最外面的环行路是三环路。现在的三环路好比一条尚未穿满珍珠的项链，它预示着北京城今后的宏大气魄。一环与三环之间的二环，则犹如刚刚编缀完的色彩缤纷、馨香四溢的花环，它更充分地体现着北京城市建设日新月异、突飞猛进的时代风姿！

　　是呵，从 44 路公共汽车的车窗望出去，那目不暇接的新鲜事物，使我痛感自己的那支笔，总有点赶不上时代车轮的飞转和人民翅膀的飞腾，倘若我真是一只蜜蜂，我该怎样更辛勤、更执著地吮吸、酿造？

　　汽车开过了建国门立体交叉桥，又奔向朝阳门立体交叉桥……在北京的三条环行路上，目前只有二环路上有现代化的立体交叉桥，一共多少座？我算下来一共有十座，有的是三层转盘式，有的是双层转盘式，构造并不完全相同，但那流利的线条、玲珑的桥栏、高耸的华灯，以及桥侧绿地上如茵的草坪、整齐的树木、锦绣般的花坛……都涌溢着一种现代化的气息。我心中不禁又一次翻腾着这样的思绪：当我们可爱的北京城在物质建设方面向高处和宽处展拓着的时候，我们全体北京居民，该怎样在精神建设方面向更光明处和更美好处进一步展拓呢？

　　二环路是在北京原城墙墙基上出现的。存在了几百年的锯齿形的墙垛所构成的天际轮廓线，如今已被建成和兴建中的楼群所构成的天际轮廓线所代替。我曾在一个中篇小说中嵌入了一段文献式的叙述，历数了建国以后北京几代居民楼的兴建情况，对北京城以往这个方面取得的进展不够充分，以至还出现过停滞乃至倒退的现象，表现出一种焦灼和渴望。但是，现在无需援引统计数字，仅仅用自己的双眼观察，也不难得出这样的结论：粉碎"四人帮"以来，特别是党的十一届三中全会以来，北京所兴建的居民楼在数量上肯定已经超过以往二十多年的总和，而且在质量上、施工速度上也超过了以往。从 44 路公共汽车上望出去，心中不禁涌出了"雨后春笋"这个词儿。"雨"，就是党的正确路线，"春笋"便是那一幢幢拔地而起的高楼！

　　我是一九七九年搬入劲松新居民区的。我住的是较早建成的那种楼房。设计上存在着许多的缺陷，如开间过小、没有地漏、无处洗澡。关键是那时候思想还不解放。后来我眼见着盖出了一幢幢设计更合理、施工更精心的新居民楼。我不断被亲友们请去庆贺乔迁之喜。每一个后迁入的必定有着更美满的居住条件。最近一位朋友所分到的单元，卫生间中不仅有澡盆，还有同厨房煤气灶相通的自动热水器，可以在澡盆中用热水淋浴。

　　当然，一下子改变北京所有居民的居住条件，还不可能。有的居民也许还要等待很久，才能迁入新楼。但我想凡是目睹了二环路上新气象的北京居民，即使他个人还不能马上享受到城市建设的甜果，他难道不该为自己亲爱的城市，为那些先一步得到乔迁之乐的人们，由衷地感到高兴吗？是呵，春风既已拂来，你家桃李树枝丫上缀满繁花的日子，难道还会遥远吗？

二环路给予我的启示真是太多了！我看到修葺一新的东便门角楼和德胜门箭楼，我看到正在进一步修缮的雍和宫后身，当然，我在经过建国门立体交叉桥时，不禁久久地凝望着与中国社会科学院新建大厦斜对着的古天象台……一种充沛的历史感，沸腾于我的胸怀。今天，一九八三年，距离八国联军蹂躏北京才仅仅八十三年，距离卢沟桥事变才仅仅四十六年，距离美兵在东单放肆地强奸中国女大学生沈崇也才仅仅三十六年……可是今天我们的社会主义祖国，我们的新北京，已经完全扫荡了国耻和屈辱，已经有着多么高大、坚实、灿烂的形象啊！

二环路，你这美丽的花环，你是过去、现在、未来的纠结点。我看到、想到无数在这花环上酿造幸福的蜜蜂——那些在高高的塔吊上和脚手架上劳作的建筑工人，那些在这二环路地底下为环城地铁通车作最后准备的人们，那些为敷设自来水、排水道、煤气管、电信线路而滴下汗水的师傅们，还有园林、环保部门的工作人员们……

做蜜蜂吧，让自己成为蜂群中的一员！

从二环路上回来，再提起笔，我便比以往更增强了社会责任感，更增添了乐观的豪情。我知道，花环上，期待着更多的蜜蜂，而我笔尖所流泻出的，应当力求比以往更明亮、更深厚、更有力……

1983 年 10 月

让我们创造

　　直到 1978 年冬天，我才头一回在银幕外见到了赵丹。当时我是《十月》杂志的编辑，到上海去索取黄宗英同志的《大雁情》。黄宗英当时正躲在一个地方精心结撰电影剧本《闻一多》。在那里见到赵丹并不令我惊奇，令我惊奇的是赵丹对我这样一个刚刚迈进文艺界门槛的学徒，出乎自然地平等相待，并且在几句话之间就使我感受到一种真诚的温暖和强烈的魅力。他关切地问我："你的《班主任》有人搬上银幕吗？"我告诉他："倒是有个电影厂表示正在考虑。但是他们觉得这样的文学作品很难搬上银幕……"赵丹整理着衣领，抖擞着精神说："我觉得关键是用什么方法来拍，可以打破常规，尝试一种新的路子嘛……"然后他就兴致勃勃地讲述了关于小说中一个片段的银幕体现构想，并且表演出小说中某个人物的神情，最后像孩子般天真地欠身对我说："我想试着改编导演这部片子，不过……你现在千万不要对别人讲出去！"

　　是的，我一直信守着他的嘱咐，在写这篇文章之前，没有对别人讲过这件事。但是当我得悉他逝世的消息，特别是一再地在悼念他的文章中，读到为他近四年来竟一部片子没拍而遗憾的段落时，那天的情景便宛在眼前，而使我不能不说。他在今年春天题《白芍图》的诗中说："一生多蹉跎，老来复坎坷。"为什么这样一位在全中国、全世界都享有盛名的大艺术家，在粉碎了"四人帮"后的整整四年里，在艺术创造上竟有坎坷之叹？为什么他那么多的创造愿望，竟一个也不能实现？我以为，我们与其把许许多多美好的悼词奉献给赵丹，莫如把他晚年的这一悲剧认真而不是敷衍地剖析一下。请注意，一个赵丹去了，而仍然健在的若干"赵丹"恐怕也有类似的苦衷，切莫让他们也"老来复坎坷"了！

赵丹近四年一部片子未能拍出的原因，肯定是多方面的。有人说："都六十多岁了，退休了吧，何必非得演戏呢？"这是一种似是而非的说法。倘若一个演员自己熄灭了创造的欲望，三十岁他也可以隐退，而一个演员即便已经六七十岁，只要他心中仍燃烧着创造的火焰，体力又允许，我们就没有什么理由去抑制、冷淡他的创造欲望。对于任何一个有事业心的人来说，生活是否美好的首要标志便是有否创造的机会，文学艺术家的真实生命尤其与不断创造息息相联！

记得那次和赵丹同志谈了一阵以后，他潇洒地照了照镜子，理了理鬓角，便匆匆地告辞走了。他是去电视台朗诵一首短诗的。对于他来说，即使是那样的一次小小的创造活动，也是弥足珍惜的。人们啊，理解文学艺术工作者的创造欲望，让我们畅怀创造吧！

1980 年 10 月 31 日

难忘的一杯酒

我上中学的时候，语文老师教我读叶圣陶的《多收了三五斗》，后来我当了中学语文教师，又教我的学生读《多收了三五斗》，再后来我娶妻生子，不知不觉中儿子高过了我的头，上到中学，有一天我见儿子在灯下认真地预习课文，便问他语文老师要教他们哪一课了，他告诉我："《多收了三五斗》。"这其实还算不了什么，我的母亲，我儿子的奶奶，今年已经84岁了，她就几次对我和她的孙子说："中学时代读过的课文，一辈子也难忘。我就总记得读过叶绍钧的《低能儿》。"叶圣老就这样用他的文学乳汁哺育着跨越过半个世纪的三代人。

我十年前登上文坛的时候，叶圣老早已是年过八十的文学老人了。见到冰心、巴金那样的老前辈，我已觉得是面对着文学史的篇章，深觉自己的稚嫩，而冰心、巴金又都把圣老尊为自己的老师和引路人，所以对于圣老，我实在是只能仰望，自知无论就年龄差异还是文学资历而言，辈分都真是晚而又晚。

5年前的一天，《儿童文学》杂志召开编委会，叶圣老是编委，我也忝列编委，在差了好几个辈分的圣老面前，我心中既满溢尊重又不免拘束无措。会后的便宴上，我走近圣老身前敬他一杯酒，我没想到他不仅立即认认真真地站起身来，立即认认真真地端起了他的那杯酒，并且立即认认真真地用长长的白白的寿星眉下的那双眼睛望着我，还认认真真地对我说："刘心武同志，您好。谢谢您。谢谢您。"最让我感动的，是他不仅认认真真地同我碰杯，随后还认认真真地仰脖喝下了他那杯酒，并认认真真地把喝干了的酒杯亮给我看，还认认真真地注视着我干掉我那杯酒，又认认真真地听我多少有些慌乱有些局促有些言不达意有些结结巴巴地说出的一些仰慕的话，直到我要离开他了，他才由叶至善同志扶着慢慢地坐下。

这真是永难忘怀的一杯酒。刻在我记忆中的是一个终生认认真真谦恭待人的伟大人格。

那回的敬酒，叶至善同志自始至终随他父亲站立，并真诚地微笑着，自己却并不举杯。后来林斤澜同志告诉我，叶家的老规矩就是那样，只要是圣老的客人，无论多么年轻，都可同圣老平起平坐，但叶至善他们子女，往往是侍立在圣老旁边，并不一定随之落座。乍听去，这规矩似乎旧了点儿，不甚可取。但我后来同叶至善同志有些交往后，就深感叶家的家风，凝聚着许多中国传统文化中的美德，而他们家中父母子女姊弟妹间的精神平等和心灵交流，却又明显地汲取于西方文明中的精华。现在圣老离我们而去，在我们对他的追怀纪念当中，我以为应当加进对他那在中西文化大撞击中所形成的人格和文化心理结构的研究，而具体入微地考察与分析一下叶家的家风，即叶家的文化品格，也许不失为一个非常有价值的艺术角度。

1988 年 2 月 28 日

默默想音容

到杭州几天了，不见"湖光潋滟晴方好"，只觉"山色空蒙雨亦奇"。我在位于灵隐寺通向韬光寺山路旁的朱庄中写了几天稿子。四月一日下午，稿子告一段落，我打把伞，从灵隐寺顺公路漫步到孤山，借观赏春雨中的西湖美景，松弛一下绷紧的文思。到了西泠印社，且坐到茶榭中吃茶。忽然，我听到隔座有游客说："茅盾去世了……"我始而吃惊，继而产生了一种"辟谣"的愿望，因为就在来杭州的前几天，电影演员李仁堂同志来我家中，他还谈起为在电影《子夜》中扮演吴荪甫，不久前随导演桑弧同志去拜望茅公的情景，当时摄影师还将谈话情况收入了胶片，打算将来在正片前放映；据仁堂同志说，茅公虽然是抱病接见他们，但精神矍铄，谈笑自如……怎么会一下子就去世了呢？

我站了起来，真想过去同那位游客辩个究竟，但随即想到，何不借份报纸翻翻？遂过去向卖茶的服务员借到了报纸，一看，报上所载的，已是党中央恢复茅公党籍的消息了！我在朱庄中闭门撰稿，一时没有听广播、看报，竟至于未能及时得知茅公逝世的消息！

举伞徘徊在西子湖畔，只觉那灰云，那细雨，那七叶树上滴下的水珠，那断桥前素白的桃花，都恰与我此时的心境相合。茅公啊，我只同您直接接触过两回，但您对我的关怀和扶植，将永远铭记在我的心中！

头一回，是一九七九年二月十三日，在友谊宾馆的小礼堂中。当时人民文学出版社召开了部分中长篇小说作者座谈会，茅公莅会讲话。他在讲话中对冯骥才等几位青年作者的中篇提纲进行了具体的指点，当中谈及到我，并问身旁的严文井同志：
"刘心武在吧？"我遂从座位起立，严文井同志告诉茅公："就是他。"茅公注视着我，
微微颔首，眼光中流露出对幼苗的爱护与期望。第二回，是同年三月二十六日，在
新侨饭店颁发一九七九年全国优秀短篇小说奖状时，茅公亲手将奖状递到我的手中，
并对我亲切地微笑、热诚地握手，那时的情景，如今宛在眼前！

去年，我见到了专门研究中国文学的中国血统的美籍学者时钟雯。蒙她见告，
她在访问茅公时，谈及中国当代文学状况，茅公还关切地谈到了我，希望我们这一
辈的作者，能继承革命现实主义的传统，使中国的文学有一个大的发展。

茅公啊，我们这一辈文学后进，还不及得到您更多的指点时，您竟溘然长逝了！
我们只有时时默默追想您的音容，把您的勉励和期望当做动力，去努力地为人民写作！

1981 年 4 月 10 日写于杭州

猪年随想

　　明天就进入农历癸亥年了。癸亥年是猪年。我对农历的干支、属相向来模模糊糊。在我的心理习惯上，还是把公历元旦看成新的一年的开始，春节主要是做点好吃的东西以及同家人亲友团聚。有时就连这类事也觉累赘——因为心里总觉得新的一年早已开始，而所做的事还太少，不免着急。不知怎么的，一些比我小十多岁的青年，似乎却很重视属相之类的"讲究"。比如属什么的不能同属什么的搞对象呀，哪个年头是"寡妇年"不适宜结婚呀，办喜事得挑个阴、阳历的月、日和星期都是双数的日子呀，等等。他们那种认真的劲头，颇令我吃惊。

　　真不知古人是根据什么选择了这样十二种动物来当做"生肖"的。其中鸡兔鼠之软弱无能，马牛羊猪之任人驱使宰割，猴之不稳重，狗之奴颜或凶相，蛇之形态不雅，自不必说，就是稍觉好一些的虎与龙，细细推敲起来也有毛病。虎之技能不如猫，属虎的如遇非上树不能幸存的境况，则大有一命呜呼之势。古人定十二生肖时，何取虎而舍猫呢？颇令人不解。龙如果指的是故宫里到处雕着的那种帝王的象征，则随着最后一个封建王朝的覆灭，它的尊贵和威严也早已化为了滑稽与失败；倘若是指古生物学中的恐龙，则天桥那里的自然博物馆中恐龙骨架的说明告诉我们：它们是因为缺乏适应性而被大自然淘汰的。这样看起来，十二生肖竟全无绝对"吉利"之物。如果进一步"较真儿"，则几乎没有两种生肖是可以结合在一起的，如虎几乎可食龙以外所有的"生肖"，但"龙虎斗"又是尽人皆知的俗语。就是马与羊、牛与兔、猴与狗之类，也很难说必能和平共处，放牧场、动物园中不使它们同圈，便是明证。

同一属相的结合似乎也不保险，"二马不能同槽"、"二虎相争，必有一伤"……怎么办呀？为绝对吉利和保险计，我们是否从此禁绝恋爱和结婚呢？唉！

大过年的，说这些话，不是饺子吃多了闲磨牙，实在是因为时下有些个事令人发愣。前些天听说某工厂的一位党支部书记粗暴干涉女儿和一男青年的恋爱，竟至于逼得那女儿自杀死亡。干涉的理由是什么？原来这位书记姓杨，而那位男青年姓潘，他据"杨家将"的故事，认定"潘杨两家势不两立"，所以阻拦到底。这位书记的历史知识几乎等于零，竟不知《宋史》上并无《杨家将演义》中的种种故事，那个潘仁美，据史料看来，也没有那么多的劣迹。而且退一万步说，即便历史上真有"潘杨讼"之类的事情，事过一千年了，又何必让潘杨两姓像罗密欧与朱丽叶似的，后代也要继续仇恨下去呢？

今年是猪年。猪是愚昧的，而我们人不应愚昧。置身在建设物质、精神两大文明的历史阶段和改革的潮流之中，我们大家，尤其是青年一代，又尤其是文学青年，难道不应当把猪八戒身上和社会上的愚昧无知、不思进取的旧意识、旧风习，来一个大扫除吗？

1982 年除夕

这里玫瑰盛开

　　红玫瑰，白玫瑰，黄玫瑰，紫玫瑰……在我们中国作家代表团访问罗马尼亚的十五天里，到处看见金阳沐浴下盛开的玫瑰。一下飞机，扑进我们眼帘的，就是停机坪前方花坛上艳丽的玫瑰；乘轿车驶入布加勒斯特市区时，马路中央的花坛上，也是一簇簇挺着花盘的玫瑰；在嗣后的参观访问中，无论是在多瑙河畔、黑海之滨，还是在喀尔巴阡山山麓，到处都是盛开的玫瑰，娇艳夺目，馨香夺人。十五天项目紧凑而丰富多彩的走访，使我们深深地感到，罗马尼亚的社会主义建设事业，真如盛开的玫瑰一般，欣欣向荣，充满无限的生机。我们来到了布加勒斯特"特里果达瓦"针织厂，整个工厂的外观，就像是一座被绿荫簇拥着的体育馆；进入车间以后，不见窗户，不见电扇，而光线明亮，凉风习习，原来是装有成套的空调设备，能使整个厂房保持恰到好处的恒温与恒湿，所以工人们置身厂房，犹如在春日的公园中一般怡然舒畅。针织、裁剪、缝制、熨烫几道工序，在硕大的整体车间中流水作业，除熨烫一环还需投入较多手工外，其他几道工序基本上都实现了电脑控制的自动化。厂长勃阿里乌·狄米特里耶同志告诉我们，一九六五年七月罗共"九大"以后，罗马尼亚全国就把工作重点放到了高速度发展经济和提高人民生活福利上，这座现代化的工厂建于一九六七年，目前年产六百多个品种的男、女、童用针织衣衫二百多万件，除供国内人民需要外，还外销世界上几十个国家……这样的新工厂、新企业，在罗马尼亚全国是很多的，我们所见，不过是玫瑰丛中的几株罢了。

　　罗马尼亚人民的生活，也正如盛开的玫瑰般幸福、甜蜜。社会主义制度的优越性，在这里是看得见、摸得着、身受得到的。在罗马尼亚第二大城雅西，我们在新建的居民大楼访问了制药厂工人戈奈斯库一家。他一家四口，享用着一个设备完善的六十多平方米的单元，饭厅兼起坐间的餐具柜里，摆满了晶晶发亮的玻璃器皿；一角是二十四英寸的大电视，成套的沙发配以漂亮的落地灯，壁上、桌上点缀着不少油画和工艺品，显示出主人富足的生活与高尚的情趣。两个还在上学的女儿合住的卧室里，沙发床两侧全是摆满图书的书橱，墙上还挂着网球拍、滑雪板等体育器械，卫生间里有雪白的浴盆和电动洗衣机。主妇把过道中宽敞的壁柜打开给我们看，里面除了杂物外，还摆放着电动吸尘器及两辆自行车，戈奈斯库笑着对我们说："自行车是她们姊妹锻炼身体用的，我们三年多以前已经买了一辆国产的'达契亚'牌小轿车，每年带薪度假的时候，我们就开着到黑海去洗海水澡；当然，有时也到喀尔巴阡山积雪的山峰上去滑雪……"我们随主人到阳台上去，只见无论是近处还是远处，类似他们所住的新住宅楼一座连着一座，正大大改变着昔日雅西只有教堂尖顶高耸的天际轮廓线。我们所到的七座城市，到处耸立着十来层高的新建住宅，外形设计多种多样；有两点给我们留下了深刻的印象：一是建筑速度之快，我们离开布加勒斯特时，旅馆对面的一座十层大楼刚在施工，一周后返回原处，该楼的外装修已经告竣，浅黄的外壁在蔚蓝的天空衬托下，显得格外爽目，如一朵莹洁的黄玫瑰；二是着眼于实用，我们经常发现这样的楼房：窗内已挂上精美的窗帘，阳台上已摆好婀娜的盆花，而整栋大楼的外装修却并未完成，还裸露着混凝土墙面，他们是首先搞好内装修，以便使用户能及早使用为准则的，这实在很值得我们的房建部门学习。在戈奈斯库家中做客时，热情的主妇除了用热咖啡、葡萄酒、矿泉水招待我们，还端出来几小碟紫红的甜食，连连请我们吃，我们举匙一尝，才知道是主妇亲制的蜜渍玫瑰花瓣，真是吃到嘴里，甜到心里，衷心地为罗马尼亚人民在社会主义道路上所获得的幸福生活而高兴。

玫瑰花也是真挚而炽烈的友谊的象征。我们在罗马尼亚所到之地，见到的每一个罗马尼亚人，从县委第一书记到作家、编辑，从工人到农业合作社社员，从旅馆、餐馆服务员到街头遇上的小朋友，无不对我们表示了深厚的情谊。在雅西县立图书馆，我们看到不少罗马尼亚读者热心地借阅译成罗文的中国文学作品，从一本精印的罗文《新中国诗选》中，我们高兴地发现了两首我们代表团团长——老诗人严辰同志的诗作,主人当即请严辰同志在罗文译名下签名留念;图书馆的管理员为了表达欣喜与敬意,特地从庭园花坛中剪下一朵盛开的黄玫瑰,献给了严辰同志,我激动地拍下了这一镜头,以留作共同的珍贵纪念。

我们当然注意到了,艳美的玫瑰花茎上是长着尖刺的。这刺,并不会刺到尊敬玫瑰花的朋友和客人身上;这刺,是用来对付那些妄图伸出贪婪的手,来攀折玫瑰花的歹徒的。千百年来,奥斯曼帝国、奥匈帝国、沙皇俄国,一再入侵过罗马尼亚,结果都被刺得狼狈不堪;今后谁敢再来染指,那保险能把他的喉咙刺穿!在特尔古－穆列什城,我们目睹了令人振奋的一幕:在市中心花树环绕的广场上,当地的罗马尼亚武装力量正举行新兵入伍式,威武的军乐声中,新战士列队接受检阅;在穿深绿军衣的正规部队对面,身着蔚蓝色制服的爱国卫队也肃然屹立着;聚集在广场四周的群众,个个现出严峻而坚定的神色。一种忠于祖国、捍卫国家独立、主权和领土完整的凛然正气,直冲云霄。身临其境的我们,不禁油然生出一股钦佩之情。

罗马尼亚啊,你处处玫瑰盛开;罗马尼亚啊,你本身就是一朵盛开的玫瑰,离开你了,我们还是余香满身;玫瑰啊玫瑰,我们何日再相逢?

1979 年 8 月 22 日

云雀在欢鸣

　　车窗外掠过了布加勒斯特美丽的街道：具有现代派建筑风格的大厦、古色古香的尖顶教堂、彩毯般的花坛所环绕的历史人物铜像、上空飞翔着鸽群的优雅喷泉……

　　我们中国作家代表团飞抵罗马尼亚，仅仅才两天，盛情的主人安排我们访问和座谈，活动日程丰富多彩。此刻我们是驰赴剧场，去观看"罗马尼亚狂想曲艺术团"的演出。这将是怎样的一场演出？或许是交响乐演奏，抑或是现代派的芭蕾舞集锦？出发前我问过陪同我们的作家乔治·迪米库同志，他笑吟吟地说："你们看过就知道了！"迪米库真是个可爱而有趣的向导，我们的团长、老诗人严辰同志不止一次说过："迪米库同志毕竟是个出色的小说家，他总给我们安排下一系列伏笔，不让我们喜出望外，他是不甘心的。"的确，当我们落座在玲珑雅致的小剧场中，静场钟声响过，金幕徐徐拉开，呈现在我们面前的舞台深处，是夕阳金晖所沐浴的橡树林，林前一所罗马尼亚民族的特有的乡村木屋，柱上刻有代表太阳的光轮与代表生命的绿叶，从大敞的门窗可看到屋内的墙壁上挂着彩线织就的餐布、彩绘的陶盘与陶罐；在这所木屋的廊子上和门窗内，很自然地布置着一个穿着罗马尼亚民族服装的乐队，只见指挥双手一摆，欢快、炽烈的霍拉舞曲响彻全场，候尔台侧飘出两队金发上巧嵌珠翠、衣裙上绣缀彩片的村姑，随着乐曲翩然舞动；候尔又走出两队头戴插羽花帽、穿着镶彩花边的坎肩和紧身白羊毛裤的小伙子，他们戏谑地插入姑娘们之中；双方穿着皮靴的双脚灵巧地踢踏着，传达出一种喜悦、幸福的节日气氛，还不时发出仿佛是抑制不住的尖叫……

　　我不禁想起飞抵罗马尼亚境内后，从波音机的椭圆舷窗中所俯瞰到的景象：大片的密聚的茸润的森林、碧绿的滋润的田园，红瓦小楼攒聚的村落，如练似玉的多瑙河……啊，艳美富饶的罗马尼亚大地，你孕育着多么勤劳、聪慧、乐观的罗马尼亚民族！望着花团锦簇的犹如旋转般的舞台，我觉得从那上面似乎飘来了多瑙河平原上沃土的气息，多布罗加丘陵上森林的芳香，喀尔巴阡山溪流的喧响……整个演出并不间断，一个舞蹈完了，乐队走出布景中的村舍，挪至靠近台前之处；为使背景保持饱满，不知不觉地吊下来几株代表橡树树干的景片；两组女声三重唱演员，散步似的走至左右台口，她们各穿着摩尔多瓦、瓦拉几亚、特兰西瓦尼亚、匈牙利等几种兄弟民族的服装，在乐队伴奏下，用和谐而舒缓的调子，唱起了极为悦耳的民歌……这时舞台上灯光由金黄渐次变为橘红，把人带到一种夕阳落坡、牛羊下山、村舍炊烟袅袅、空气中飘散着烘面包和鲜奶酪气味的安谧、宁静的气氛中……

　　歌唱、演奏和舞蹈非常巧妙地穿插进行着，忽然，迪米库同志轻轻碰了碰我的肘弯，提醒我注意，只见从乐队后排走出一位排笛手，协奏的乐声骤起，啊，是我们中国群众早已熟悉的名曲《云雀》。在布加勒斯特聆听《云雀》，这是多么有兴味的事啊！这次的演奏与我们在国内所听的似不相同，当中穿插了不少个排笛手用那奇妙的乐器模拟出的鸟鸣，除了云雀的鸣声而外，似乎还有许多其他鸣禽，如百灵、夜莺、杜鹃一类的鸣声，这又不禁使我想起了祖国的《百鸟朝凤》……

　　观看演出时，全部感官几乎都在竭尽全力地吸收，感受，因此理性的认识一时还未产生。晚上在布加勒斯特街上散步时，才思考起来，逐渐形成了一些比较明晰的想法。

　　我们访罗以前已经知道，罗马尼亚的音乐舞蹈艺术是相当繁荣的，十八、十九世纪以来的古典音乐、芭蕾舞、现代派的电子音乐和舞蹈，都是经常演出的项目，可是他们最乐于奉献给外国宾客观看的，却并不是这些或多或少吸收、借鉴了外民族艺术遗产和最新创造的艺术演出，而是百分之一百的罗马尼亚土产——民间歌舞。难道这是偶然的吗？不，这寓有很深的含意。我们知道，罗马尼亚是一个只有二十三万多平方公里的国家，由于它处的重要战略位置，由于它资源丰富、国土美丽，历史上饱经劫掠者摧残，至今也不能说就没有人对它垂涎三尺。仅就十五世纪后的这五百多年而言，它就先后多次遭到过奥斯曼帝国、沙皇俄国、奥匈帝国的残暴侵略，它的领土多次遭到肢解和强占，侵略者不仅从政治、经济上对罗马尼亚民族进行压迫和搜刮，并企图彻底消灭罗马尼亚民族的一切民族特征，然而英勇、顽强的罗马尼亚民族，经过千百年的浴血奋战，不但在一八五九年实现了民族国家的基本统一，在一九一八年形成了全部罗马尼亚民族定居地的统一的罗马尼亚民族国家，而且在一九二一年五月成立的罗马尼亚共产党领导下，经过长期艰苦斗争，在一九四四年八月二十三日成功地取得了全国反法西斯武装起义的胜利，导致了罗马尼亚的新生。"罗马尼亚狂想曲"的演出，无异于是一篇自豪的艺术宣言。

是啊，在我们后来的一系列参观、访问活动中，这种民族自尊感，这种发自内心的深厚的爱国主义激情，这种不容外来干涉者侵犯罗马尼亚的国家独立、主权和领土完整的凛然正气，不但体现在每一位会晤者的言词眉宇心声之中，而且也体现在博物馆珍藏的每一件出土文物，街头的每一尊为民族独立作出贡献的历史人物所立的雕像，乃至于每家每户必与电视机、电冰箱、电动缝纫机……现代化的生活用品并陈的，代表着本民族传统与气质的彩织餐布和彩绘陶盘陶罐上。

在随后的参观访问中，我们体会到，罗马尼亚并没有把自己的民族传统和民族特性，当做一个抱残守缺的包袱，来捆住自己的手脚，妨碍自己从外来的事物中汲取一切精华；恰恰相反，正因为有着深厚的民族自信心，有着不容被外族强行同化的丰富历史经验，罗马尼亚正放手从国外，特别是从世界发达国家的先进技术中，汲取着一切有用的营养，发展着自己国家的社会主义建设事业，改善着人民的物质和精神生活。我们访问位于全罗中心的锡比乌城，一日街头散步，正碰上一家人在餐馆里包租了一间宽敞的餐室，举行结婚宴会。长一辈的父母都是典型的劳动群众模样，在长年的辛勤劳动中皮肤变得红黑粗糙，手掌巨大，身躯粗壮。而新郎已是一代新人，说不清是工人还是技师，因为这两种人现在都可能这般白净俊俏。新娘娇小玲珑，金发披肩，笑靥微展。只听乐声忽起，是他们请来的小乐队正用电吉他和小提琴等乐器在即兴演奏，在一片欢喧声中，先是客人们纷纷离座到舞池翩然起舞，最后新郎、新娘也甜蜜地依偎着跳了起来……我细听那节奏感超过旋律感的电子音乐，啊，奏的也是《云雀》！这《云雀》虽然不尽是那《云雀》，但那传统的《云雀》之魂也融进了这现代派的演奏之中……我欣赏了一阵这天然自在的风俗场面，忽然耳边已停止了电子琴的声音，而代之以同一乐队改奏的纯民间霍拉舞曲，宾主们遂极为自然地改为挽成四排,欢快地用高跟鞋和皮凉鞋模拟着皮靴的快速踢踏。刹那间,只觉餐桌上点缀的瓶花更艳,顶棚上交错下垂的现代派吊灯更雅。谁说吸收了外来的东西,民族的传统就必定会毁呢? 谁说保持民族传统,就必得拒外来的事物于国门之外呢? 从这罗马尼亚人民日常生活的小镜头中,我得到了深刻的启示。用民族乐器排笛和电吉他演奏的《云雀》,都能构成一种音响的美;生活向前,而云雀欢鸣永在……

　　记得有一天我们的车子正穿行在喀尔巴阡山森林公路中,忽然车上的收音机里传出了罗马尼亚电台播出的我国民间乐曲《百鸟朝凤》,迪米库兴奋地对我们说:"听,听,中国的《云雀》!"一时间车里欢声喧响,惊得喀尔巴阡山森林边上的白脸山雀成群地飞起……车子穿出森林,已经行驶在一望无际的葡萄架和自动旋转喷灌的晚玉米田之间了,广播也已停止,我的思绪还在飞扬;罗马尼亚原是欧洲最穷的一隅,现在经济发展却保持着高速度,国家面貌、人民生活正发生着巨大变化,云雀欢鸣之声响彻寰宇,这份建设社会主义的经验,很值得我们仔细研究、认真学习。

1979 年夏

夜渡多瑙河

我们的车子开抵渡口时，渡船已经脱缆离岸了；但是我们的向导迪米库同志下车挥臂招呼了几声，渡船便又重新靠岸，让我们的车子开上了宽大的甲板。

我下了车，站在甲板上深呼吸了几下，意识到自己已经置身于多瑙河之波上面。顿时，长途跋涉三百公里的疲劳一扫而尽，不由自主地几步跨到了船栏前，纵情观览起来。

四围笼罩着渐次加深的暮色，使人仿佛置身于巨大的宝蓝色的玻璃器皿之中；河中景物仍可一一辨认。低头看水，绿波白浪，抬头望岸，黛树紫苇；鸥鸟双翅如灰白的飞剪，迅捷上下，仿佛要用锐锋剪破夜色；塘鹅鸣声自隐处传来，似惊喜交加，为多瑙河下游的自然风光增添着情趣。渡船缓缓调转船头，迎面加拉茨城的万家灯火莹然悦目，灯火衬托出码头上无数起重机臂架的剪影，唤起了我对这一新的下榻地的憧憬。

啊，久闻其名的多瑙河，今日终于见到了你！你从西德黑林山东麓发源，流经了八个国家，然后由南而北淌过罗马尼亚最富饶的地域，要经由这加拉茨城，而东转入海，形成举世罕见的大三角洲。我们中国作家代表团得在这个转折点上一睹你的芳姿，真是"有缘千里来相会"了。

听波声潺潺，望灯光熠熠，一股柔情腾起于方寸之间。我们中华民族有黄河，印度人有恒河，俄罗斯人有伏尔加河，美国人有密西西比河，埃及人有尼罗河……而罗马尼亚人则有多瑙河下游，在这些河槽里淌流奔腾的哪里是水浆，分明是滋育民族的乳汁。罗马尼亚人民为了保卫多瑙河下游这片土地，曾浴血奋战了上千年，直到一九四四年八月二十三日反法西斯武装起义胜利以后，逐步确立、巩固了社会主义制度，多瑙河之波才不再为鲜血所染红，而倒映着日益繁荣幸福的生活剪影。我应当珍惜这夜渡多瑙河的机缘，尽可能多了解些罗马尼亚普通群众的日常生活。想到这儿，我便把目光从自然景色上收回，在渡船上踱起步来，同时开始观察同船的人们。

首先看到的，是一对坐在船栏边的母与子。母亲身着浅色带花的连衣裙，姿态优雅，颈上项链和耳上的饰物在月色下微微闪光，儿子大约还没上学，穿一件乳白与大红相间的线茄克，正依偎在母亲怀中，啃着一只大苹果。生活上的富足，精神上的怡悦，一目了然。再过去点，是两位中年妇女，各人手中抱着一束艳美的康乃馨，显然是准备拿回家中插瓶；她俩在轻柔的晚风中不时举花嗅着，轻声交谈着。我又看到一位伏栏远眺的白发男子，披着剪裁得很合体的西装，仿佛在喃喃吟诵着诗句。在另一角，是一对坦然紧偎着的恋人，身旁搁着一台盒式录音机，用小音量放着节奏分明的电子音乐，他们显然忘记了周围的一切，而在乐思中达到了心心相印……

这都并非什么独特的景象。类似这样的画面，前些天在布加勒斯特街心公园我早已谙熟。但我仍然陷入了沉思。这些罗马尼亚群众，毫无疑问都是社会主义的建设者，就在几个小时以前，他们可能还穿着工作服，辛勤地劳动于车间、工地，或者忙碌于办公室、实验室，罗马尼亚国民经济那令举世皆惊的高速度发展，正是通过无数像他们一样的劳动者的努力才达到的。那么，他们是怀着什么目的，投身于社会主义事业的呢？

在多瑙河上的晚风吹拂中，我内心深处竟然涌现出了这样一个问题，的确不是偶然的。在林彪、"四人帮"肆虐的日子里，他们制造出这样一种理论，似乎搞社会主义的目的非但不是为了使人民生活得更幸福，反而是为了永远保持一种贫穷和落后的状态。他们或许也说搞社会主义的目的是为了实现共产主义，而这个共产主义被他们推到了一个无限遥远的未来；因此，似乎现在活着的人，理应受一辈子苦，谁要是想让自己和别人在这辈子就从物质生活上有所提高，轻则斥之为资产阶级思想，重则批之为修正主义，甚至于说你是要搞资本主义复辟，因而定成反革命罪。

当时，许许多多人的思想都往这个方向拱过：革命，不就是为了不受剥削压迫，通过诚实的劳动，去谋求具体的、可望又可即的幸福生活吗？但在周围气氛的压抑下，谁敢公开提出这一点呢？结果，是"理论"上调子越来越高，而实际上情况越来越糟。

罗马尼亚朋友怎样看待革命的目的呢？我想到了在布加勒斯特的一次亲切会见，社会主义文化教育委员会文学出版司司长瓦西里·尼古奈斯库同志，一位很有风度的美学家，他与我们一边饮着摩尔多瓦红葡萄酒，一边倾心面谈，他说："我们的文学艺术创作，应当是真诚的而不是虚假的，与人民的情绪、愿望紧密相联的，应当充分地反映人民为了生活得更美好而从事社会主义建设的热情和业勋……"他虽然谈的是文艺创作，却点明了罗马尼亚人民投身社会主义革命事业的明确目的：为了大家都生活得更美好！我们在布加勒斯特的参观访问中，深深地体会到，这美好既不是对遥远未来的一种空泛的预言，也不是寅吃卯粮的那种不要积累、不顾未来的纵欲狂欢。我们乘车浏览了布加勒斯特的新住宅区，这片住宅区至今仍保留着"白色泥塘"的地名，完全是从一片荒芜的沼泽地上发展起来的。楼房不是死板地排成一线或列成方阵，而是呈放射形、星形、梯形、菱形……巧妙分布，既重视内部设备也重视外部装饰，形态、色彩交错得宜，其间分布着大大小小的现代化商业服务点和街心公园，不仅马路两侧有行道树，当中有花坛，而且随处点缀着雕像与喷泉……据说这类新住宅区已住进了三十万人，占布市人口的五分之一，这样，加上原有的好房子，基本上已解决了全市居民的住房问题。这种使人民群众今生今世就能享受到公有制劳动带来的物质、精神文明的社会主义，才是真正的科学社会主义啊！我们实在可以从罗马尼亚那里学到许多的东西！记得我们在布市"特里果达瓦"针织厂参观时，听他们讲到了工人每月基本报酬数额的一项增长计划，他们从一九七八年起，平均额已达两千一百二十列衣，计划到一九八〇年，要达到两千二百零一列衣。我们不禁惊讶，那个零头是怎么算出来的？干脆就定成两千二百列衣或两千二百一十个列衣不成吗？他们答曰：不成。工厂生产总值预计增长多少、积累多少、分配多少、奖金多少，都不是凭热情随心所欲当成口号喊出来的，而是由定期改选的、工人代表有极大发言权的工厂劳动人民委员会经过反复研究、精密计算，最后通过无记名投票作出决定的；该达到两千二百零一列衣的指标，就不能说多也不能说少，全厂职工就要各司其职，去努力完成，最后倘若未达到，是谁的责任谁就得负责。所以，对于罗马尼亚人民群众来说，社会主义的优越性绝不只是报纸上的一种论述，而是能具体体现到一个列衣的增长额上的……

夜色渐浓，皎洁的月光在多瑙河河心洒下了一斛银珠，闪着带芒的光斑，更给静谧、幸福的气氛增添了一种美妙的色彩。我走到甲板当中，这里停放着三排汽车，稍一观察，我就认出，其中有三辆"达契亚人"牌小轿车，是正在休假的罗马尼亚职工家庭的，其中两辆的车顶上搁放着旅行的箱、袋，另一辆后面有个铁木结构的拖车，外表简直是座小房子，有带雕花装饰的小窗，窗帘半掩，露出柔和的台灯灯光。我正颇感兴趣地观察着，车主走到了我的身边，同我热情地打招呼、握手。翻译不在，我们言语不通，但双方的目光、笑容、手势已足以说明内心的情谊。他是一位四十多岁的魁梧汉子，笑着对我说了好多句话，我只听出了一句："希毕卡斯！"啊，喀尔巴阡山的毕卡斯隘口，那是列在我们下面参观游览日程中的一个项目，据说那里奇峰兀立、森林翳郁、泉水飞泻、高湖萃秀，是欧洲有名的自然风景区，原来这位休假者，是要带着全家去那里饱览山色湖光……和他再次握手以后，回到船栏旁，我的思绪不由得更进了一层。

搞社会主义是为了大家能自由地从事集体劳动，为每个人都能过上好日子。这一点明确了，那么，应当怎样组织集体劳动呢？是用提倡不休息，加班加点（所谓"八小时内拼命干，八小时外作贡献"）、强化劳动程度这一类的办法来提高生产呢，还是用有劳有逸、定额明确、生产好者受奖、生产坏者受罚这一类的办法来增进生产呢？罗马尼亚是用了后一种方法。在罗马尼亚，不管是哪行哪业的职工，满了五年的工龄以后，便可享受带薪的休假，开始是十五天，以后每增加一年加一天，加到二十四天为止。当然，休假时还可将平时的存休加上去，这样往往就有一个月之久，可以到国内各处风景名胜地休养、游览、运动，经济条件更好些时，还可到国外去观光。乍看，这样不是浪费劳动力，甚至是促使"资产阶级享乐风气"的滋长吗？取消这些休假，岂不是可以更快地完成社会主义建设吗？在驰赴加拉茨之前，我们访问了蒙特尼亚·布泽乌卢伊罗中友谊农业生产合作社，我们了解到，合作社社员也享受着带报酬的休假，年老了也可退休。在该社参观时，我们既看到了青壮年劳动力在大田和畜牧场中辛勤劳动的场景，也注意到了在如画的村舍篱外，在芬芳的李子树下或烂漫的波斯菊旁，年迈的老爷爷、老奶奶，坐在长椅上休憩、养神，我以为这是很合理、很和谐的景象。倘若人们总是连轴转地建设社会主义，甚至感到自己即便年老力衰，也无休息的权利，倘若人们总是被拉去看表现"老汉今年八十五，砸石开方赛猛虎"的文艺宣传，那么，将会出现一种什么样的心理？

后来我们参观了一座已存在六百多年的尼亚姆茨古城堡，在高山古堡的拱门下遇到了一位农业合作社的女社员，她正领着两个孩子，利用休假时间来这里游览。这座古堡系当年摩尔多瓦斯特凡大公所建，雄踞于俯瞰平原的峰顶，周围是深如峭壁的壕沟，须从设有多座吊桥的栈道进入，委实是一派"一夫当关，万夫莫开"的气象。我们与这位常年在大田劳动、皮肤黑红、有着明亮的灰色眼珠的妇女随意交谈，她陪我们登上塔楼废墟，指点堡外江山，动情地说："看，这是我们世代居住的故土，有一望无际的葡萄园，有美丽茂密的橡树林……从南边和北边来的侵略者，都曾打到我们这儿，想攻下这个城堡，可是他们失败了无数次，唯有一次因为堡内出了叛徒，才让他们攻破……可是后来怎么样？侵略者还是让我们赶跑了！我们的土地，我们的葡萄园和森林，我们的房屋和牛羊，谁也别想霸占……"这时她那七八岁的小儿子拾起一根树棍，高举过头，摆出一个威严的姿势，骄傲地宣称："我是斯特凡大公！"母亲豪爽地大笑起来，一巴掌拍到儿子的肩头，大声地说："对！"这令人振奋的一幕，使我们久久难以忘怀。下山的时候，我们又遇上了她，才知她是开着自己的小汽车来的，她说："休假好比是机器擦泥加油，回去以后，该准备收向日葵了，我们那个作业组，一定能突破定额……谁劳动得好，谁口袋就满，你们说对吗？"她是一位极平凡的农村妇女，却给予了我们极深刻的教益。使劳动群众有充分的休息权，把他们劳动的好坏和口袋的虚实具体结合起来，这不但不是浪费劳动力和助长什么"资产阶级作风"，恰恰相反，这是给机器擦泥加油和贯彻按劳取酬的政策，可以说正是科学社会主义的本分。要让社会主义建设飞速发展，非按这条路子办不可。当然，我们国家有自己的具体情况，我倒并不主张在具体实施方案上照搬照抄人家，但起码我们在观念上应当明确起来。作为文学艺术工作者，起码可以不必再去塑造那种不休息、不娱乐、不恋爱、不要一切合理的生活享受、拒绝任何物质奖励，并且还要以之绳人的"英雄"形象了……

轻柔的河风吹拂着我，鸥鸟在很近的地方回旋翻飞，润厚的、夹杂着草树苹萍气息的水气沁入了我的肺叶。明明已是夜晚，我却如清晨漱洗既毕般清醒欢愉，因为我看到了许多、也思考了许多；有什么比视野顿开、思路豁朗更令人快乐的呢？我听见了渡船上人们在提高声音说话，并且有的汽车已在开始发动，原来已经接近了彼岸码头，我们就要踏上向往已久的加拉茨城的土地了……

1979 年 9 月 3 日

森林里跑出一只玻璃鹿

我在一座覆盖着森林的山岗下散步。风儿吹动着森林中那些阔叶树的枝叶，飘来一阵阵树叶特有的芳香；山上流下来一股泉水，泉水冲击着一路上拦路的山石，腾起一阵阵水雾，就像飘荡的纱巾那般轻柔；不知名的鸟儿时远时近地叫着，似乎在跟我捉迷藏；我简直被这仙境般的景色迷住了！我一边采集着草地上蔚蓝色的矢车菊，一边漫步朝前……忽然，我先听见一阵叮叮咚咚的悠扬的乐声，接着，就瞧见从山上森林里，跑下来一只美丽的玻璃鹿——它是透明的，随着跑动，浑身闪烁着奇异的光彩……

当然，这是我做的一个梦。我怎么会做这么一个梦呢？一点也不奇怪，在我的床头柜上，放着一叠儿童读物，我翻着翻着，睡着了。

这些儿童读物，是我从罗马尼亚带回中国来的。前些时候，我参加中国作家代表团，到罗马尼亚进行了半个月的友好访问。罗马尼亚儿童读物的出版情况同我们相比，是先进的，有许多值得我们学习、借鉴的地方。

比方说，我带回了这样一本低幼画册：它讲的是一群鸟儿的故事，基本上由一幅幅的画儿组成，只有很少的文字；彩印的画儿有点中国水墨画的味道，非常优美。你要是翻看过以后，想再一次把它从头看到尾，那么，你只要把硬壳般的书皮的小孔，穿到墙壁钉子上一挂，整本画册便会展开成为一条画幅，各幅画便会很自然地连成一片，托儿所里的阿姨要给孩子们讲画册上的故事，可就方便了。

还有一些儿童读物，乍翻开时你也许会奇怪，为什么彩色插图旁边，会有另一幅画面相同的黑白线画？原来，那是专为刚学画画的小朋友准备的，他们可以用蜡笔或彩色铅笔，照着彩色插图，在黑白线画中填上颜色；这样，他们既加深了对故事的印象，又受到了美感教育，并且也锻炼了美术才能。

我带回了一本精美的儿童诗集，插图全用木偶照片组成，这里面的许多儿童诗不但可以朗诵，还可以演唱，附有曲谱供读者参考；不认识五线谱，或者认识一点唱不准怎么办呢？别着急，书的封三上有一个纸口袋，里面放着一张套在塑料袋中的小唱片，只要把小唱片往电唱机上一放，歌声就会传出。你只要多听两遍，跟着哼唱，很快也就可以学会那些优美活泼的儿童诗了。

另外一种立体画册，受到幼儿园小朋友和小学生的热烈欢迎。我带回了一本《灰姑娘》，封面中央是个穿着补丁衣裳的灰姑娘，可是你按封面边上的箭头拉动一下活动部分，灰姑娘便换了一身公主的服装，显示出故事的喜剧性结局。翻开以后，每页都能有人物或房屋、家具、树木花草、动物凸立起来，并且还能加以变化。比如灰姑娘受后母虐待的场面，两个丑妹妹凸立着，一左一右只顾对镜打扮，灰姑娘却拿着扫把在门外打扫走廊，后母恶狠狠地叉腰瞪着她；拉动一下页侧活动部分，便可使后母的右臂一伸一伸，仿佛在撒泼斥骂灰姑娘，而一只恶狗也随着把头一探一缩，仿佛在随着斥骂狂吠，使小朋友为灰姑娘的命运担心。再如灰姑娘在仙女帮助下穿着水晶鞋来到王宫的场面，左右凸立着几对弯腰鞠躬的贵族夫妇，正中的拱门挡着紫幔，把页侧活动部分徐徐拉开，便形成紫幔开启的效果，于是显露出王子搀扶着盛装的灰姑娘步入大厅的身姿……看这样的画册，无疑能使小朋友增强想象力和表现力，不仅受到了美的熏陶，而且也潜移默化地培养了讲故事的能力和对文学艺术的爱好。

罗马尼亚的儿童读物一般都是比十六开大的开本，最大的差不多有八开大；一般都是精装，用图版纸印刷，这是为了适应小朋友看书时来回翻动的习惯，同时也为了保护小朋友的视力。插图一般都是彩色精印，风格多种多样，有版画，有油画，有水彩画，也有布贴画、泼墨画、钢笔淡彩等等。

罗马尼亚儿童读物的内容，就文艺类来说，可以说真是呈现出百花齐放的局面，有反映罗马尼亚民族反抗异族入侵的，有歌颂斯特凡大公、勇敢的米哈依、库查大公……这些为民族独立和国家统一作出贡献的历史人物的。有反映当代罗马尼亚人民建设社会主义，特别是反映当代少年儿童自己的生活情况的。有介绍国外风光的……现实题材、历史题材、科学幻想、童话寓言并举，内外古今的内容兼收，只要对孩子身心发育有益，他们都尽量出版，以满足小读者多方面的需求。比如我得到一本用小猫作主角的画册，就是表现小猫如何淘气，它用捕虫网去扣蝴蝶，一下子扣进水里去了，蝴蝶没有捉住，却从水里捞出了一条鱼来，等等。虽然没有多少思想性，但小猫形象设计得生动可爱，画面幽默有趣，看了让小朋友开怀一笑，这也应算儿童读物领域中的一朵鲜花，对培养孩子健康的情趣，能起积极的作用。

一个阳光明媚的下午，我们到多瑙河畔的钢城加拉茨市立图书馆参观。在那里的儿童读物部，遇上了一群衣着鲜艳整洁、有礼貌守纪律的小朋友，他们拿着借书证，到图书馆来借书。借书的方式是到书库中去自由挑选，选中后自动登记一下即可。我看见一个满头金色鬈发的蓝眼睛小姑娘，穿着一件非常称身的花连衣裙，借了一本中国民间故事集《幸福鸟》，非常高兴地坐到明亮的阅览室里，津津有味地读了起来。据说他们在进入书库以前，都要先把手洗干净，以防把书弄脏，这真是值得学习的好习惯。我们了解了一下，小朋友们最喜欢借阅的是童话故事、写小朋友自己生活的故事，以及科学幻想一类的读物。罗马尼亚出版儿童读物的部门，常到书店和图书馆征求小朋友的意见，以改进他们的工作。可以想见，罗马尼亚儿童读物的出版工作将会越来越兴旺，罗马尼亚小朋友们将会得到越来越多的营养丰富、美味可口的精神食粮。

从罗马尼亚归来前夕，我们到布加勒斯特街头去采购一点纪念品，我从工艺美术商店选中了一只造型优美的玻璃鹿。为什么偏选中了它？因为在我得到的罗马尼亚著名儿童文学作家、也是罗马尼亚儿童读物出版社社长弟贝雷乌·乌唐的诗集中，插画上的小鹿是那么可爱，引起了我丰富的联想，所以我愿买一只玻璃小鹿，归国后放在案头，时时观赏。社会主义的罗马尼亚犹如一座美丽的大森林，她的儿童读物的出版工作不过是林中的一只小鹿，要把森林中的美景一一说到，那可不是一天两天能完成的事。我对案头上来自罗马尼亚森林的小鹿说：让咱们两国的儿童文学作者和儿童读物出版工作者互相学习、互相促进吧！小鹿仿佛在向我点着鹿角高耸的头，表示同意……

1979 年 9 月

从现代文学馆想起

——在万寿寺那边(上)

有朋自远方来，问："听说在北京万寿寺那里，成立了中国现代文学馆，万寿寺在北京什么地方？怎样去那里？"我便告诉他："万寿寺离城较远，目前似乎还没有公共汽车直通；文学馆的牌子虽然挂起来了，但一切仍处于筹备状态，当然还无从接待参观者……"

远方朋友提及万寿寺的文学馆，令我感慨万端。脑中的"意识流"，不禁陡然奔突汹涌起来……

……一位同行耸动着眉尖："听说了吗？巴老摔了一跤，是为了给文学馆提供资料。在家里登高从书架上取东西，不小心摔着的……送到医院，听说因为级别不明，住的是三人一间的病房！"……写字打颤的手，新的《随想录》，打着石膏的吊起的腿……电话里同行欣慰的声音："中央领导同志亲自过问，已经送进了最好的病房！"……新出版的《北京市城区街道图》，在图上移动的手指，"唉，哪里有万寿寺呢？""啊，这儿，看！紫竹院公园北面——万寿寺村！"手指头已快移出图外……啊，中央民族学院后身，玫瑰花丛，五十年代盖起的教授楼，宫殿顶，灰砖墙，附近因为施工弥散着烟尘，冰心老前辈就住在那儿，她也摔过一跤，窗台上的一盆朱槿牡丹，折叠床，她的女儿吴青，电视荧光屏上，吴青在教英语，又在家里收起折叠床，电话铃声，"哪一位？啊，抱歉，我娘不再参加任何社会活动了……"新到的杂志，微笑，夕阳，一群洁白的鸽子飞翔在晴蓝的秋空……

万寿寺尽管离城颇远，那地名中的"万寿"两个字，却很与文学馆的意义相宜。从古至今，多少人幻想着"万寿无疆"。然而人无论怎样长寿，最后总还是要到那每人最终必到的地方去。不过人的精神一旦凝结成了书，这书又能不被历史的风雨筛汰，一而再再而三地被后代人印刷流布、阅读评论，那么，他的生命也就通过这书，继续活跃在世上，因而他便堪称万寿。文学馆里所收藏展览的，应当基本上是可以传诸后世的文学财富，所以就把它叫做"万寿馆"也未尝不可。

见过某些洋人，有的还并不是洋人，只不过是生活在大陆以外的人，他们对中国现代、当代文学的评价，总在欧美现代、当代文学以下。似乎我们最杰出的作家、最优秀的作品，也难与外国的大作家、好作品相比。他们当然并不一定出于恶意，但我以为还是偏见使然。自"五四"运动以后，我们的文学发展走着一条曲折而艰难的路，由于后来的闭关自守，特别是"左"倾路线的破坏，确实使我们的文学发展受了限制，有所损失，然而，佳花仍倔强地开放于每一场风雨之后，新苗仍蓬勃地舒展于每一个滴露的清晨，半个多世纪的文学积累，应当说堪称是丰富多彩、熠熠闪光的。而且，七十年代末以后，我国的文学发展明显进入了一个全新的局面，即便我们这棵文学之树遭受过飓风雷击，折损了枝叶，结下了疤痕，你又怎能不看到它正伸展新姿、增添风韵，卓然傲立于世界文学之林呢？

这几年，我们打开了窗户，也初步走出家门，去和世界其他地方的文学界交流，我们更多地知道了他们，他们也更多地了解了我们。不仅鲁迅、郭沫若、茅盾以及在他们前后故去的一些中国现代作家越来越引起国外文学界和学术界的兴趣和重视，现在仍健在的一些中国老作家，他们的著作，也正陆续由国外一些严肃的有声望的出版社翻译出版，从而产生了越来越大的影响。比如巴老的著作，他的《家》、《寒夜》、《憩园》大前年在法国隆重出版后，几年间已引起了欧洲其他各国的普遍注意。最近老作家叶君健从国外讲学返京，就向我展示了一本挪威新出版的《寒夜》，印制十分考究，布面精装的套封上，印着表现中国城镇风光的彩色版画，勒口里侧，印着巴老的大幅近照，下面的介绍文字，既不夸张，也不隔膜，言简意赅，对巴老作出了准确的、内行的，也是相当高的评价。那些只经过"二道贩子"的"介绍"便粗率地贬低中国现代、当代文学成就的外国人，倘若他们坐下来心平气和地直接阅读相当数量的中国现代、当代作家的优秀作品，他们将会逐步纠正他们的偏见。我坚信这一点——不过，要达到这一效果，我们必须采取一系列主动的、积极措施，包括努力争取在国外由严肃的有影响的出版社翻译出版我们的作品，以及尽快成立文学馆以集中展示我们半个多世纪来文学发展的成果。

接触到某些文学青年，他们大抵只对外国的文学作品感兴趣，倘若这是因为他们博览了中外文学作品后形成的个人爱好，自当别论，但我发现，他们往往是盲目地不屑向我国"五四"以来的文学宝库汲取营养。这大概多半是出于寻求捷径的心理吧——因为我们确实处于一个经济发展上、科技发展上总体暂时落后于西方的过渡期，一些文学青年便误以为西方的文学也同西方的经济管理、科研水平一样，先进的东西居多，所以可以完全忽略自己国家的文学传统而只把西方文学视为楷模。这些文学青年应当知道，目前活跃在文坛上的中青年作家们，几乎没有一个不承认自己是从"五四"以来的新文学中吮吸过乳汁的。这是非常珍贵的一种营养。当然，也不是说只吸收这一种营养就行。还得从自《诗经》起至《红楼梦》、《聊斋志异》以至晚清文学作品中汲取营养。也确实应当从外国一切可资借鉴的文学作品中汲取营养。也不仅是西方自文艺复兴到十八、十九世纪批判现实主义的文学作品值得借鉴，十九世纪末、二十世纪初兴起，后来几经涨落、目前仍在纷繁衍变的西方现代派文学作品，难道就不应当也给予尽可能恰当的分析、评价，也从中汲取有益的滋养吗？还有自成一格的日本文学、印度文学，近年来引起各国文学界刮目相看的拉丁美洲文学，以及非洲文学、阿拉伯世界文学、苏联和东欧当代文学……都应当成为我们从中撷取营养（当然同时要筛弃糟粕）的借鉴对象。这就好比我们吃东西一样，偏食固然不是罪过，但总于身体不利。想成为一个健壮的中国作家，应当尽可能凡有营养的食物都不放弃——当然首先还是要吃馒头、大米饭、豆腐和烤鸭之类，也就是说，从中国现代作家作品中汲取营养，到底还是第一位的。不知那些"懒得看"中国现代优秀作品的文学青年们，以为如何？

估计万寿寺的中国现代文学馆建成以后，会有许许多多的文学青年们去参观，当他们面对着集中的、丰富的、连续的感性材料时，相信他们一定能勃发出到现代中国前辈作家们那里去汲取营养的浓兴。

记冰心
——在万寿寺那边(下)

我总不免由万寿寺联想到冰心老前辈，因为她就住在万寿寺北面不远的地方。

文学上的老前辈们，他们教给我们的，不仅有如何作文的三昧，更有如何做人的精髓。想到这一点，我就更觉得文学馆之重要了。倘若仅仅展示他们的文学业绩，那么设立一个专收他们的作品及有关论述的文学图书馆也就够了，而文学馆的意义，就在于不仅要展示文，还要展示人。难道我们不该坦率地承认这一点吗？就"人如其文"、"文如其人"这两点来说，我们中青年作家的总体水平，就眼下而言，是明显逊于我们许多的文学前辈的。我自己想到这一点往往非常惭愧，并决心以他们为榜样，鞭策自己今后努力做到心口如一——"人如其文"，风格统一——"文如其人"。

在同冰心老前辈的接触中，我所得益最深的，恰恰是为人之道这一条。

记得是去年一个天气晴和的夏日，我往冰心老前辈家打了个电话，我本来只是向她的女儿吴青打听一下她摔跤后康复的状况，没想到冰心老前辈自己接过了电话，她高兴地邀我去她那里谈谈。

我骑着自行车，斜穿过整个北京城去她家。拐到紫竹院后身，记得我经过一座破败的庙门，那就是万寿寺，后来我穿过一大片菜地，还经过几排农家院落，才抄小道抵达冰心老前辈所住的那所楼区。

敲开了门。我有点后悔：是不是来得太早了，打扰了她的午睡？啊，没有，老前辈拄着拐杖迎了出来。她精神矍铄，毫无睡意——原来她已坐在桌旁等我一阵了。坐下以后，我发现她坐的那一边，桌上摊放着一本新出的杂志，原来她绝不虚耗任何一段时间——等我的工夫里,她已读完一个短篇,记得好像是温小钰写的《宝贝》,老前辈说写得很有意思,有些句子她边看边在下面画了线,觉得文笔很细腻、幽默。

对坐在方桌旁,我们随意漫谈了起来。

别人同我见面,头几句话总不外乎问:"你又写了什么呀?你正准备写什么呀?"可是冰心老前辈从来没有这样开始过我们的谈话。她总是很自然地同我谈起生活本身——我住的那地方景色究竟怎么样?我住在几楼?五楼?那我的老母亲上下楼腿脚还利索吗?我的爱人上班的地方离家远不远?孩子上学呢?谁做饭呢?我平时都承担些什么家务事?管扫地和刷碗?好的,该当分担一部分……买菜方便吗?常下面条吃?既是四川人,总是常做担担面啰,不是吗?吃辣椒的习惯改没改呢?……

在这种轻松的谈话里,她常常插入关于她以往生活的某一点回忆,例如她抗战时期在重庆郊区的生活,吴青那时候该有多么淘气;在云南的呈贡,怎样第一回吃到了有名的宝珠梨;解放后回福州,在涌泉寺怎样见到了一位有才学的和尚……听来仿佛都是些游丝柳絮,然而同冰心老前辈谈话,你总会不知不觉地沉浸到一种诗意之中,从而使你的心里充溢着对故土、对亲人、对一切美好的事物的爱恋,你就会觉得眼前的生活更加明朗、美好和充实。

冰心老前辈谈话时思路活泼、词锋敏捷,她眼明耳聪,娓娓不倦,结果我自然忘记了看表,等我意识到谈话时间已经过长,慌忙起身一边告罪一边告辞时,她却爽朗地笑着说:"我喜欢跟你们年轻人聊聊,你有空就来吧。"

回到家里,我在灯下细读老前辈题赠我的《记事珠》,那里面所倾诉的父女情、母女情、手足情、故土情、爱情和友情,如点点春雨,洒在我粗糙的灵魂上,我比以往更加感动……

近一年来,我常常去看望冰心老前辈。有人得知,这样问我:"冰心老前辈教给了你些什么?"

我一时回答不出。说实在的,我从未像一些人所想象的那样,不时提出一些"您是如何写散文?"之类的问题,摊开着笔记本,待她回答时,便逐句记录。我去了,只不过陪着她随便聊天,我们没有固定题目,聊到哪里是哪里,也并不涉及重大严肃的议题,然而,每次回来,我总觉得灵魂更加奋扬、更加充实。

有一回我就把这感觉向她直说了:"跟您说话,我一点也不紧张——跟有的人就不然了，他们总是盯住我问：你又写了什么？正准备写什么？你对这场争鸣怎么看？你对这场争鸣又作何感想？你有什么文坛新消息？你又参加了哪些文学界的会议？见到了哪些人？他们的发言都是什么内容？……当然，提出这些问题的同志全是好意，不过，说实在的，我真想提醒他们，我不是一部写作机器，我是一个活人，一个普普通通的活人！我是我母亲的儿子，是我妻子的丈夫，是我儿子的父亲，是我哥哥姐姐的弟弟，并且是我岳母的女婿，还是我的邻居们的邻居……他们可只记得我是作家协会的一个会员！"

冰心老前辈笑了，她以鼓励的语气对我说："你要当个好作家，首先要努力当你母亲的好儿子，你妻子的好丈夫，你儿子的好父亲，你哥哥姐姐的好弟弟，你岳母的好女婿，你邻居们的好邻居……"

这是一个很朴素的真理。不是作家必须成为完人，那其实是绝不可能的，不同的作家难免有不同的弱点、缺点乃至失误，在处理和周围人们的关系上，也许更难免有主观上的毛病和客观上的烦恼，但作家总该严格地要求自己，总该争取比一般人更有修养，总该有着一个像他在作品中讴歌的那样的灵魂；从这个意义上说，作家是很难当好的——仅仅有才能，哪怕是恣肆横溢的奇才，也还不够。

而我们"五四"以来的许多前辈作家，他们就基本达到了人格和文格的统一，固然他们在波澜壮阔的写作生涯中，可能也曾挟带过泥沙、误染过浊流，但统体考察，他们留下的文字，却分明是一条可资久远灌溉、饮用和观赏的清流。

年前，我把新印成的一本小册子，寄给了冰心老前辈。那小册子收有《如意》、《大眼猫》和《立体交叉桥》三个中篇。没想到十来天后便接到了她的短笺，她说三篇小说在刊物上发表时都已看过，接书后又重读了一遍，并写了一句鼓励的话，接着她告诉我："我又摔了一次，伤了脊骨，去年十一月十七日住院，十二月廿日才出来，现在还大半天躺着。"这使我的心一紧。冰心老前辈是世纪同龄人，今年该满八十三岁了，今年又是她那对中国现代散文和儿童文学有着双重开拓意义的《寄小读者》开始发行六十周年，《儿童文学》杂志已决定开春时出专辑纪念，并举行小型的庆贺活动——我祈盼届时冰心老前辈能够康复参加。写到这里，我的心被一种难以名状的感情托举起来，飞越全城，飞向万寿寺那边……

1983 年 1 月 14 日写于北京垂杨柳

珍珠为什么闪光
——记老前辈冰心

母亲对我说:"冰心的《寄小读者》,我记得是一九二三年夏天,开始在《晨报副镌》上刊出的。我从头一篇'追踪'起,差不多篇篇都读过……"

说这话的时候,她安坐在藤椅上,手里拿着一本冰心的《记事珠》,被细碎皱纹所包围的双眼里,闪着愉悦的光芒——她今年已经七十多岁,是《寄小读者》的第一代读者,如今翻开《记事珠》,她发现里面选有十六段《寄小读者》,她仍愿重读……

算起来,第一篇《寄小读者》发表至今,恰是六十周年。从一九二三年到一九二六年,冰心共发出给小读者的通讯二十九篇,篇幅不长,字数不多,但那真挚的情感、清丽的文笔,吸引、熏陶了千千万万的少男少女,他们从《寄小读者》中得到的滋养,历半个世纪以上犹存。这二十九封为当时小读者——如今大多成为祖父祖母,乃至成为曾祖父曾祖母了——而写的通讯,今天的小读者读来,仍能感受到一种特殊的魅力。不过,随着时代的脚步,冰心后来又两次提笔为新的小读者写新的通讯。一九二三年的冰心,是以大姐姐的口吻来写通讯的;到一九五八年《二寄小读者》时,她已经是一个饱经世事而童心犹存的阿姨,口吻有所变化;到一九七八年《三寄小读者》时,她已是所有小读者的当之无愧的冰心奶奶了,口吻便更见慈祥、挚爱。

翻阅着冰心六十年来所写下的这些《寄小读者》,我脑海里不禁浮现出法国画家米勒的油画《拾穗》:在收割过的大片原野上,两个衣着朴素的农妇弯下腰肢,捡拾着麦田里遗落的麦穗。她们不因这工作的细琐烦难而有所懈怠，在金色的夕阳中，她们深深地俯下身子、埋下头，有一位农妇还把另一只手握成拳头，伸过去压在劳累的脊背上，以减轻酸痛，她们就那么默默地、坚韧地拾取着被另一些人忽略掉的麦穗……冰心老前辈，难道不就是一位在文学田野上，以深沉的爱和坚韧的力，六十年如一日地为几代小读者拾取着金黄饱满的精神麦穗的拾穗者吗？

冰心老前辈啊，您为我们俯身拾穗那么多年，您的脊背不感到酸痛吗？我们该用怎样的慰安与祝福，才能报答您孜孜不倦的劳作与赐予？

在北京西郊一个僻静的角落里，有一座庙堂式屋顶的灰楼，冰心老前辈就住在那楼内的一个单元里。楼外有一些月季花圃，那是热爱园艺的邻居们开辟的——然而进到冰心家里，你总会看到插着鲜月季的花瓶，那散发出馥郁芳香的花朵，仿佛无言地告诉着你：邻居们是多么尊重和热爱这位生命不息、拾穗不止的老人。

自从八〇年不慎摔倒一次，住院治疗了一个时期以后，冰心便停止了所有的社会活动，基本上只在家中静养。这对她原是很相宜的——想想看吧：她是世纪同龄人，我们这个世纪到了多少年，她便有多少岁。

在这期间，我曾前去拜访过她几次。她平易近人、轻松自然的作风，加深了我的敬佩之情。每次聆听她亲切和蔼、娓娓不倦的谈话，总觉得犹如一盏明灯，照亮了我的心，并且照亮了我的心灵通往她的《寄小读者》及其他许多作品的那座桥。冰心这位不倦的拾穗人送到我们手里的麦穗，那粒粒麦子为什么都如同熠熠闪光的珍珠，永远给予我们一种持久的温馨与升华的力量，不就是因为她恳挚地引导着我们从热爱脚下的故土、从热爱周围的亲友邻居开始，来培育我们的爱国之心和为人民服务的精神吗？

《寄小读者》不仅开中国现代儿童文学之先，也是中国现代和当代散文园地中的一串璀璨的珍珠。一九二三年十一月二十九日写的那篇通讯，最后一段文字是：

　　这回真不写了，——父亲记否我少时的一夜，黑暗里跑到山上的旗台上去找父亲，一星灯火里，我们在山上下彼此唤着。我一忆起，心中就充满了爱感。如今是隔着我们挚爱的海洋呼唤着了！亲爱的父亲，再谈罢，也许明天我又写信给你！

每次读到这段文字，我的想象力便驰骋起来，并且陷入一种莫可名状的感动之中。我曾问过冰心老前辈："您这段文字，纯形象的描绘只有一句——一星灯火里，我们在山上下彼此唤着。可不知为什么，我读到这里，眼前总仿佛呈现出一组彩色宽银幕的电影镜头，而且被一种纯真的父女之情所深深打动。您是怎么使您的文字具有这种魅力的呢？"

她没有立即回答我的问题，只是告诉我说：

"那一天的事情，我记得很清楚。我往山上跑的时候，有一头狼就跟在我身后，我一直没有发觉。那时候他们海军旗台所在的那座山，没有什么人烟，很荒的，所以山上有狼。父亲迎着我下山，来接我。他看见了那只狼，就用手里的一块石板去打那只狼，那只狼被他打跑了……他手里的那石板，是旗台上用来记事的，用滑石可以在那黑色的石板上写字……"

我问她："这是多么生动的情景啊，您后来写作时怎么不把这有狼跟在您身后、您父亲用石板打狼的细节，都写进去呢？"

她笑了："好像我在后来的通讯和《往事》当中，都略过了这个细节……"

她还是没有明确地回答我的问题。我也便不再追问。我们的谈话之所以轻松愉快，就是因为我们都并不强求对方一定给予自己什么。真愿意同所有人谈话时都能这样自然融洽。

但是，当我得到冰心老前辈为我编就的一本散文随笔集《垂柳集》写的序时，我以为我终于得到了回答。

我把那些散文随笔交给她时，诚心诚意地说："看得下去您就看，看不下去您就撂开。看完您愿写序就写，不愿写就别写。"

她从头至尾地看了。里面有的是一九六六年以前的剪报，小五号字印的，纸已发黄，铅字也已经模糊了，我恳请她就别看那种文章了，可是她说："我看得见。"她连那些也看了。

她在《垂柳集》序中说，写散文应当是："感情涌溢之顷，心中有什么，笔下就写什么；话怎么说，字就怎么写；有话即长，无话即短；思想感情发泄完了，文章也就写完了……应该都是最单纯、最素朴的发自内心的欢呼或感叹，是一朵从清水里升起的'天然去雕饰'的芙蓉。"她认为"用华丽的词藻堆砌起来"的那种"粉装玉琢，珠围翠绕"的散文，不过是"镀了金的莲花"，"华灿而僵冷，没有一点自然的生趣，只配做佛桌上的供品"。

我终于明白了，当她下笔写到同父亲山上山下迎面跑动相会的往事的时候，她并不是预先把所有细节罗列在一张提纲纸上，写时满满地移入文章，而是任感情驱使笔尖在纸上移动，"感情发泄完了，文章也就写完了。"所以，她的作品才具有那样一种最单纯，也最素朴的、真情迸发的永恒魅力！

冰心老前辈反对雕饰，并不是不讲究文字，以《寄小读者》而论，那遣词造句的新颖流利、摹景传情的准确生动，都是绝对的一流水平。

她的文字为何如此优美？我以为靠的是平日的文化修养，而不是一时的雕琢粉饰。

记得我十几岁时写散文，要写梅花，便临时翻查唐宋诗词，把所有能找到的关于梅花的句子摘录在一张纸上，又去查《植物辞典》、《本草纲目》之类的书籍，把有关梅花的条目抄下来，然后便尽量把这些临时查阅来的材料满满当当地塞进文章，这样写出的文章，貌似有学问，有文采，其实写完以后再问我某句诗词系何人所写，原系何题，我却已经说不清了——真是"华灿而僵冷"的东西！冰心的文章中常常引用诗词典故，但她都是情之所至，随手拈来，例如《寄小读者》的第九篇，谁读了不被感染呢——眼前的景，往昔的事，飘上脑际的诗句，涌上心头的情感，融为了一体，多么自然，多么真切，多么优美！

二十世纪已经进入了第八十三个春天，冰心老前辈这位世纪同龄人，正与最新的一代小读者共享着一九八三年的新春，燕子一定正在她的檐下呢喃，柳丝一定正在她的窗外摇动，让春风给她捎去千千万万已经长大成人的小读者和正在成长的小读者的祝福吧——祝她健康长寿，祝她的《寄小读者》永远像珍珠般闪闪发光，照亮一代又一代小读者的心灵！

1982 年 11 月 30 日，为 1983 年纪念
冰心《寄小读者》发表六十周年而写

从源泉出发

前些时听一位老作家说："根除'帮味'的特效药，就是回到从生活出发的正路上来。"深感这话鞭辟入里。现在来谈儿童文学，也就从生活本身谈起……

二十五年以前，自己胸前结扎着红领巾，正是一个儿童文学的热心读者。妈妈每月让我买一本新书。不满足呀！记得那是一个炎热的八月，我站在新华书店的书架前，爱不释手地翻阅着盖达尔的《铁木儿和他的伙伴》。买下吧，身边没有钱，回家央求妈妈给钱吧，她那个月已经给过我，我也已经买下了一本童话。等到下个月吧，又等不及。怎么办？惶急地回到家里，妈妈不在家；我禁不住"铁木儿"的诱惑，打开妈妈放零钱的抽屉，凑足了数，便飞奔书店而去……但是，当我满头大汗、兴冲冲地跑回家时，妈妈却神色威严地站在我的面前；她训斥了我一顿，把"铁木儿"锁进了柜子，并且宣布："下个月不许你买书了！"我羞愧而心疼地流下了眼泪……

几天以后的一个晚上，我已经睡了一阵了，忽然从梦中惊醒，眼前呈现出一个意外的镜头——妈妈在台灯前读着"铁木儿"，大概是恰巧读完了最后一页吧，她合上书，闭目思索起来……我不由得叫了声："妈！"妈妈过来给我掖好被子，低声地说："这本书很好。明天你拿去看吧。我想了想，哪怕少吃点菜呢，也该多给你买点这样的书……"从此，妈妈不再限定我每月买书的册数……

多少年来，我时时忆起这件事。我想到，好的儿童文学作品，它不但能吸引住少年读者，而且也具有征服成年读者的魅力；好的儿童文学作品，读完后能令人掩卷深思，感到余味无穷……魅力和余味从何而来？即以《铁木儿和他的伙伴》为例，这本书的确做到了真切、深刻，富有儿童文学的特色。解放后出版的《宝葫芦的秘密》、《五彩路》、《小溪流的歌》……儿童文学作品，也达到了相当高的水平。现在我已经是个长胡子的大人了，但是，前不久重读严文井同志的《小溪流的歌》，仍觉兴味不减当年，并且将其中《蜜蜂和蚯蚓的故事》讲给六岁的儿子听，引得他托腮出神。根植于生活的文艺作品，哪怕对读者来说它写的是异域，是过去，是采用了"折光"的手法（以童话、寓言形式出现），其生命力也是强的。

前年，我去看望姐姐的路上，顺便拐进书店买了一本《金色的朝晖》，拿去送给正上初中的外甥。隔了半个月，我再见到外甥时，问他有什么读后感。他说："嗨，没劲透了，我没有看完。"姐姐一旁笑着说："我'拜翻'了一下——实在难以'拜读'——完全是从概念出发。你下次来别给他买书了，不如买点糖果。"现在问题更清楚了，《金色的朝晖》不仅是"主题先行"，而且宣扬着反动的主题。如今"四人帮"倒台了，反动的主题被扫荡了，但是，从概念出发亦即"主题先行"的创作方法倒了没有呢？流毒肃清了没有呢？很遗憾，我们还是常常碰到这样的作品——内容是与"四人帮"作斗争的，表现形式却仍不脱"三突出"的窠臼；听说有的作者仍在花力气将一部"反击右倾翻案风"的作品"扭转"为一部"与'四人帮'斗争"的作品。作者所掌握的生活素材又不是面团，怎么可以随"时势"而任意搓揉成不同的形状呢？"主题先行"的作品即便图解的是一个正确的主题，读者与其买一部这样的书，也还真不如买一点糖果吃吃更能得到滋养呢！

前几天北京下了雪。院子里的孩子们堆了个雪人。晚上我那六岁的儿子做了个梦。他梦见自己担心雪人在外面待着太冷，便出去把雪人拉进屋里来了——结果雪人开始融化，他便又把雪人送回到了院里。童话当然绝不等于"儿童的话"，而且童话作者必须鼓动想象的双翅，但是写童话也还是应当从生活——首先是儿童的生活——出发。六岁孩子关于雪人的梦，体现出了助人为乐的宣传教育已经渗进了孩子的灵魂。倘若由此生发开去，任想象的双翅纵情翱翔，大概可以写成一个有趣的童话。目前采取简单比附方式写成的童话颇多，如写四种坏动物（影射"四人帮"）破坏好动物的乐园，好动物联合起来歼灭了坏动物。这种从概念出发的图解式童话，既无坚实的生活基础，想象力也往往显得干枯贫乏，生命力不可能旺盛。金近同志前些时发表的《一篇没有烂的童话》却很值得玩味，那是从生活出发而又尽情夸张的一篇童话。

一个从生活源泉出发的原则，一个典型化的原则，从来都是说起来容易做起来难，何况近几年"四人帮"抛出了"从路线需要出发"和"三突出"的"创作原则"，流毒非浅，拨乱反正绝非弹指可成。作为儿童文学一个热心读者和学徒的我，就生活源泉问题说了说自己的浅见。不过，行动胜于空谈。我决心真正深入到三大革命斗争的源泉中去探胜寻宝，争取早日写出像样的作品来，贡献给亲爱的小读者们。

滋润心灵的溪流

那是我在武夷山九曲溪遇到的一件事：峭拔秀美的山峰，倒映在清澈嫩绿的溪水里；几只花翅山雀，扑棱棱飞出岸边的竹林，窜向崖壁的兰草丛；一只竹筏悠悠然顺溪漂下，筏尾的姑娘用双脚撩着溪水，丰满的黑发里插着两朵雪白的山茶花……我在这样一种画境诗意里，漫步来到溪边的水龟石上，我看见一个十二三岁的男孩子，卷着裤腿，赤着脚，坐在那里，出神地读着一本书；他身边搁着一个罐状竹篓，竹篓里露出几枝采撷来的野生番石榴……我走到那少年身边，友好地问："小朋友，你读的是什么书？"

他站起来，把书递给了我，是一册 1980 年第一期的《儿童文学》。那本杂志已经被看得很旧了，而且被水浸过，书页有点皱皱巴巴。

他用唇齿音很重的普通话对我解释说：这本书是他向一位同学借的，那位同学有一次坐在竹筏上读得出了神，结果，竹筏转过溪弯时，杂志掉进了溪里，那同学立即跳进溪水，追了好远，才把那本杂志捞回，又摊在溪边岩石上晒了好久，才晒干了；这本杂志已经在好多小朋友手中传看过，他是第六个借到的，在他手上，只能停留两天。

我问他，喜欢不喜欢这本杂志的文章，他说有的很喜欢，有的有一点喜欢，有的也许再看一遍才能喜欢……他说他顶爱看写他那么大的孩子的生活的小说，还有童话和民间故事。

我一边同这位福建少年谈着，一边想到了儿童文学作品在少年的成长过程中所能起到的巨大作用。我忆起了自己的少年时代，那时候，我也曾像这位少年一样，经常沉浸在心爱的课外读物所展示的天地中。凡是有远见的学校教师、少先队辅导员和学生家长，都懂得这个道理：少年儿童的健康成长，不仅取决于课堂教学，也不仅取决于他们在生活实践中所获得的好影响，而且，在一定程度上也取决于他们从课外阅读中所汲取的营养，特别是从富于教育意义的、优美的儿童文学作品中所获得的熏陶。通过好的儿童文学作品，少年儿童能够更深入地认识世界，认识人生，透视是非，熔铸爱憎……呵，精神食粮给予少年人心灵的滋养，那重要的意义，即使用这九曲溪下所有的鹅卵石来作砝码也难称量……

少年人听说我是从北京来的，急切地问："您能帮助我买到这样的书吗？我们这里很少很少……"原来，就是他看的这一本书，也是那个同学的舅舅从福州市带给他的，他们这里订阅《儿童文学》杂志还有困难。

我便告诉他，目前国内适合小学高年级和中学生阅读的，素质较好的文学刊物，我个人认为，一种是上海出版的《少年文艺》，它的特点是结合小朋友的现实生活，特别是学校和家庭生活比较紧，文章大都比较短小，还有一些活泼的小栏目；另一种便是由团中央和全国作协联合创办、在北京出版的《儿童文学》，它的文学性更强一些，不管是刊载的小说、散文、诗歌、童话、民间故事、寓言、科学文艺、剧本、曲艺等各种样式的新创作，还是译载外国优秀儿童文学作品，都力求寓教育意义于生动、优美的艺术性之中，这样的读物，不但能提高思想修养，而且能开扩眼界、拓展胸襟、增长知识、丰富情趣……好比这样一条滋润心灵的溪流，可以使你的心灵变得更纯净、更丰富、更优美、也更坚强。

少年听了我的介绍，向往地笑了，眼里放出热切的光……

那位少年的期待的目光，使我感到儿童文学事业的重要，感到儿童文学工作者和广大教育工作者肩上的责任。我们应该研究少年儿童的心理，了解他们对精神食粮的需求，尽可能充分地满足广大少年儿童对精神食粮的需求，我认为中小学教师、校内和校外的辅导员、各种直接为少年儿童服务的部门的工作人员，除了应当善于组织、指导少年儿童阅读儿童文学作品外，有条件的，还应当拿起笔，从所熟悉的少年儿童生活中，拣取有意义的素材，提炼出有教育意义的主题，写出生动活泼的儿童文学作品，来共同发展我们的儿童文学事业。

家门前的风景

　　邻居老佟在物资部门工作，时不时地出差。昨天在楼下遇见他，随口问："又出差去哪儿呀？"他笑答："就前头不远，家门口儿。"我就意会到他是饭后出来遛遛弯儿。我也正想"百步走"，就同他并肩朝前遛去。

　　边走边聊。我羡慕地说："干你这行真不赖啊，当个'地行仙'，国内的名川大山，怕都走到了吧？"老佟慢条斯理地分辩说：

　　"这可是对我们这行的误解啊。每回上路那个心焦，到了去的地方那个求爷爷告奶奶，跟单位长途电话接不通那份着急，没能把该弄到的都弄到的那股子遗憾……不是我们这行的谁体会得到啊？不过今儿个咱们不说这个。不错，我们跑的地方真不少，事情办得差不离了，也确实插空见识见识当地的名胜古迹，有的确实名不虚传，有的让人始料不及、喜出望外，不过，说实话，大多数对我来说并没带来很多的乐趣，一是心里头总还搁着事儿，逛得急；二是那些地方往往游客泛滥成灾，人头倒比风景更显眼；三是从电影、电视、画片儿上看得多了，那些画面都是经过净化处理的，一真走到跟前，哪那么完美，倒容易失望；再说公费出差办事，插空逛个名胜古迹虽说自觉地完全自费，到底还不能心安理得，所以，我对风景的乐趣，倒渐渐形成了自个儿的一套享受方式……"

　　这倒引出我的好奇，便向他讨教。他引着我朝我们住处不远的公路一侧走去，那里有一片树林，但似乎不是园林局刻意经营的绿地，我从没走进去过。老佟边引我往那里走边对我指点着说：

"我们往往不辞劳苦不吝金钱去追求那些出了名的风景，其实，家门口的风景就很值得细细领略。仔细看这些树，乍一看，不过是些最常见的国槐、白蜡杆、臭椿……但你把它们当做一个个的生命观赏，那就意味无穷了：这株国槐有过突发的创伤，但你看，它从伤口上头滋出了一簇新的枝叶，别具风貌，那几株白蜡杆一入秋叶子便变成浅黄，而且久久不落，它们的姿态，不是很像舞台上亮相的舞姿吗？现在风吹过来了，又像要结束亮相，微微摆动腰肢手臂……那边的臭椿是一种变种，秋天红得比香山的黄栌还艳，我以它们为背景给我女儿拍的照片，谁见了都以为不是在香山就是在八大处……还有这满地的野草野花，你看那边不知名的茅草，银色的穗头让夕阳一照，逆光看去多优美；这边高高蹿起的野山蓟，蓝色的花朵多有神采；这婆婆丁你叫做蒲公英吧，掐一朵，吹一口气，定神儿看小降落伞飞动，多舒心呀……"

跟着老佟那么一转悠，我的眼睛仿佛多了一种功能，心为之乐胸为之扩，我以往怎么不懂得享用这些近在家门口的平凡之美呢？

往回遛的时候，我问老佟："那些住在城里胡同的人呢？那些住在楼区中心的人呢？家门口找不到风景不也枉然么？"老佟笑了："我并非反对坐车去逛大公园啊！不过，你信吗？就是站在阳台上细细分辨天际轮廓线，你也都能发现朴素的美啊！"

人们不妨都试试老佟的经验。

1990 年 7 月 6 日

人情似纸

不要续上一个"薄"字。不是那意思。

把许多复杂的事物归结为一个简单意思的时代已经过去。

但离开了简单的归结，许多人又不知如何面对复杂。其实，从来都复杂。难道以前不复杂吗？也许，从前无论如何不如今天这般复杂。但细想，从前也复杂。

提心吊胆地说真话那阵，说了那么多。毋庸提心吊胆便可倾吐真话这阵，却什么也懒得说。

我曾到那间小屋子去看他。其实根本不是一间小屋子。只有门，没有窗，甚至没有透气孔，因此，人进去以后便必须把门敞着。那是个储藏室。空间极狭小。气息极室闷。但我们交流得很畅快。至少在我这方面是这样想。有的话还得压低嗓门。眼波的流动中也有许多的情谊。但现在他有了二十、三十倍大的空间，许多的门许多的窗，门紧闭着，窗半开着，"硬件"好，"软件"更棒，我却不去迈进那门槛。他也不来请我迈进那门槛。似乎也并没有什么过不去的地方。只是不再有那么多的情感了。淡了，薄了，甚至弥散了。

据说人情似纸的"纸"现在不是"秀才人情纸半张"的那"纸"，而是赵公元帅笔下的那"纸"，即通货。由"官本位"向"金本位"转化，值得欢迎。但我更渴望"人本位"、"情本位"。社会的物质繁荣据说必须付出精神沦丧的代价。又据说落伍者看来是精神沦丧，而先锋眼中却是可喜的精神瓦解，但先锋们犹未能指出旧精神瓦解后应运诞生的新精神究竟是什么，有的先锋中的先锋则说只需瓦解无需重构："凤凰涅槃"是可笑的，凤凰只应焚毁，何必重生？

　　我却仍愿抓住一点自认是永恒的东西，哪怕只有游丝般微弱。那永恒的东西里就有人情，似纸的人情。纸很薄，却可以写情书，写诗，写温情的句子，写必要的问候，当然还可以画画儿，可以折成一只小船，放到小溪里，任其顺细碎的波浪旋转着飘向远方。

　　转眼一年整了。一年多以前正在美国。记得到纽约的头一天，傍晚时分，曼哈顿万家灯火中，也有了我小小的一盏。在简单而舒适的下榻处，桌上有小小的花瓶，小小的花束，还有小小的卡片，卡片上写着温暖的句子。人情似卡片么？我却自从去冬以后，再没给留下卡片的人寄去哪怕是一张薄薄的纸。我总埋怨着别人的情在淡在薄在弥散，自己呢？从别人的眼中看我，该也吃了一惊吧，怎么会变成了这样，比以前冷，比以前硬，比以前懒，却比以前更会为自己辩解。

　　以前的时代，人情或许似醍醐，厚重黏稠？如今是人被纷至沓来的信息和事务碾扁熨平的时代，人情随之也轻薄寡淡了，人更多地依靠内心的支撑而更少希冀心外的扶持，人类在进步而人情在萎缩。真的么？

　　也许是因为现在"移情"的条件好多了，可以移向唱片，移向真古董和假古董，移向需要每天饲食的猫、鸟、鱼、兔，移向需要浇水剪枝施肥换盆的花草，移向小小的邮票，移向书报，总之可以更彻底地从活生生的人面前移开去。最省事的"雅移"法是寄情山水，最省事的"俗移"法则是坐到打开的电视机前剥食着花生米不分节目好赖地一直看到荧屏上现出"再见"的字样。

　　但心中仍不免时时逸出一丝两丝一缕几缕一片几片的对活生生的人的沟通欲望，化为思念，化为莫可名状的思绪，最后可能就拽过一张纸来，想在上面写一些情，一些别人可能并不呼应并不需要的字、词、句和标点符号……人情确确实实就是一张纸。

　　当我从淡薄中想起人家时，人家或许正从残存的印象中摆脱出去而正在忘却我。曼哈顿的灯火呵，哪一盏下面尚有关于我的一缕思绪？

1989 年 1 月 11 日

炸酱面

人饿极了，脑子里就要浮现出最想吃的东西来。我问过一位老同志，他在"文化大革命"中，屈蹲了 7 年的大狱。他让我猜他饿极了或勉强咽着极糟糕的食物时，脑子里热腾腾香喷喷地浮现着的食物是哪样。我起头净往山珍海味上猜，因为这位老同志，本是搞外事工作的，想必灯红酒绿的宴席上的佳肴，最能勾起铁窗中的他的浓酽的回味。他坚决地否认了。看我总猜不着，他便提醒我说：就是北京人平日常吃的好东西。我便猜烤鸭子、涮羊肉，他还是摇头。后来他告诉了我谜底：炸酱面。

去年秋冬在美国访问，时间过了一个月以后，就开始想家。家是最具体的东西。具体到厨房里油锅热了，妻子把生菜倒进锅里，所发出的那么一种特有的难以形容的声音，然后还有锅铲碰撞锅底敲击锅帮的声音。吃了美国朋友破费招待的英式煎牛排、法式烤龙虾、德式烩羊腿，以及许多中餐馆的各式风味菜，自己一路上也掏腰包吃了无数"麦当劳"及其他快餐连锁店的汉堡包、三明治、意大利比萨、墨西哥煎饼、日本寿司、印度尼西亚抓饭，胃口总算不错，也时时发出"值得一品"的感慨。但越到后来，心里头就越想家里的饭，脑子里不禁活脱脱地浮现出最怀念最向往的食物，哪一样？说来莫怪——恰恰也是炸酱面。

我本是四川人，但 8 岁就来北京定居，30 多年过去，我在生活习惯上已大体上北京化了。烤鸭子和涮羊肉固然是北京的代表性美食，一年中吃的次数不算太少，但毕竟不是日常的食物。像豆汁、炒肝、炸糕、切糕、艾窝窝、驴打滚、豌豆黄、芸豆卷……更只是偶一享之的小吃，不可能正经当顿儿的。日常如同汽车进了加油站，郑重其事地补充能源，大口大口吞食的，往往还是炸酱面。

仔细想来，在美的事物中，给予人最持久的享受的，还是常态的美。炸酱面于我便饱蕴着生活的常态之美。人在沙漠中渴望生命之绿，头脑中未必浮现出风景名胜地的修林茂竹，倒很可能油然地显现着家乡最平凡然而也最生动的一角绿野。我在纽约夜里独宿思念北京时，头脑中似乎并没有凸现出天安门城楼或万寿山的佛香阁，倒是我度过童年时代的那条灰色的胡同，以及胡同中那株皮瘤累累、绿冠摇曳的老槐树，在我脑海中沁出一派温馨。

在旧金山的唐人街，也曾巴巴地寻到一家卖炸酱面的中国餐馆，搓着手咂着舌要了一碗炸酱面。但端来以后，看不中看，吃不中吃，总觉得是赝品。的确，炸酱面这类家常便饭，必得由家里做、在家里吃，才口里口外都对味儿。所以炸酱面里实际上又凝聚着一种家庭之美，亲情之美。

就我所知，许许多多的北京人家庭，一年四季里的家庭快餐，主要便是炸酱面。炸酱是一次炸一大碗，乃至一大钵。一般用黄酱炸，也有用甜面酱炸的。汉民炸酱里一般都放肉丁。炸酱里不兴放净瘦肉肉丁的，那样炸出来拌进面里反不好吃，一般是肥瘦兼有，炸酱放凉了后上头可以汪着一层油。回民及一些怕荤腥的汉民则时兴往炸酱里搁鸡蛋或虾皮，油不那么重，炸得放凉了不汪油，看去很像美国人爱吃的巧克力酱。炸酱面的面条最好是和面来自己抻，或擀成薄饼状再切成一条条的，当然现在双职工居多，难得自己弄。一般都是在粮店买现成的切面，实在没有切面，则挂面、方便面，也都可以拌炸酱吃。只要面煮得热腾腾的，炸酱就是凉的也无碍。当然讲究一点的，还是顿顿都把炸酱熥一下再吃。吃炸酱面时一般都要准备足够的菜码，夏天黄瓜小萝卜最佳，洗干净了不切，攥在手上边吃面边啃几口，那知足劲儿就别提了。冬天则用大白菜、菠菜、胡萝卜切成碎块长丝用水焯了，配着吃。多半还会剥几瓣白亮亮肥嘟嘟的大蒜，花插着吃。唉，炸酱面哟，时下的北京城——也许还不仅仅是北京城，恐怕还有许许多多北方的城市乡镇，普通的家庭，普通的双职工，普通的百姓，主要靠你提供日常的热力和动能，在各自的位置上活跃、编织、推进着被我们以激动人心的字眼命名的民族大业。作为一种民族文化，一种社会生态景观，你会长存吗？

炸酱面的主要成分还是淀粉。据说以淀粉为主的饮食结构是一种落后的结构。

不过我们这么一个人口数目庞大的民族，恐怕不可能在短时间内改变为以精肉蛋乳和菜蔬水果为主的那么一种饮食结构。所以炸酱面至少于我辈除了实用价值外，也还具有某种暂难消弥的审美价值。我不禁想起 1966 年 9 月底的一件事。那正是"文化大革命"初期，最疯狂的"红八月"旋风刚刚卷过不久，我和当时任教的那所中学的一批教师被"红卫兵"遣送到北京远郊一个偏僻的山村进行劳动改造，遣送我们的"红卫兵"不久就陆续回城继续他们的造反去了，山村淳朴的农民们得以公开地善待我们。有个贫农小伙子，叫张连芳，同我处得很好。他父亲是个老贫农，身体很衰弱，老伴早已去世，又无别的子女，同张连芳相依为命，连芳每日下地干活挣工分。他就管在家做饭。有天傍晚，张连芳把我叫到僻静处，跟我说："过两天该国庆节了。俺跟队上说了，跟你们的头儿也说了，节里让你到俺家吃。你那点问题算不上反革命，俺爹跟俺不怕。"我感动得本已浑身微微颤抖，忽然又听他凑近我耳朵说："俺爹给俺俩做好吃的哩。你知道吃啥吗？吃面条儿哩，吃炸酱面哩。你吃过面条儿吗？吃过炸酱面吗？"他那最后两句落进我耳朵里时，我灵魂感动得犹如飓风扫过大海，我紧紧攥住他粗大皲裂的手，抬眼一望，他脸儿红红的，放着光！鼻子一酸，我扑簌扑簌落下了泪。

那时候张连芳他们那个山村，是贫穷而闭塞的。主食主要是玉米和白薯，小麦极其珍贵。张连芳已经 18 岁了，还没有上过密云县城。在他来说，吃白面条儿，拌炸酱吃，是天大的乐事，而他竟愿意同我分享！如今回忆起那一餐炸酱面来，再联想起这些年所经历的种种浮沉，人生百味一齐扑上我的心头！

那从地理距离上算去并不遥远，而从平均生活水平算去曾相距甚远的密云县小山村，如今该是怎样的面貌呢？张连芳想必早已娶妻生子，他的父亲，那慈厚慈祥地给我做炸酱面吃的老人，该还健在吧？在他家的餐桌上，炸酱面该不再是珍奇的食品；他还记得我吗？记得我那从灵魂里流出的泪珠，滴落在他那皲裂的手掌上的感觉吗？

今晚又吃炸酱面。这些年来吃过的炸酱面，陆续化为了脑的腿的手的力，化为了一些文字。今晚所写下的这些，该也对得起今晚的一大碗炸酱面吧？

1988 年 1 月 31 日夜

焦灼的期望

我刚从医院回来。

一篇新的小说写了一半，摊开在书桌上，空白稿纸和灌足墨水的钢笔在等我续写。

我却不能续写那篇东西。

是灵感消失了吗？是对这一次的艺术探索失去了信心？都不是。

是作品以外的因素，使我必须暂且中断那有待发展的情节，搁置那有待进一步刻画的人物……

我刚从医院看望郗师傅回来。

他是我的朋友，最深刻最充分意义上的朋友。

在他人院以前，他在我们那个新居民区的街上摆摊修鞋。我就是在鞋摊上认识他的。

他有强壮的身板，粗大的双手，酱黑色的面庞，浓密的眉毛，深邃的目光，雪白的牙齿……他是一个典型的劳动者。他做工精细，收费合理，待人和气，老实厚道。我们楼区的人几乎都认识他，无数大人、小孩的鞋，无数皮鞋、便鞋，无数平跟、坡跟、半高跟、高跟乃至超高跟的鞋，以及某些特殊的鞋，如舞鞋、戏靴……都由他妙手回春，他是我们生活这张巨网中一个不可缺少的网结。

我渐渐同他熟识，同他相交，最后我到他家做客，他也来我家做客，我们就好像是兄弟，我们两家就好像是亲戚。

他这个似乎是最平凡不过的修鞋匠，有着相当不平凡的经历。他出身在河北一个贫农的家庭，早年丧父，同老母弱姊生活在一起，他十来岁就挑起了生活的重担，给地主去扛活，穷呀，穷得实在活不下去，他去参加了八路军。他参加过解放石家庄的战斗，他同敌人拼过刺刀，他身上留下了永不磨灭的伤疤……解放后他到北京当了工人，在一间只有十多平方米的平房里，他伺候母亲直到送终。他娶妻生子，在一张三面靠墙的木板铺上，拉扯大了他的几个孩子。他在车间里尽心尽力地干活，在家庭里含辛茹苦地经营，在社会上本本分分地做人。他在 50 岁上因高血压提前退休，大半也是为了让唯一的儿子进厂"顶替"。他办下修鞋执照，在我们居民区摆摊修鞋，给我们许许多多人带来了方便和快乐，他如一簇浪花，在我们时代的巨流中尽管微乎其微，却自有其动人的光泽……

他的生活是近几年才得到根本改善的，儿女都大了，都有了工作，住房有了扩大，家具有了更新和增添，请进来了电视机、录音机、电风扇、缝纫机……当我在他家同他对酌时，他憨厚地微笑着。我让他给我讲述当年战场上的经历，他不会形容，不懂夸张，语钝词拙，然而却令我惊心动魄，感动异常。在他面前，我常常惭愧。我对今天这充满阳光的生活，哪曾有过如他那般的贡献？我好面子，图虚荣，善形容，嗜夸张，却究竟有几多真本事、好心肠？可是我却一直过着比他富裕而优越的生活。郗师傅的灵魂真如一面晶莹的镜子，时时照得我灵魂上的灰尘纤毫毕露。

然而当我春节后从深圳归来，路过那平时他摆摊的街口时，却不见他的踪影。这几年，他几乎是日日必到的。除非下大雨。甚至节假日，他也常常摆摊无误。他过了一辈子艰苦的生活，养成了勤俭克己的习惯。我曾问他，为什么大年初一歇了一天，初二就出来摆摊了？他说："在家里歇不惯。"又说："初二串亲戚的更多了，想拾掇鞋的人也更多了。穿双合适的鞋出门，该多舒坦！"他对己克俭，对亲人，对朋友，对顾客，却毫不小气，他的老伴和儿子穿戴得不比任何一个富裕家庭的夫人和公子差。夏天我怕登门索稿和求教的编辑及文学青年太多，使我不得潜心创作长篇，便躲到他家去写作。他怕我热坏，立即去买来一台最贵的豪华型电风扇，他亲自为我按下开关，望着我的稿纸，虔诚地说："写吧，写好。"他自己在摊上绝不吃任何零食，却常常买来冰棍、雪糕乃至冰激凌，给那些常来的主顾的孩子们。他到我家来，仿佛仅仅因为我是一个知识分子，仅仅因为我看得起他，便总要提来一堆吓我一跳的东西，奶油蛋糕可以多达 2 个，酒可以多达 3 瓶，苹果可以多达 5 斤……仿佛不如此，便不足以使他自己心理上取得平衡，弄得我又尴尬，又感动……

然而他却一连几日不出摊。忙完我的事，忙赶到他家，扑了个空，他已在医院。赶到医院，他已病危！

他打过仗，吃过苦，最能忍耐，然而经过最大限度的克制，他还是发出了痛苦的呻吟。我走到病床前，他正痛得蜷缩成一团，见我到了，纯粹是为了我，为了我不吃惊，不悲伤，不至于因而写不下去我的小说，他拼命挺直身子，拼命对我微笑，他还关切地问我："你那电话，安上了么？"我去深圳前，已申请安装电话，但鉴于目前北京安电话之难，我从深圳回来后，并未将此事萦记在心，他一见我，却首先想到，他对我说："你那工作，得安电话啊……"我能说什么？我强忍住泪水，劝慰他安心养病……

见了主治医师，见了护士长，他们向我交了底，他本来就有心肌梗塞的毛病，心脏早搏至今不得纠正，又发现胃中有异物，从前日起开始完全丧失了食欲，消化道出血，下腹疼痛，肝大、脾大，肾也有问题……他们说出了那个我们已经熟知的令人痛恨的字眼……

我知道，这是生活中又一个普通的悲剧。郗师傅不是名人，不是英雄，或许人们会奇怪我何以会撂下未写完的小说，来讲述他这样一个普通病人的并不令人惊奇的事情……

然而对于我来说，活生生的郗师傅比任何一篇纸面上的小说都更可珍贵。

我甚至顿生奇想：当初我为什么没有学医，没有成为一个医生？那令人切齿痛恨的字眼，夺去了多少可亲可敬的人的生命！且不说那些伟人，那些英雄，就我自己身边的人而言，我的大哥，一个从部队转业到工厂的老战士，刚刚从"四人帮"的迫害中解放出来，还没有来得及在工厂里发挥他急于想发挥的作用，便在肺部查出了那个字眼，溘然长逝；我孩子学钢琴的启蒙老师，一位性格温柔的妇女，已经同那字眼搏斗了半年，现在虽经百般护理，却犹如一支流泪的蜡烛，眼看着一天天熄灭下去；我的邻居，某出版社的编辑，他们一对本是典型的恩爱夫妻，却偏偏由那字眼闯入了他们的生活，男方的骨灰盒现在安放在八宝山公墓，笼罩在他们那个单元屋顶之下的，至今仍是浓郁的悲怆……

我有我的生活之路。我没有成为医生，没有成为护士，我成了一个只能填格子的人。然而我能够用我灌满墨水的笔，在铺开于我未写完的小说旁的空纸上，写下我的期望，我想这也是千千万万人的期望，不，这其实是全人类的期望，这是焦灼的期望，不懈的期望，铭心刻骨的期望……

　　我的医学界、医务界的兄弟姐妹们啊，您们一定日日夜夜地感受着这种焦灼的期望吧？让我这粗陋的文字，增添一点您们心中的人道主义激情；让我这笨拙的表述，加重一点您们责任感中的负荷。理解千千万万患者及其亲属们吧！我们期望着，期望着，期望着……

1985 年 8 月 16 日

八渣儿

我本来不想同他攀谈。

我对修鞋师傅没有很多新鲜感。我至少在 3 篇作品里已经写到过修鞋师傅。

然而那修鞋师傅却一边修着我的鞋，一边主动同我攀谈起来："我看这位同志，你身体像是不太好呢。你哪儿不舒服？去医院瞧过大夫没？抓什么药吃着呢？"

我有一搭没一搭地回答着他的问题，眼睛只望着街上来往的车辆。

一个老头儿打我眼前晃过，停步在鞋摊前，我不由得转过脸去，只见他拿着一双运动鞋，礼数周全地招呼修鞋师傅。

那是双杂牌运动鞋。修鞋师傅接过一看，告诉他这种"一糟烂"的鞋干脆别修了，买一双新的穿，不过二三十块钱。但那老头显然是精于算计的，他还是求修鞋师傅给"妙手回春"，只要修理费在 6 块钱之内。修鞋师傅轮流端详着那两只鞋的鞋底，告诉他一只需要镶补，另一只需要粘贴，最后，两只还得打齐厚薄，要求他给 7 块钱；可老头忽然皱起眉头，那表情仿佛被什么东西蜇了一下，我顺着老头的目光望过去，也不觉打了个激灵，原来，这才看清，修鞋师傅的右手的中指和无名指是残缺的，具体地说，中指只剩指根，而无名指缺掉半截。

正当这时，附近卖冰棍的一位白衣白帽的老大娘举着个"雪人"过来，送给修鞋师傅吃，见老人迟疑着，仿佛看出了他的心思，便甩着大嗓门说："您别看瘪了我们八渣儿师傅，他那双手巧着哩！补出来的鞋比新的还好哩！越是杂牌鞋，经他手出来就越好！"

这样那老头就以 7 块钱的工价把那双杂牌鞋留在摊上了。

我这才把目光集注到修鞋师傅的双手的动作上。他修理我那双皮鞋时动作灵巧麻利而且颇有节奏感。

我开始愿意同他攀谈了。

鞋摊离我们住的那栋楼自然不远，下楼散步时我就绕到他那鞋摊去，顾客不多时，我就坐在小马扎上同他聊天。他和左右卖冰棍、卖水果的妇人汉子，以及摊后食品店五金店的售货员们，都十分相熟，他的修鞋工具和折叠的箱、凳，晚上就都存在那家五金店里。

他陆陆续续告诉了我他的种种情况。他叫石本先。算来他比我大一岁。他家在延庆县。早年自然是在家种地，有好几年是在水库工地上修水库。后来他在村里开拖拉机，再后来开汽车，并且同小学时的一位女同学结婚，生了两个闺女一个小子，日子挺美满，可是十几年前一天，他媳妇在院子里洗衣服时，突然栽在洗衣盆里死掉了，这件事很古怪，来得又突然，对他的打击实在太大了——后来县医院鉴定说是突发性脑溢血造成的，可他无论如何想不通。那以后，有一段时间他说不清自己的情况。总之，他被送到了特殊的医院里，有一天他趁人不备，把手往电门上掳，人家及时救下了他，可最后他就坏掉了两根手指头。但是一年以后他渐渐清醒过来。不能开汽车了，他就磨豆腐、卖豆腐脑，后来又宰过猪，卖过肉，再后来就经人介绍进了北京，租了东直门外一处农民房办了一纸执照，在这儿摆摊修鞋。这附近的熟人都叫他"八指"，这绰号加以儿化，表示亲热，结果就成了"八渣儿"。"八渣儿"就"八渣儿"，他不在乎，虽说充当的是"修破鞋的角儿"，但挣下的每一分钱都干干净净。他早上在东直门小摊上吃早点，中午在摊上啃个馒头，喝瓶啤酒，就点熟食，凑合一顿，晚上自己慰劳自己"小炒"，喝不多不少一两半"二锅头"，夜里睡个没干亏心事不做噩梦的好觉，第二天一大早起床，骑上自行车来摊位"上班"。他每天多的时候能挣到 50 元钱，少的时候也总有 20 元钱左右。自然攒了一笔钱。为谁？没想过"续弦"的事，为 3 个儿女啊。当年差点急死还不是为了他们。那时候都还小呢，现在可好了，大闺女在延庆县城关一家国营食堂当服务员，二闺女进城在京棉三厂大食堂当炊事员，都挺孝顺，他几个月去看她们一次，她们都懂得给他叫上几个菜，打上二两酒，坐在一边瞧着他慢慢吃，慢慢喝，什么都乐意听他说，尤其是当司机时候的那些事儿，就是不大乐意他讲修鞋的事儿，他自然也不主动提，偶尔说走了嘴赶紧自觉地收住；儿子却还在村里，天天走5里路在镇子里上中学，眼下初中快毕业了，爷爷没了只有奶奶在身边，他天天在这边操着心，只盼那小子初中毕业以后能考上县里师范学校，当老师挺不错，再说上师范吃饭不收钱是不是？等闺女出阁和儿子娶媳妇的时候，他就一人给他们一笔修鞋修出来的钱。那时候找不找老伴？再说，反正这么多年一个人也过惯了。

"八渣儿"把他的这些隐私全都讲给了我。可对我，他只问到我的身体，看样子他对我的病容确实非常上心。他甚至建议说："你也别光迷信这城里的医院大夫，我们县里关厢可有好中医哩！要不我回去给儿子张罗考师范的时候，你跟我去延庆，我陪你去找那中医大夫，你就住在我家，我家有炕也有床，我有一张大木床，自己打的，你能睡得惯哩！药吊子也是现成的，你先在我家吃几剂试试，见效就再抓几服带回来，要不光带方子回城里也行……

我很感动。其实我的医疗条件很好。也请中医教授给开着方子。我就对他说："谢谢你啦。跟你去行呀，不过我现在就找中医开方子抓药吃着呢——"我一边说一边拿起他摊上的一块圆柱形磁铁，那上头吸满了鞋钉，像只刺猬，我以前写到的修鞋师傅也有这个东西，但我现在深切地体会到，修鞋师傅与修鞋师傅并不像两滴水般相似，我顺口对"八渣儿"说："只是我老把药方子弄丢。对了，要是我有那种吸铁石就好了——人家国外的光那种薄薄小小的吸铁石，外表上看着就跟小玩意儿似的，像个米老鼠，要么像个唐老鸭，再么像个铃铛像朵花儿，往冰箱上一贴，就吸住了，用来压便条、账单、药方子什么的，特好！""八渣儿"就细细地再问我几遍，要把那种吸铁石弄个明白，他笑着一偏头，再脖颈一甩把头正过来说："我这人还就喜欢听新鲜事儿！"笑着这样偏头甩头是他的一种习惯性动作，我很喜欢他来这种动作，我觉得挺美，挺帅。

奇怪的是，他和我相交很久了，却一直没问我姓什么叫什么。我们相见，总以一个笑脸算是又叫了名儿又问了好。

一天我在街上闲溜达，忽然"八渣儿"从我身后快步拐到我面前，大声地招呼我说："嘿，我说同志，可找着你了！你倒是去不去啊？"我见他一脑门子的汗珠，有点摸不着头脑。那地方离他鞋摊有好几十米，而且我们走的方向是远离他那鞋摊的。难道他是从鞋摊那儿撂下摊子专来追我的吗？

可不。他几天来都等着我去鞋摊哩。他儿子眼看就要毕业考学了，他得回延庆去张罗，打算下星期走，他要领着我去延庆关厢找那当地有名望的中医给我治病，要我去他家住，睡不惯炕就睡他亲手打制的那张木床，并且他家有现成的药吊子，可以让我在那儿静养，并且每天煎药给我吃……

我面前的这条汉子一脸的认真，我却根本没有认真考虑过他的建议，况且——我忍不住问他："石本先啊，你还不知道我姓什么叫什么呢！你怎么就邀我去你家啊？"

他的脸一下子红了，红得怕人，仿佛全身的血都涌到了他脸上，他愣愣地瞪着我，嘴角哆嗦了半天，才勉强说出两句："你、你这人！我交的是，是你这人，不是你、你的名儿啊！"说完，一个转身，绕到我身后，脚步噔噔噔响，走人了。

我意识到自己深深地伤害了他，本想赶忙追上去，追到他摊上，向他道歉，但我知道，硬汉子的脾气不能马上扭回来，因此，我决定第二天再去鞋摊上找他。

第二天我感冒了。过了 3 天我才上街。我立即去鞋摊找石本先。鞋摊不见了。也不见了卖冰棍的、卖水果的。跑进五金店里打听，说我们附近这条街道要整顿清理成一条没有摊档的漂亮街道，原有的摊档都让他们并到钟楼湾的综合农贸市场去了。我赶紧到钟楼湾去。在那个热闹的市场上我找到了那位同"八渣儿"相熟的老太婆，她现在主要卖冰糖葫芦。她说："八渣儿"没来这里摆摊，但她告诉了我"八渣儿"在东直门外的住处。

那天晚上我到东直门外去找"八渣儿"即石本先。多么遥远的地方我都去过，但这一次的跋涉却使我觉得异常地辛苦艰难。老太婆告诉我的那个地址非常古怪，问来问去老问不准。绕来绕去，一直绕到个既不像城市也不像农村的地方，天都麻黑了，才找到一条狭窄的小巷，问错五六个门，才终于找到一处农民盖的新院落，总算有个矮胖子年轻农民兄弟迎出来，承认他们这儿有一位"八渣儿"，可他告诉我："'八渣儿'回延庆去了。"我问："他什么时候回你这儿来？"他说："他把行李全驮走了。他说他把照也退了。不再到城里修鞋了。他说回延庆以后再找别的事情干。"我听了心不由得往下一沉。该不是我把他气走的吧？我问："他在城里不是干得好好的吗？"那矮胖子的年轻农民淡淡地说："我也不清楚。好像是让他挪地方，挪到什么钟楼湾，他去瞅了瞅，那儿挤着好几个鞋摊，他说去那地方戗了人家行，自个也挣不上多少。"听了这话我心里才一松。我又问："他延庆的地址，您知道吗？"他边把我往外送边说："说不准。只记得他说过，离关厢20里地。"

我都退出院子了，忽然院里一个女人追出来，看来像是那矮胖子的媳妇。她追到我身前说："'八渣儿'临走时留下了这个，说万一有个知识分子模样的城里人来找他，就把这玩意儿给那人。"她说话时脸转向她男人，还有一句是专说给他的："他留下这个时候你还没家来，我还没来得及跟你先说。"说着那媳妇便把一样东西交到我手里。我手心先是一凉——那是一块两面平滑的小铁块，制作成大肚子弥勒佛的形状，一面什么也没粘贴，一面粘贴着不干胶的弥勒佛贴画。看清了，我的心猛地一热，啊，那是一块可以在冰箱外壁上夹药方的吸铁石！

事情过去有半年了。不知在我的人生旅途上，还能不能同"八渣儿"再相逢。

1991 年早春

兔儿灯

冰心老前辈去秋 90 寿诞，前往她家祝贺的要人、闻人及亲朋好友不少。报纸上发表了消息还有照片，她女儿吴青曾来电话问我为何一整年都不去同老人家聊聊，我半开玩笑地说自己晦气得很，去了怕对人瑞无益。吴青责我"孤拐脾气"。其实我是觉得冰心老前辈仿佛一株巨大的榕树，飞去朝仪瞻仰栖憩啜露的鸟儿甚多，我这一阵心脏正闹事，头发掉去不少，一只落翎的病鸟，在她一生结识接触的鸟群中该不占什么位置，所以从此不去也罢。

虽没有去看望冰心老前辈，却还是时常挂记着她。还常从同辈朋友那里听到她讲的一些妙语。所以今年元旦之前，我就寄了一张自绘的贺年卡给她，上面不过是"敬祝安康"的简单贺辞。没想到两天后便接到了她的短笺，是用圆珠笔写的，笔锋依然刚劲有力，而且是一句逼近一句的六句话。

她的第一句话是："心武：感谢你自己画的拜年片！"这倒平常。第二句是："我很好，只是很想见你。"这自然令我感动。然而我的"孤拐"本性仍使我觉得"心领"也就够了。因为一天到晚跑上她家去见她的人依旧很多，拜在她门下自认干儿的我就知道好几个，我想光他们也就很可慰她寂寞（如果感到寂寞的话），我还是不必去添热闹。她短笺上的第三句话是："你是我的朋友中最年轻的一个。"这当然更使我受宠若惊。记得 1984 年的时候，我去看望冰心老前辈，那时候吴文藻老先生还健在，她问起我的年龄，我说 42 岁，吴青就说："呀，娘正好大你一倍！"当时两位老前辈都笑了。不过如今我已年近半百，自我感觉是风过叶落，繁花满枝的青春期已翩然远去，所以纵使有冰心老前辈这句话，我也还不打算去见她，她要是见到心目中"最年轻"的那并不年轻的面目，该多扫兴啊！然而她短笺上接下来的第四句话是："我想和你面谈，可惜我不能去你那里。"这句话的冲击力就大了。本来我心里飘过了"给她老人家回封信吧"的念头，这句话一入眼，如同风扫残云，"孤拐"劲儿荡然无存了，必须郑重对待她老人家的约请。然而，我的优柔性格，决定了我并无迅即安排这项拜望的心理节奏。冰心老前辈料事如神，所以她下面紧跟着的第五句话是："我的电话××××××(未经她老人家允许，我不好在此直录号码，请读者诸君见谅)，有空打电话约一个时间，如何？"其实她知道我有她的电话号码，但她不惮烦地又写了一遍给我，你说我若再不给她拨电话，那不成了个悖情悖理的怪物了吗？短笺的最后一句话才是"你过年好！"然后是签名和日期。

我拨了电话，吴青接的，约好隔一天的下午去见她。

那天下午去了，吴青开门就告诉我，"娘就等你，没约别的人。"冰心老前辈见到我，倒仿佛我们头天才见过似的，也不提我的贺年卡和她的短笺，只是随便闲聊。没聊几句，来了位记者，跟吴青熟的，老前辈也记得，跟我也不是生人。吴青说他是凑巧遇上了我，老前辈开玩笑地说："别是故意来听我们聊天的啊！"我说："一有记者，我就聊不起来了。一生误我是记者啊！"自然也是玩笑话。大家戏谑一番，吴青把记者朋友请到别室活动，冰心老前辈遂同我娓娓闲聊起来。

我感觉冰心老前辈挺喜欢我。其实我毛病很多，她不知道罢了。每次见面，她总同我回忆些往事。有一回她讲起童年时在烟台，一天傍晚，她一个人大着胆子上山去找她父亲。她父亲是海军军官，正在那山上的炮台值班；她因为从小就男孩子般顽皮大胆，所以穿越蒿草丛生的小径时全不害怕；她只觉得身后有个黑影，呼呼喘气地跟着她，也没回头看，一心只顾跑向父亲；父亲闻声跑下来迎她，用手中一块石板，赶走了那跟在她身后的黑影，她扑到了父亲怀里，父亲告诉她跟在她身后的是一只狼，她也并无"后怕"，只觉得幸福而快乐！我记得她早年的散文中曾用数百字写到此回上山情景，却并未写及狼的细节。她说至今也还未在文字中写过，但那狼的黑影她至今仍记忆犹新。我问她何以她父亲手中正好有块石板？她说那是军中用来记事的，我立即悟出那是一块用化石笔书写的黑石板。又有一回她讲起第二次世界大战结束后，暂居巴黎，那时罗浮宫前的圆形大花坛中，满栽着大朵的郁金香，一共有 4 种颜色，使她流连忘返。冰心老前辈的这类闲聊，短短的话语，却总能勾出我丰富的想象，犹如银幕荧屏上的画面，有拉远推近仰视俯观慢动速过定格翻卷一类的效果。我很惊叹这样一位世纪老人用三言两语传达出如许浓酽意象的才能！

这一回见面，冰心老前辈向我回忆起幼年时在福州家中过元宵灯节的情景。她说那时她家宅院外的街上就有灯市，"花市灯如画"，真是一点也不错！有各式各样的灯，圆的、方的、菱形的、扇面形的……十二生肖的、神佛的故事的，千奇百怪，花样迭生，走马灯犹如一台戏文，莲花灯仿佛可结莲蓬，那真是最让她兴奋的日子！她说长辈们总要送她灯笼，她常常是带着 3 盏灯在天井中悠游。我便问她："您两只手，怎么提得了 3 盏灯？"她慈祥地笑笑，告诉我："一手提一盏外，右手总还要牵一盏灯。记得有一次牵的是个兔儿灯……"她这么一说，我脑中立即出现了一个不足 10 岁的冰心姑娘，手中提的 2 盏灯朦胧不明，而右手所牵着那盏带小辘轳的兔儿灯，却生动而分明地闪动着灯光，映照着刘海下红扑扑的脸蛋和一双清澈的眼睛！

我们自然还聊到很多别的事。一般来说，人老了，往往对远古的事反记得真真的，对近前的事倒常常忘怀，至少在同我闲聊时，我觉得冰心这位比我故去的双亲诞生得还早的世纪同龄人竟超出了这个规律，她不仅记得我母亲是 1988 年秋天去世的，记得我妻子体弱，且记得我儿子已考上了大学，学的是工科。但冰心毕竟是老了。她同我聊天中途站起来扶着不锈钢的支架去卫生间时，我发现她的脊背已然弯驼。吴青后来告诉我，那支架是从美国弄回来的，可以调整高度，但冰心本人不让调高，说人老了背驼是自然雕塑师的作品，不必人为扭转，而且支架矮一点重心往前靠，移动起来也较为省力安全。

这回我同冰心老前辈闲聊了 2 个多小时，她还兴味盎然。她同我聊天从无半句训诫或劝告，我也从未向她请教过什么创作问题或处世经验。她乐于同我聊聊，我也乐于同她聊聊，如此而已。我怕她累着，便起身告辞，她也不留，叫过吴青，让把她为我留着的早签好名的《冰心文集》第五卷（1990 年 2 月上海文艺出版社第一版）交给我，并说："不值得都看。在我只有一篇希望你看，我在目录上作了记号的。"又嘱咐吴青把拜托人家中午送来的大螃蟹给我 2 只。吴青告诉我那螃蟹是家乡福州一位杂志社的编辑一早乘飞机特给老人家送来的。到了厨房，我见一共只有 5 只，都肥大而且活着，便对吴青说不要给我了，吴青："老人家说了给你我就一定要给你，你也一定要带走，并且说了给 2 只你就不能只拿 1 只。"我只好带走了那 2 只肥螃蟹。冰心老前辈对我这只落翎鸟如此厚爱，这让我过意不去！

回到家，翻开《冰心文集》第五卷目录，找到记号，翻到那篇文章，一口气读了。我想那确是值得单指定我这个"朋友中最年轻的一个"细读的一篇文章。冰心老前辈的娓娓闲谈，以及这篇淡淡落笔的短文，于我都如同春风般潋荡，春水般明澈，春雨般滋润，春草般新鲜，使我粗糙的灵魂，多少增添了些磨炼的勇气和精致的向往。

等到远望柳树有绿雾成团的感觉时，再去拜望冰心老前辈吧，那时定会再次听到兔儿灯般令人回味无穷的话语！

1991 年 1 月 24 日深夜于北京安定门寓所

微笑无价

　　两次去巴黎，都往卢浮宫参观。庞大的卢浮宫里存有数千件艺术品，最招惹人的是两件：一件是古希腊圆雕"米洛的维纳斯"，那断臂仙女的形象经过无数次复制，已早为中国人所熟悉；另一件是意大利文艺复兴巨擘列奥纳多·达·芬奇的油画《蒙娜·丽莎》，我们中国许许多多的印刷品中都有这幅名画出现，近年来的彩印大挂历中也常收入，所以人们熟悉的程度，不下于"米洛的维纳斯"。

　　《蒙娜·丽莎》一画最突出的成就，就是画出了一个无比神秘的微笑。那画上所画的妇人，原是当时佛罗伦萨皮货商乔贡达的妻子，这位妻子比丈夫小很多岁，当时不过二十三四，尽管生活十分富裕，社会地位也挺高（她丈夫已当上当时佛罗伦萨长老会的议员），但她内心显然是并不感到幸福的，何况在进入达·芬奇画室前，她刚刚失去了一个幼子，其忧伤郁闷更过平常，传说为逗出这位模特儿的微笑，每当她到画室中来时，达·芬奇总要想些出奇的办法，如请马戏团小丑来翻筋斗说笑话，让小乐队演奏谐谑曲，乃至自己亲手弹奏小竖琴等等，终于引出了这位少妇的莞尔一笑。"蒙娜"在意大利语中是贵妇人的意思，她本名丽莎，所以最后这幅画就命名为《蒙娜·丽莎》。这幅画之所以蜚声世界，并非偶然。达·芬奇把一位坦率面对命运的女性表现得栩栩如生，她那浅浅的微笑，你可以理解为对幸福的渴望；也可以理解为对人间不幸的怜悯；还可以理解为忧郁达于顶点后的超脱；或理解为人在强大的不可知力量面前的无能为力；更有理解为对人性的思索与领悟的……总之，自从这幅画陈列在卢浮宫以后，千千万万的参观者在它面前流连时，对那微笑都有过自己独特的感受和联想，《蒙娜·丽莎》的魅力，真是历久不衰，并随时间的推移而愈见浓酽。

《蒙娜·丽莎》不仅是卢浮宫的无价之宝，也是全人类的无价之宝。因为它的名贵，所以也曾几次遭到偷窃。1911 年，此画被盗，好奇或愤怒的人纷纷跑到卢浮宫，惋惜地去观看原来挂画时那片空墙，据统计，两年中去看空墙的人竟比过去 12 年中来欣赏这幅名画的多上一倍！可庆幸的是《蒙娜·丽莎》终于回到了它原有的位置上，现在卢浮宫已将它罩在特殊的钢化玻璃罩中，恒温恒湿并有电脑控制的防盗装置，以保证那伟大的微笑永恒存在。

最近我阅读了不少关于意大利文艺复兴运动的书籍，了解到更多有关列奥纳多·达·芬奇创作生涯的情况。他绘制《蒙娜·丽莎》一画当在 1503 年左右开始，直至 1519 年他在法国去世，这幅画仍留在他床边，算是一幅一直画到最后一口气的遗世之作。1503 年左右达·芬奇从米兰回到故乡佛罗伦萨，当时佛罗伦萨的长老会议聘请他为长老会议事厅创作大型壁画《安加利之战》，给了 9000 弗罗林（货币名）的酬金，当时拥有 1000 个弗罗林的人已可称为富翁了，可见那酬金是非常之高的，但达·芬奇对绘制肉搏厮杀的战争场面始终不能倾注出全部兴趣，最后他并未完成那幅《安加利之战》，倒是以更多的心血在自家的画室中精心绘制着《蒙娜·丽莎》，后来由于皮货商带着妻子暂离佛罗伦萨期间，年轻的妻子在外地竟染疾而亡，皮货商就再没有来取这幅画，因此也就没有付给达·芬奇一个弗罗林，然而达·芬奇在模特儿去世后仍坚持用原来积累的素描资料和心灵中的印象感应，孜孜不倦地修改着这幅油画。除了那神秘的微笑成为千古名笑外，画上《蒙娜·丽莎》不戴钏镯戒指的右手也为世人所称道，认为是"世上第一手"，画得不仅有丰满红润圆实的生命感，而且在轻倚左手的动态中惟妙惟肖地传达出了一种心灵经过剧烈搏击后的超越与怡静；还有画上人物的背景处理，使用了达·芬奇本人独创的"薄雾法"，把佛罗伦萨地区水气濛濛的景物表达得活灵活现，而且，从人物右边看过去，地平线仿佛在下移，人物似乎在向上飘升，而从人物左边看过去，地平线又仿佛在上抬，人物则似乎在向下降落，一幅画中竟有如许多的妙处，真是绝透了！

达·芬奇晚年应法国国王弗朗西斯一世之邀到法国安布瓦兹定居，随身带去了《蒙娜·丽莎》，据说弗朗西斯一世在达·芬奇居住的别墅中看到这幅画后，惊讶爱羡到回去睡不着觉的程度，后来就提出来恳请达·芬奇割爱，要多少钱他都愿付，而达·芬奇却郑重告诉他：《蒙娜·丽莎》是无价的，在他有生之年，永不会出让，不过在他谢世之后，可将此画留赠弗朗西斯一世，这也就是为什么意大利绘画大师达·芬奇的这一旷世佳作，后来一直陈列在法国卢浮宫博物馆中的缘故。

真正的天才是不会将金钱作为创作推动力的，真正的天才创造出的东西——无论是科技发明还是艺术作品，其价值也是不能仅仅用金钱去衡量的。面对着达·芬奇绘出的《蒙娜·丽莎》那永恒的微笑，我们真可以想到很多、想得很深……

1991 年 3 月 27 日

雨巷歌声

至今我形容不来那歌声，仿佛一幅浸润着水气的水彩画，那曼妙的笔触只能意会而不能言传。

确也是一幅水彩画儿：十多年前，在江南一座小城，我住在亲戚家中，从那木楼的小窗望出去，小巷深处，霏霏细雨中一树杏花开得正盛，杏树后是另外几座类似的古旧木楼，歌声便从那邻近的木楼小窗中传送过来；而透过木楼间的空隙，依稀可以看见远处一段石拱桥，以及朦朦胧胧的一些水光船影……

那唱歌的少女始终只闻其声不见其倩影，尽管我多次凭窗眺望，企盼着那缀满白花的杏树枝丫后面的小窗里，会闪过一身红衫，或一辫发影。那时候从港台粤穗还没传播过"时代曲"即流行歌曲来，少女唱的还是古老的江南小调：

> 上有呀天堂下呀有苏杭，
> 杭州有西湖苏州有山塘，
> 哎呀，两处咯好地方……
> 正月里梅花开哎哎呀，
> 二月里玉兰放……

歌声并不欢快，也不忧郁，唱得很从容，可以想见，听者有心，而唱者是无心的——她一定一边做着什么事一边自然而然地唱着，有时忽然停顿下来，可是过不了多久，又忽然再唱下去，所唱的似乎也并不那么标准：

> ……五月五日龙船会，
> 来船冶坊浜阳，
> 锣鼓轻敲刹郎郎仔郎当哪里郎当，
> 刹郎一声响咚咚锵……

我问亲戚，"来船冶坊浜阳"是什么意思。他说"冶坊浜"是个水塘的名字，"冶坊浜阳"就是那个水塘的南岸。全句是形容龙船在岸边整装待发。那少女唱至这几句时，声调总高昂起来，而花腔也愈显曲折圆润。杏花春雨江南，小巷深处的歌声真撩人情思。

那时候我因为发表了几篇颇为轰动的短篇小说，每到一处，总引动一些文学爱好者找上门来攀谈求教；到那座江南小城我作过一回关于创作心得的报告后，便有好事者络绎不绝地找到我寄住的亲戚家里，亲戚们虽为我忝列作家队伍而欣慰，却也深受其扰，我也很为给亲戚招来麻烦而歉然。小巷里的几位青年男女，因为是"近水楼台"，所以不仅"先得月"，而且还几次三番地拿着文稿来要我指点，"占尽月光"的热情令人难以招架。我就总问来的文学女青年："那在对面唱歌的，是你吗？"都摇头说不是。确实都不是。因为就往往在我向几位文学爱好者大言不惭地论什么"小说的结构技巧"时，窗外就又飘来那杏花般明艳动人的歌声：

> ……六月里荷花开，
> 七月里禾苗壮，
> 八月里桂花香，家家赏月亮，
> 姐姐那个妹妹尽是美姑娘……

后来亲戚家的一位老表姐告诉我，她打听出来了，巷子深处那唱歌的姑娘是个从农村返城的"知青"，考大学没有考上，就在家里琢磨着要干一桩有意义的事——可她不爱好文学，一点也不想学写诗跟小说什么的，并且也绝不想靠唱歌跳舞吃饭……她究竟一边唱着歌一边琢磨着什么呢？依旧是细雨霏霏，我提着旅行袋离开了那古旧而美丽的小巷，杏花落尽了，空中弥漫着玉兰花的淡香，一缕歌声伴我走出小巷：

> ……十月那个芙蓉芙蓉花呀花开放，
>
> 十一呀月里雪呀雪花飞，
>
> 十二月里腊梅花儿黄，
>
> 哎呀四季好风光，
>
> 哎呀哎哎呀说不尽的好风光……

岁月像细雨般无声、像流水般悠然地逝去，那小巷中的杏花，又有十多次开落。前些时在一次进出口公司的贸易方面的酒会中，一位进出口公司的经理把一位来自江南的女士介绍给我，那是一位女强人，她带领十多个十多年前没考上大学的老"知青"，艰苦创业，不断开拓，目前已是一家生产童装的联合企业的总经理，他们的新款童装，已经成为出口海外的拳头产品。她的事迹，我是从报纸上看来的，她说她也熟悉我，我以为她是读过我的作品，她却坦率地说："我从来不喜欢读小说。到现在连《红楼梦》也还没读过哩！不过十多年前你出名的时候，在我们那条巷子里住过，我的伙伴们那时候差不多都去找过你，回来就跟我形容，怎么怎么样的，哈，所以，我没读过你的小说，也知道你这人呀！"我惊喜地把她一指："你！你就是那唱歌的姑娘吧！"她快活地笑了。

酒会后，她请我去"卡拉OK"歌厅叙谈。我说我想再细细地了解一下她走上成功之路的历程，好写一篇报告文学。她却对我说："不需要。就连报上那几篇报道我的文章，我也觉得把我说得太好。我们的企业要好好宣传。我个人确实没啥好写的。倒也不是谦虚。因为我觉得最快活的是做了件有意义的事，并且做成了。你说那时候你总见不到我人影——你哪里知道，我从农村回来，就查出来有迁延性肝炎，偏偏那时又把一条腿摔坏了，我就在家一边治病养伤，一边设计童装，自己用缝纫机轧样子……后来托赖改革开放，我还是蛮顺利的……你不要写我，要写，你再下江南，去我们厂好好深入一下，写写那些车间里的姐妹们，她们才是一篇又一篇的好小说哩！

不过，今天我们遇上，我还是很高兴的，好吧，我就为你，并且特别为我自己，来唱那首我最喜欢的歌吧！"

"卡拉OK"中没有那首歌的伴唱带，她便举着话筒干唱，然而，那歌声于我，却仿佛江南细雨、拱桥篷船、杏花满枝、玉兰飘香在一起浮现，那是任何伴奏都无法比美的：

> 上有呀天堂下呀有苏杭，
> 杭州有西湖苏州有山塘，
> 哎呀，两处咯好地方……

望着那唱歌的女士，我觉得胸里有一团淤塞的东西在痒酥酥化解着、化解着……

1991年5月15日

湖畔静悄悄

初春，寒意还没有退尽。我竖起风衣领子，走进离家不远的青年湖公园。是星期一上午，公园里几乎不见游人。柳枝尚未泛绿，其他树木更仍是秃枝枯桠，湖水虽已解冻，但是北京春季常有的一种天气，说是晴天，有散射的淡淡日光，却难以找到太阳的踪影。说是阴天，确实阴乎乎的，但仰头又寻不出一片阴云，整个是一种灰灰蒙蒙的情调。景物都失去了立体感和层次感，纵使最乐观的人，在这样的天气里也往往会无端地忧郁起来。

在北京众多的公园中，青年湖公园确实是一个最无特色的小公园，除了附近的居民，恐怕难得有从远处专程前往的游客，何况又是大多数附近居民都上班的时间，游客少，本在意料之中，但那天我漫步了好长一段路，竟始终没见到除我而外的第二游客，倒不由得从中产生了一种梦幻般的感觉，难道这一片灰蒙蒙的湖水，此时此刻只为我一人而存在？

忽然，远处湖岸边，一个瘦伶仃的身影闪进了我的眼睛。啊，到底还有另一游人！止步眯眼，把他望定。有点古怪！他好像弯腰把一样东西捅进湖里，随即又提上岸来……绝不像钓鱼或网鱼，也不像打捞什么东西，倒像是在涮一具拖把——我顿时心生不快，判定是公园哪一处所的管理人员，为打扫卫生，就把一湖的春水，当做了洗涮拖把的水槽；真得走上前去，给他提个意见：行不得也哥哥！

我款步沿着曲线的湖岸朝那人走去。渐渐近了，也渐渐看真切了，啊，他洗涮的不是拖把，要说是拖把，那也是一具秃头拖把——莫非是位精神病患者？在这静寂的春日，落寞的湖畔，我该怎样劝阻他终止这荒唐的举动，抚慰他那失落了理智的心灵？

我终于看清楚了。我止步凝望。原来，那是一位瘦瘦的老头，穿着时下早不流行的中式裤褂，头上戴着顶浅蓝色的旧毛线便帽，露出白发苍然的鬓角；他手里拿的是一根长及胸部的竹竿，竹竿头上裹绑着一团人造海绵，他将那竹竿伸进湖中蘸好湖水后，便在湖岸边的水泥护围上写起斗大的水字来——那水泥护围原来正好有均匀划分开的浅沟线，恰似一方方的灰纸，他敢情是在用一支"如椽大笔"，一格格地练习着书法呢！

我为原先的胡猜乱想而惭愧。我不敢惊动专心致志的老人，且看他都书写些什么——

显然老人已书写了颇长一段"湖畔灰纸"，有些字已然湮灭，有些字半干半湿，有些字仍然完整，我缓步埋头读去："……悔复及，作书与鲂鲔，相教慎出入……"啊，是古诗《枯鱼过河泣》。又见："采葵莫伤根，根伤葵不生。结交莫羞贫，羞贫友不成。"……原来，此公颇有古典文学修养哩！

我已然非常接近老人，老人却全然没有发现我，显然，他已沉浸在一种不仅忘我而且也忘人的特殊境界之中。因为我紧跟在他身后，所以他下面所书写的每一个字我几乎都能读出来；我发现，他渐渐不再书写完整的诗词，而只是书一些他精心挑选的句子——或者说是一些他漫不经心一任其自然从胸臆中流泻出来的句子："枝上柳绵吹又少，天涯何处无芳草？""长恨人心不如水，等闲平地起波澜""雨中山果落，灯下草虫鸣""别来世事一番新""春到人间草木知""花落花开自有时""细算浮生千万绪""一钩新月天如水"……

他已经书写了多久？我跟随着观看，不过是手插衣袋地缓缓挪步，竟已有倦怠感，他却似乎仍有许许多多的精力，并不显得肌肉紧张、倾泻全神，而是从从容容、松松弛弛地在继续着蘸水、书写、移步、书写、蘸水、移步、书写……的工程，而这工程，朝后望去，正在一秒秒地湮灭无迹，朝前望去，湖畔弯弯曲曲，环行一周远未有穷期，难道他就总这么一个字一个字地书写下去，直至整整环湖一周么？

我不禁在湖畔一只长椅上坐了下来。老人渐渐远去，我的心却总想更贴近于他。我苦苦猜测：他这仅仅是一种退离休后的消磨时间方式？一种健身手段？一种精神嬉戏？抑或是纯然为节约纸笔和墨汁，苦练书法艺术？他是一位颇有名气的文化人、书法家？一位教授、学者？还只不过是一位业余爱好者、一个最普通不过的退休职工？……

我听见了鸟鸣。我两眼朝湖对岸望去，我发现了零星的游客，以及并坐于对岸长椅上的恋人。这公园，这湖水，毕竟不仅仅为我，也不仅仅为这位神秘莫测的老人而存在。

我想我不妨再追随他，凑拢他的身旁，趁他歇笔的时候，同他搭讪，也许，竟可以与他对谈一时，打破我胸中的闷葫芦，现他一个真面目。

于是我便又站起身来，快步沿着湖边走近了他，我低头注意他新写的字句，忽然吃了一惊："一叫一回肠一断，三春三月忆三巴"，然后，竟一格接一格地全是"一"："一、一、一、一、一……"我得承认，我对书法全然外行。我只知道笔画越少的字对于书法家来说越是一种功力的考验。"一"字是最难写得顺眼的，但我眼前这些个水写的"一"字，每个都不一样，却每个都顺眼，都仿佛是一幅意蕴无穷的图画！

我呆呆地立定在那里，凝望着一个个"一"字渐渐湮灭。我没有再尾随那老人，也不再打算去惊动他，并且也不再胡猜乱想。我转回身，沿着寂静无声的湖畔朝来路走去，我憬悟到，至高的境界如"一"般单纯。我为什么胸中总淤塞着那么多的杂念？我应该像这位老人那样地去投入，而不应白白地虚掷光阴……

1991 年 6 月 5 日

亲笔信（外一篇）

一位西方的社会心理学家指出："电脑并不仅仅是映射出个人特性的屏幕。它已成为新的一代人成长方式的一部分。无论成人还是小孩，凡是玩电子游戏机的人，凡是使用电脑来摆弄文字、资料、图像的人，尤其是那些学习编程序的人，对他们来说，电脑已经渗透到他们的性格、特点乃至性意识发展过程中了。"

我因尚未购置、使用电脑写作，因此对上述论述毫无共鸣，并怀疑他是否有些危言耸听？

但当我前些时接到一位朋友来信时，心灵还是被深深地触动了一下。他那封信从信封到内里都是用电脑"写"出来的，全信的内容是告诉我他已购置并学会了使用电脑，这便是他的首批"成果"之一。以往，他的亲笔书写总给我一种亲切之感，而且从他字体的变化中，是比较工整还是相当潦草的书写公式中，乃至他涂划掉哪些地方的细节中，我总能捕捉到他的某些言谈笑貌，感受到他的生活节奏和心灵的脉搏。这回不然了。尽管他用电脑"写"出的信上也有几句问候的话，我总觉得袭来一股令我怅然若失的冰冷。"难道今后我只能从他那里收到这样的信么！"我有一种被"第三者插足"的失落感，那"第三者"便是梗在我与他之间的那台价值不菲的"电脑"。

一位叫约瑟夫·韦曾鲍姆（Joseph Weizenbaum）的美国人写了一本叫《电脑功能与人的理性》的书，探讨了"究竟什么功能电脑永远无法具有，从而使人性变得更加神圣可贵"的问题。他选择了一件电脑无法做到，而人却能够"只可意会不可言传"的事情，即父亲和母亲站在熟睡的儿子床前默默交换眼色——作为人的本质的典型特点；他认为在当今世界"电脑横行"并可能大肆泛滥的社会前景下，人类有意识地保存并发扬这类的人性特点，是一种当务之急，也是一项长远的战略。否则后果不堪设想。

我当然不能也不该反对我的朋友用电脑去处理信息和撰写他的作品，但我企盼着他仍能给我寄来亲笔书写的信函——哪怕只有短短的几行！

超越紊乱

据说有一门学问，如今世界上专门研究它的还不足 200 人，其创始人是 1991 年才满 45 岁的美国康奈尔大学学者米切尔·菲根鲍母（Mitchell Feigenbaum）。康奈尔大学是一所公园般美丽的学校，校园中不仅有爬满常春藤的古典式建筑和贝聿铭设计的现代派佳构，也不仅有树丛、花圃和点缀其中的圆雕，还有自然生成的瀑布，极其壮观。据说 10 多年前菲根鲍姆从凝望瀑布中获得一种启示：水流跌落的过程中，在接近于下面水潭之前，运动的规律是显而易见的，可是，即使在气候等外部因素不变的前提下，水流一旦击中下面的水潭，则所溅起的种种水花，造成的种种湍流、漩涡和波浪，便极为紊乱，几乎每一秒钟都在变动，绝对看不出重复，尤其是水花激变为水雾和气泡，其情景就更加复杂——于是他憬悟到人类应当研究紊乱，无论是失调，还是扰动，无论在水里，在大气中，在野生动物群无规律的繁衍衰败和湮灭中，或在人类心脏的纤维性颤动中，紊乱都无所不在，而在这个领域中，数学似乎根本就没存在过！于是，他决定用电子计算机为工具，以高等数学为基本手段，对紊乱现象进行研究，从而创立了一门"紊乱学"。这就把人类对于宇宙的认识，引入了宇宙运动的最精微的区域中。经过数年的研究，他取得了一些重要的成果，大体说来，就是捕捉住了某些紊乱中的规律——那当然是至今仍蒙着神秘面纱的极难加以描述和把握的一种规律。这一"紊乱学"的开拓和发展，有可能逐渐走向实用，帮助人类预测地震、战胜癌症、预防和治疗心肌梗塞，乃至更精微地把握经济运作和调整生态平衡。

有一派西方学者认为"紊乱学"敲响了量子力学或然论的丧钟。这就引出了爱因斯坦说过的一句名言："上帝是不是在和宇宙掷骰子？"一位"紊乱学"家站出来作答说："当然！但这些骰子是灌了铅的。现在我们的目的就是要弄清这些骰子是依照什么规律灌铅的，还要弄清我们怎样才能使这些骰子为我们服务。"其力图超越紊乱把握规律的雄心溢于言表。

对于"紊乱学"这样高深的学问我不敢胡乱插嘴，不过，世上有这样的学者、这样的学问、这样的研究和渐渐的推进，使我意识到，人类对各个领域的探索都已进入到精微阶段，因此，总是粗线条地依据老知识老模式在那里想事情，恐怕确实是要落伍的。

努力使我们的思路精微起来吧！

1991 年 5 月 1 日

有一株树

有一株树。有那样一株树。

不知名的树。不奇特。不是古木。也不是人们常常颂赞的那种树——被雷火劈了，焦了一半，另一半依旧倔强地伸展、发绿。它甚至于都没有被雷火单单选中的资格。

是人行道边的一株树。一株行道树。很平常的品种。是一株馒头柳。它的枝杈，一律向斜上方伸出，无需特别修剪，稍远处望去，树冠便有如馒头的形状。它的左边，它的右边，以及隔街相望的那些树，都跟它相似。它，它的伙伴，是春天绿得最早的树。近看不觉得，忽然有一天，乘公共汽车回家，下车偶一抬头，呀，那边街两旁的馒头柳，泛出一派如薄纱般的嫩绿！于是乎，心里似乎也茏茏葱葱的，有一派烟雾般升腾的春光。

有那样一株树。我从彼此雷同的一排树中能格外亲切地认出它来。我们有一种默契。每次走到它的近旁，我总不免停下脚步；静静地望着它，它也便默默地望着我。我们都在默想，是都在默想生活的意义吗？

我并不常常摩挲它的躯干。正如它并不常常对我摇曳它的枝条。我们都忙。但我们有一种默契。我能动，能抬脚移动，我是动物。我动着的时候思维得更活泼，更深邃。它不能移动。它是植物。但暮春时候，它扬出的柳絮，纷纷然向上飘，向左飘，向右飘，向两侧向四方飘，却绝少向下坠落，它的思维，难道会枯涩，会浅薄吗？我常常想，如果我像它一样，只作为一株最平常的行道树，不起眼地排列在彼此雷同的树列中，日复一日，年复一年，我能够心平气和吗？能够心旷神怡吗？

我又常常想，如果它像我一样，混迹在彼此也颇雷同的人群中，在公共汽车中挤成一团，在办公室中从同一只热水瓶中分水喝，在会议中发言和听别人发言，它能够兴致勃勃吗？能够其乐无穷吗？

暴风雨袭来时，我把我的脸贴到楼窗上，透过濡湿的玻璃，我看到混成一片的长龙般的馒头柳树冠在扭动、在挣扎。我能判断出哪一处恰是它的树冠，既不特别痛苦，也不特别镇定。我知道，我知道有那样一株树，一株同我有着不可言喻的默契的树。

馒头柳是叶子落得最晚的树木之一。秋天，干落的叶子在风中立着旋转，仿佛无数跳着芭蕾的精灵，但另有许多枯掉的叶子依旧立在枝条上，并且保持着夏天的表情。街上所有的植物都只剩下光秃秃的枝丫了，唯有馒头柳，带着一头枯枝，迎向冬天。雪花飘下来，缀在它的枯叶上，显得格外触目。每当这种时候，我也总要在我认定的那株树前驻足。我觉得它做成了一首好诗。于是我觉得我也无妨做诗。这并不是狂妄。

有一天乘公共汽车回来，一下车，心便被无形的铁钳夹紧。望过去，那边人行道上，有一株树被撞断了，倒伏于地，是一场车祸的后果。急忙奔了过去。不是。不是它。是另一株。心仍然在痛。但也升腾起一种莫可名状的命运感。并不是它。因此构不成一个完全的悲剧。我站在它的面前，背后不远是那株被撞断的树。它站在我的面前，我挡住了那株被撞断的树。我们都自私，不是吗？我们意识到这一点以后，都脸红了。

几天后，那株被撞断的树被移走了，根须也被掘出。又过了几天，那里栽上了一株新树。它比前后的树都细，因而它具有了一种特色，因而不可以说那一排行道树都彼此雷同了。它的枝杈似乎更其光润，它的细叶也似乎更其鲜碧。但我仍然最爱我以往无形中选中的那株树。

1987 年 3 月 19 日

写于北京绿叶居

"蛮"

　　几次到香港去，除了处理有关自己小说的出版、翻译事宜外，自然也免不了去"行公司"。在许多商店里，店员都错把我当成"台湾客"，这除了我那T恤衫、牛仔裤、运动鞋缺乏所示地域的特征外，主要是因为我不说粤语而说一口字正腔圆的普通话，我那标准普通话不带大陆任何一省的口音，甚至不带北京土话的腔调，而"台湾客"一般也都不讲粤语而讲"国语"，加以我同他们讨价还价时也颇能使用香港流行的"太离谱"、"一头雾水"等等语汇，所以那些店员们就作出了我是经常来往于台港间的错误判断。

　　我是正儿八经的北京人。因为我在这座既古老又年轻的城市已定居了40年。我能讲相当地道的北京土话，例如："呀！老爷儿偏西了！老爷子烟高粱秆啊！嘎嘣儿的你可来了！"意思是：太阳快落山了，哎呀呀（高兴地感叹），该死的（爱到极点的骂）你可来了！虽说我同北京的一些市民朋友交谈时常使用新、旧北京土话（上面一例是旧北京土语，新土语如"盖了帽了"、"磁"——前者是"好极了"，后者是"关系极牢固"的意思），但在大多数场合，我还是讲标准普通话。标准普通话自有它淳正的魅力，记得几年前我在美国几所大学演讲，讲完后对我所讲内容的评价姑撇一边，但总有几位久离大陆或尚未到过大陆的本地华侨告诉我说："你一口流利的中国普通话，在这里听来真引人乡思！"这颇令我自豪。按籍贯我其实是四川人，生在成都，并在重庆度过童年，同家人一直说四川话。四川话固然同普通话语音相距不甚远，往往只是声调上不同，但四川人在辅音 l、n 与诸元音拼成的字音上往往难以区分，我在区分 l、n 以及 z、c、s 与 zh、ch、sh 上是狠下过工夫的，所以讲起普通话来不易被人猜出是四川人。我想今后倘若我别的事都做不来了，推广普通话方面总还能略尽绵薄之力吧！

同土生土长的香港人交谈，如不用粤语，那就比较困难。同来自台湾的人交谈，因为我说普通话，他说"国语"，其实百分之九十以上的规范都相同，所以简直没有什么语言障碍。香港拍摄的粤语影片，下面一般总印着中文和英文两种字幕，为的就是输出到台湾时，考虑到那里的观众土话大多是"客家话"，"官话"则是"国语"，并不一定有很多人听得懂粤语，所以加上中、英两种文字字幕才易被接受（近些年港片发行到大陆的渐多，但大多数已配制好普通话对白，不过仍常常保留着这两种文字并用的字幕）；我们现在在大陆看到的一些台湾影片和电视片，明明已是"国语"对白，下面却也印着字幕（一般只用中文，不用英文），那是为什么呢？我想那拷贝和带子，大约是先往香港发行的，许多香港人仍只习惯于听、说粤语，所以必须加上字幕，亦可使他们看得更明白。

这些年来改革开放已成为我们的基本国策，海峡两岸文化的交往也渐渐增多，在美国、西德、法国、香港等地，我都邂逅一些台湾文化人，在大陆特别是在北京，我也接待、会见过一些台湾的作家朋友，大家交谈多了，也就发现，我的普通话和他们的"国语"，到底也还有着若干差异。比如台湾来客使用的语汇之中，如"共识"、"定位"、"互动"、"传媒"、"镭射"（激光）、"大碟"（唱片）等等，或非我们普通话中所流行，或为我们所不取，有的虽似有被普通话吸收的趋势，不过距收入《新华字典》，估计也还得再经相当的时间。这里不拟详细讨论，只想拈出最有趣的一例，略作研究。

台湾朋友讲"国语"时，有一出现频率颇多的词儿，我想如书写出来，或应作"蛮"。他们是无论男女老少，往往说着说着就有这样的句子：

"这次回到大陆，心里蛮激动的……"

"我觉得遇到的大陆同胞，都蛮热情的……"

"这里的风景蛮壮丽的，我玩得蛮开心的……"

"这个问题蛮重要的，实在是蛮值得探讨的……"

等等，等等。

在我们普通话里，"蛮"只能构成"蛮横"、"蛮荒"、"蛮不讲理"一类词语来用，

"这个人真蛮！"虽大体上能让互讲普通话的人明白那意思，但严格说讲这话的一方已是在用普通话语音说方言，而将"蛮"当做"非常"如何、"挺"如何一类表示程度的副词用，则大陆人说普通话时是罕有其例的。北方各省的方言中，"蛮"似乎都不用来当做表示程度的副词，南方有些省份中，"蛮好"是惯用语汇之一，四川话中也有此语，不过如按发音似应写作"满好"。我记得从小就常听大人们互相这样寒暄："近来身体哪个？""满好的，满好的。"想来是40多年前，有许多大陆南方省份的人，包括许多四川人，移到台湾定居，所以台湾"国语"里，就收容了"蛮"或"满"这个表示程度的副词，以至到如今，"蛮"这个"蛮"那个，几乎成了许多台湾人的"口头禅"——至少我见到的台湾人，说话时给我留下了这样的印象。而且越年轻的，似乎就越爱用带"蛮"的句子表述他们的某种感受。

大陆和台湾，终归是要统一的。文字本是一样的。其间虽有繁、简的分流，但近些年已被简化的繁体字在大陆又增多起来。《人民日报》的海外版全用繁体字，大陆订户也不少；商店的标牌、商品上的文字说明、电视中的广告，也都有用繁体字的；而我们结识的台湾朋友，他们都说识别大陆的简化字基本没有困难，有时还说简化得有理，例如体育的"体"字，原来写起来好费事！而用"人"和"本"构成"体"，使人意会到"体乃人之本"，也很恰切！但有的对"艺术"二字的简化颇觉扫兴，说总有"之木"的感觉，很是刺眼。不管怎么说吧，大陆和台湾同文同种，具体的文字繁简问题，统一后不难商处。听说十来年前，在文字排印方式上，台湾当局颇忌讳从左至右的横排，现在似也不作限制，而在大陆，时下也有从右至左竖排的书籍出现。说话方面，台湾普及"国语"成绩斐然，而以大陆幅员之大、人口之多、方言种类之繁为前提，来考察普通话推广的程度，那应当说，在城镇之中，在40岁以下的一代，也已取得可观的成就。想到这些，感到大陆和台湾的统一，不仅属于必然，而且越快越好。

尽管我讲普通话和台湾朋友讲"国语"似无差别，但倘有一香港人从旁细听，则不难从我长篇大套中亦不至于有"蛮"这个"蛮"那个的口吻，而对方则很可能百句乃至不足百句之内便有"蛮"这个"蛮"那个的说法，而辨明出我俩各是定居于海峡哪一边的。只是在这篇文章末尾我要写下这样的句子：真是蛮希望祖国早日统一！

1991 年 3 月 16 日

生命的一部分

书，是我生命的一部分。

我每天都离不开书。每天必看书。有时忙得团团转，似乎不可能看书，但再忙总得入厕，入厕时我总要读一点东西，如果不是书，那就一定是报纸杂志。所以，最忙的时候我也仍能看书。

有一回出差，路上竟把手提包丢了，到了下榻的招待所，懊丧得不行，手提包里的钞票及一些生活用品固然可惜，最可惜的是带出来的一本心爱的书。我每次出差总要带上一本或几本最提神的书，出差时也同在家里一样，躺到床上后必然要读书，我不能想象，自己可以上床后不读书便安然入眠。但那一晚真够狼狈，临时去借书又不可能，躺到床上后，百无聊赖，浑身不自在，忽然，我眼光扫到了屋中书桌上的台历，啊，那不也可权且当做一本书么？于是，我兴奋地跳下床，抓过了那一摞台历，那是一份《中外历史知识台历》，真棒！于是我津津有味地翻阅起来，那一个夜晚就此免去了空虚和寂寞，我像往常一样读了书。

在旅行途中，火车上、飞机上，我自然更要读书。

不可一日无书。古人早就倡导过抓紧榻上、厕上、马上的时间读书。仔细想来，马背上何等颠簸，古人却仍要抽空读书，我们今天的条件无论如何总要比马背上好，怎能荒废时间，整天不读一行书呢？

自然，读书要力求读好书，读讲真理的书，传知识的书，陶冶性灵的书，赏心悦目的书。但世上的书多如繁星，也很难说我们遇到的书都那么有价值，那么美妙，怎么办呢？我的做法是：经过几代读者考验，即经过时间老人筛选，成为名著、经典的书，要作为重点读。时下热门的书，可以拿来翻阅，但要有独立思考的精神，如果觉得确实好，则细读，倘觉得虚有其名，粗读可矣。有一些偶然遭逢的书，无妨翻翻，发现某本书不怎么样、"风得很"、"瞎胡弄"、"骗钱货"，也不失为一种收获，因为可以悟出一些关于社会构成状况与人生面临抉择态势的道理。有的社会上普遍认为是坏的书，出于好奇心，我们总想拿来读读，其实只要不让逆反心理把我们的思绪推向混乱与偏颇，在好奇心驱使下把那样的书拿来翻翻也无大碍，绝大多数读过一定数量好书的人会自然而然地排拒那坏书的影响。

当书构成我们生命中的一部分以后，我们的灵魂必将变得充实而丰富，我们的眼睛必将变得明亮而深邃，我们的行为也必将变得理智而富于创造性。

爱书吧，从你识字以后，书应是你不可离异的终生伴侣！

1989 年春

读自己书架上的书

有朋友来诉苦，说如今书价腾涨，真是莫再读书了，我却不以为然。

我当然并不赞成书价无节制地上涨，但我以为，书价上涨也许倒会促使我们更谨慎地买书——只买那些对我们来说必不可少或确有留存价值的书。

也许是因为以前书价相对其他消费品而言偏低，人们大都买了不少书来排满自己的书架，那位来诉苦的朋友家中的书架不仅爆满，壁橱中乃至于沙发边也都藏着摞着不少书。我问他："你买的书，全都看过吗？"他摇头；再问："看过其中的一半吗？"他想了想，又摇头；再问下去："看过其中的三分之一？"他叹了口气说："也许还达不到，唉，没有时间啊……"

是的，我们都忙，我们甚至没有时间读自己掏钱巴巴地买来的书，我们常常是先把想要的书买到手再说，这本不足为奇，但我们不能容忍自己的这种心态——仿佛只要那本书我们买了并放在书架上了，我们就读过它了的似的。不。我们必须郑重地提醒自己——对于任何一本书，只有读过它（不能详读可以粗读甚至可以一目十行地"瞄"过去），它才真正属于我们心灵书架中的一本书。我们不能仅仅买书、藏书，我们必须读书。

我一度达到过凡自己所买来的书皆读过的境况，但近些年我的买书量大大超过了我的读书量，并且，坦白地说，某些书之所以买来，主要是出于一种虚荣心——人家有，我也该有；心理上的浅薄满足欲代替了心灵上的真诚求知欲。亏得我还能自知此弊，所以最近我向自己发出了最后通牒——

请读自己书架上的书，否则，暂停买书！

我于是开始读那些原是买来装阔气、撑门面、摆谱儿、充博学、赶新潮、唬客人的书——结果，我发现自家书架上的书完全够我享受很长的一段时间，我为自己前一阵子动不动问别人"该看些什么书呀？"而脸红，事实上我现在很有资格回答别人的这类问题，并且，我觉得与其告诉人家"该看什么"，不如告诉人家"不必看什么"，因为唯有读过相当多书的人，才能对一束束的信息作出有信心的价值判断。读书的过程实际上也就是认同和排拒的一个选择过程，读书越多，则选择的余地越大，因而为自己带来的人生机会也就越多。

我把自己的这点经验，介绍给来诉苦的朋友。最近他来报知，他已放慢了买书的步伐，加快了读自己书架上的书的步伐。他还说，如今信息大爆炸，就是书价不涨，可买的书也极多，就是收入大增，也不可能将看中的书全买回家来，因此，今后不仅要认真清理、阅读自己书架上的书，并且，应当认真考虑和设计一下，自己的书架上该是怎样的一种阵容了。我得意地告诉他，这种"个人书架设计"我早已在进行了，其中还包括明智地淘汰掉了一些对自己来说是无用也毋庸收藏的书。不过，我觉得对多数人来说，包括我自己在内，眼下最要紧的还是——

读自己书架上的书。

1989 年 1 月 29 日

售书归来

二月二日，是个星期日，我到幽州书屋去参观作家售书活动。到得书屋，来不及与同行们一一招呼，便被热情的读者围住，应他们之求，在他们已购得的《钟鼓楼》内衬上一本本地签上自己的名字。待终于告一段落时，一抬头，才发现身旁的另一位售书者正对我微笑，我马上猜出了她是谁，因为她实在像她的母亲，但我还没有来得及招呼她，她已简洁明了地用一句问候表达出了无尽的含意："刘心莲好吗？"。

是的，她是舒济。我姐姐刘心莲是她中学的同学。她们初中时同在崇实女中，后来叫女十一中，是教会中学的底子。姐姐比我大8岁。她们懂事时，我尚混沌未开。那时我常听姐姐说什么舒济，一直以为是个书记（党的领导），后来才弄明白不过是她同班的一位同学。舒济同我姐姐很要好。因为舒济随她的妈妈刚从四川返回北京，而我们一家也是那时候从四川来北京的。舒济同我姐姐两个在一起的时候，就说四川话。使用同一种语言是最容易使人亲近的，特别是当这种交流在外界的另一种语言包围中，形成了所谓"语言岛"时。初中毕业以后，姐姐她们一同考上了河北北京中学，这时，我才知道舒济是大作家老舍的女儿，不过我也还有一段时间始终不明白舒济为什么不随她爸爸姓舍，直到我也上了中学以后，才知道原来世界上还有"笔名"那么一说，老舍姓舒名舍予，所以舒济这个名字的神秘感，也便消失殆尽了。

直到同在幽州书屋售书时，舒济还记得，我姐姐那时候每天骑一辆陈旧的杂牌女车，从钱粮胡同我家去交道口南的学校上学。有一天姐姐骑到半道，突然那自行车的前叉子断了，差点酿成一场惨祸。这事我也没忘。其实那时候我家经济条件不坏，完全可以给姐姐买辆新车，但我父亲却认认真真地响应着艰苦朴素的号召。父亲并不是党员，但那时候一大批非党的知识分子，都是自觉自愿地按党员的标准要求自己的。我们这样的子女，常对他们发出"真比党员还党员！"的慨叹。据姐姐回忆，老舍先生似乎也是如此，以他那样的名望，以他那样的著名民主人士的身份，又是从西方国家回来不久的人物，在一般人的揣想之中，本是不必像共产党员那样律己，更不必像共产党干部那样严格要求家人的，但起码在对待舒济中学毕业考大学的问题上，老舍先生就远比我父亲那样无身份的知识分子更"守规矩"，更讲原则。

当时河北北京中学的毕业生，都面临着党组织的明确召唤，毕业后投考河北师范专科学校，学习一至二年，然后立即奔赴急需师资的河北省各级中学，当一辈子中学教师。共青团员自然更应带头响应。这就与许多毕业生的个人志愿产生了矛盾。我姐姐当时也是思想斗争很激烈的一个。她倒不是看不起中学教师这个职业。那时候中学教师的社会地位似乎倒比现在显高。何况当时到处放映着苏联故事影片《乡村女教师》，里面那个叫瓦尔瓦拉的女教师形象颇为迷人，许多青年人还是很愿意投身于教育工作的。但我姐姐那时候着迷的是另一部苏联影片，叫《幸福的生活》，她向往到农村当个搞拖拉机、"康拜因"之类的技师。但党组织号召上师专，我父亲知道了，自然也是正色要求姐姐报考师专，姐姐在痛苦之中，自然要找好友商议，但姐姐没有想到，她未能在舒济那里得到支持。舒济告诉姐姐，她的父亲教育她，一切听党的，因此她当然不作其他考虑，她肯定上师专。舒济后来果然上了师专。这就是一位知名的党外作家对待党的一项具体号召的态度。

姐姐终究还是去学了她的农业机械，后来是我上了北京师专，当了15年的中学教师。直到我当了中学教师时，我才大量地阅读老舍先生的作品。我觉得他是一座高不可攀的山峰。我特别醉心于他的《月牙儿》、《微神》那样的一些作品。当然我也有一些困惑之处。比如，为什么尽管"十七年"那阵老舍先生的名望如此之高，且独享着"人民艺术家"的美称，并也曾被周扬同志在报告中称为语言大师，却为何并无出版他文集的举动？再有，他尽管并非共产党员，也并非初上文坛的年轻人，为什么却有着那么高涨的政治热情？比如说，写出了《无名高地有了名》那样的小说，并且几乎为北京市每一个阶段的生活变化都留下一个多幕剧？更坦率地说，我觉得他奉献得出奇的多，而在出文集那样的事情上，似乎又颇被亏待了。很多年以后我才听说当时未出文集是依老舍先生自己的意愿。他那种否定旧我的精神，很使我震动。

姐姐回忆起少女时期的生活时，一再强调说："舒济的功课是非常之好的，那时候考大学又比现在容易，所以只要她报考北大、清华，是一定能考上的，可是她听她爸爸的话，党组织让上师专，就上师专，学制一年就一年，文凭低就文凭低，分配在外地就在外地，工资不高就不高……我因为自己没上师专而上了农学院，还长时间内疚过，我们那时候呵……"

"她们那时候"过去了。她们前些时曾到母校聚会。舒济让姐姐去她家玩。姐姐没有去。为什么不去？除了忙，姐姐说："我从电视上看到，她家似乎一切都没有变，还是那个小院。还是那间堂屋，还是那样一些字画……可是，却少了一样最要紧的……"

的确，往事不堪回首。我从未有机会见过老舍先生，我，一个渺小的文学学徒，现在居然也成了所谓的专业作家，并且我现在属于北京市文联，恰是老舍先生生前任主席的那个文联。老舍先生惨死了。可是还有幸存者，还有我们一群年轻人。创造美是要有牺牲精神的。现在我们居然也来售书，把我们的书同老舍先生的书一起从柜台里递出去，递到那些渴求着美的普通人那热烘烘的双手中……

售完书以后，大家到附近一家狭小的个体户饭铺去吃涮羊肉，当斟上啤酒时，舒济突然告诉我："按阴历算，明天腊月二十五恰是父亲的85周年诞辰！"我立即举杯，同她与舒乙为这个日子而……我们眼望着眼，一时不知该说句什么词儿。咽下了酒，我心里噎得慌。我想，很快又要到另一个纪念日了，也是整数儿，不多不少恰是20周年。

去年应当算是持续几年的"老舍热"的一个高潮。特别是电视剧《四世同堂》，影响太大了。但热闹当中也夹杂着寂寞。售书回来，到家翻查新版《辞海》，"老舍"一条相当简略，连出生于何月何日也不说明，逝于何月何日何故更讳而不宣。时下文艺界的百花齐放中出现了不少歧义之作，这对各方面的判断力都是个考验。我总觉得有人是过分急躁，或缺乏必要的警觉，似乎是有点过多地求助于把"样板戏"唱段搬出来"救急"、"解渴"，难道那玩意儿就真的那么正确、纯洁、健康、有益吗？在它所引起的某种不甚正常的热烈掌声中，难道就不隐蔽着某种应加以矫正的心理失衡吗？为什么我们对有时不该讳的事反倒讳得紧，而对理应厌弃（至少是理应回避）的事反倒找补得勤呢？

听说苏叔阳正在创造一部警世剧《老舍之死》。我愿在那个 20 周年的忌日里，看到这出戏的演出，而不希望有什么"谢谢妈"之类的唱段大登其台。

1986 年 3 月 9 日

杏儿出世

　　我生在城市，长在城市，工作在城市，当了作家以后，写城市，但这并不等于说，我同农村没有关系。上学的时候，每年夏天要下乡拔麦子，秋天要下乡掰老玉米、割稻子，后来当教师，又赶上"文革"，下放劳动就不仅是参加夏收秋收了，像深翻、积肥、起猪圈、修水库等等农活都干过，干农活的经历固然难忘，更难忘的是所接触到的农民，有的，同吃同住同劳动时间久了，成了朋友，迄今保持着联系，因而我的作品里，虽说主要是写城市，写市民，但也往往兼及农村，也有农民形象。

　　我的长篇小说《钟鼓楼》，自然是一部写北京市民生活的作品，其中有的角色，追溯其个人历史，是从农村迁入城市的，因此虽已成为工人、市民，却仍具有某些农民的乡土气质，而这样的角色的社会关系里，便不可避免有仍居住农村的农民亲友，既是结撰一部长篇小说，从结构中心开放出的花瓣，无妨层面多一些、辐射度大一些，因此，在构思期间，我便决意把作品的情节空间，从市内的钟鼓楼，一直延伸到农村去，并在人物群像中，增添几位与城里人有纠葛的乡下人，以丰富作品的画面与意蕴。

　　写《钟鼓楼》时，我虽已有以往不少关于农村生活和农民人物的鲜明记忆，但改革开放以后，变化最早也最大的，似乎倒并非城市、市民而是农村和农民。因此，光靠以往的积累，下笔必然滞涩，应有新的感受新的刺激，方能激发出灵感的火花，因此，我决定再掘新井，以润笔墨。

　　有的作家，采用拿着介绍信，直奔县委，先同县委书记结识，再由县里介绍某些乡和某些人，以熟悉农村和农民，那样的办法，去获取印象与素材，结果撞击出灵感，生发出哲思，他们往往取得很大成功；我不大想用此法，因为我的性格，似不适应此一路数，我比较愿意采取纯粹个人的方式，来碰撞生活。

构思《钟鼓楼》期间，我住在北京一个叫劲松的新居民区，那里大概有上百座高高低低的居民楼，是典型的新型城市景象。有一天，我正踯躅于楼群间，忽见一些工人，正为居民区中的一所学校砌墙，这些砌墙的泥瓦匠，细加观察，便可发现并非城市固有的建筑工人，而是农村来的农工，其中一位，头顶草帽，赤膊操作，长期田间劳动形成的酱色皮肤下面，滚动着结实的肌肉，他动作麻利，毫不惜力，我注视他半个小时，他竟绝无间歇，专心致志地一个劲砌呀砌……

趁他们打歇的时候，我过去蹲下来同那位农民兄弟搭讪，他极憨厚，没有多久，便让我知道了他几乎全部的底细，他们十多个人，确实都是大兴农村的农民，组成一个小小的包工队，在这居民区里揽了一些简单的建筑活计，他算队长之一，每天一早，他们自带午饭，骑加重自行车一个多小时，来到劲松，每天傍晚，他们再骑车返回；他自己家中，上有一老母，下有一个儿子一个闺女，老婆留在家里种责任田、管家，他家的生活，在村里算中下的水平，因为有人搞养殖，如养貂、兔、鹌鹑、蜗牛，养蘑菇、木耳、茯苓……赚得很多，盖新房，添家具，据说有一家的院子里，还修起了荷花池，安得有管子，兴致高的时候，能让它喷水。他给我讲了这许多，却并没有反过来追究我何许人也，看起来，他们虽在劲松干活很久了，但这里的城里人，并没有谁像我这样跟他们当中的谁聊过天，他觉得我能坐到一处跟他聊天，挺愉快。

这以后的几天里，我总去看他们干活，有时，也打一点下手，打歇的时候，我就同他聊天，这么一来二去的，就算熟人了。有一天他们收了工，我就邀他到我家小坐，他想了想，答应了，问清了我的楼号门号房号，请我先回，说一会儿就去，我想他是要同施工队的伙伴们交代一下，大概是托他们回去后告诉他家里，他今天为什么没有一块儿回村。

我在家里等着，没多久他来了，提来了两只大西瓜，是那种让我犯愁的大西瓜，因为我家人口少，而那么大的西瓜冰箱里也放不下。他收工后穿上了衬衫，大概是考虑到做客来了吧，把每颗纽扣都扣得整整齐齐，一直扣到领子紧下边那颗——城里人夏天穿衬衫绝不会扣上那颗纽扣的。

我们俩那一回聊得挺欢。我留他吃晚饭，他也就坐下吃了。那一回他才问起我跟哪儿领工资，干的什么活。

后来，我就骑车跟他一块去他家。遥想当年，二十啷当岁的时候，我曾骑车畅游十三陵，但去他家时我已四十有二，且又多年不注意锻炼身体，所以他说不远，而我却总觉得是长路漫漫，我原听他说骑一个多小时可到，自以为一个多小时后应到，后来才悟出那是他的速度，我的速度，他陪着，是历经两小时又八分才抵达他家的小院。

我俩成了非常要好的朋友。从他那里，我更多地懂得了农村和农民，尤其是进入八十年代后的农村和农民。渐渐地，在我构思的长篇小说《钟鼓楼》中，便有了一户农民的形象，其中一位农村姑娘，我取名杏儿，她在小说中，占有一席不容忽视的地位，小说写成出版后，有位专门研究长篇小说创作的评论家告诉我，小说中最打动他的细节，是杏儿赶集久久未归，夜色苍茫中焦急盼她归来的母亲，终于见到她时，不由分说便给了她一记耳光，以宣泄出全部深挚的母爱；评论家的话颇令我惊异，因为这个细节，在小说无数的城市生活细节中，是一个例外——写的是我并不擅长的农村和农民。

不管怎么说，我的以描绘八十年代初北京城市生活为主旨的长篇小说《钟鼓楼》中，毕竟有个农村姑娘杏儿，以及与她有关的农村生活，这形象这素材当然并非从那位大兴的农民朋友那里得来，但与他交往中所获得的一种氛围感应与乡土脉搏，则肯定是杏儿出世的催生婆。

我爱农村，爱农民兄弟，毕竟我们脚下的城市路面，是与广袤的农田相连的，我们相依相偎，直到融为一体。

1991 年 8 月 15 日

铺床的少年

远远，还记得吗？那天傍晚雷声隆隆，豆大的雨点砸到窗玻璃上，你立刻去拨电话，121 是气象预报台，一个事先录制好的声音不带感情地宣布，当晚和第二天都有中到大雨……

我们当机立断，拿上伞，去往胡涛家。

第二天是高考的头一天。不知为什么给你和胡涛派定了铁路二中那样一个考场。离我们家很远。倘是晴天，第二天可以起个大早，骑自行车去。但面对已然来临的中到大雨，我们必须应变。

远远，记得我们出了地铁站后，一股邪风袭来，把我那把伞的伞面吹翻了吗？我和你都淋湿了，我们又换乘了公共汽车，下了公共汽车又蹚着雨水走了一段路，这才到了胡涛他们那条胡同，找到他们住的小院，踩过前院湿漉漉的落叶，来到后院他家门前……

胡涛家没有灯光。我和你伫立在那扇油漆剥落、玻璃格子里面拉上花布帘子的门前，犹豫着。胡涛家没有电话，我们无法事先通知他们。邻居家却都透出蜂蜜般的灯光，门窗缝隙里还传来电视中朦胧的对话声与配乐声……显然，为保证胡涛明天能精神饱满地考好，他们全家都提早睡下了。

你鼓起勇气敲门。敲了三遍，灯亮了，有人走到门那边，警惕地问："谁？"

……把我们迎了进去，一间家具陈旧而异常整洁的客厅。胡涛果然已经上床。他奶奶也从床上起来了。胡涛爷爷住院了，胡涛爸爸在医院里照顾他。不一会儿胡涛妈妈也来了——她和胡涛爸爸住在院中另一角的一间屋子里，她看见这边有动静，便也过来了。

　　……灯光下胡涛和你站在一起，比你矮可比你敦实，他憨厚地笑着："我早就让刘远到我家来，打这儿骑车去铁二中顶多一刻钟……"胡涛奶奶对我语无伦次的解释、道歉与感谢的应答是："说哪儿去了，这算得了什么？远远这几天就都留在这儿，您一百个放心！"胡涛妈妈倒来汽水，又嘱咐胡涛："你爸的车，明儿让远远骑，你这就去看看，有气没气？再把你爸爸的雨斗篷也找出来……"

　　远远，当我一个人往家返时，我在想，不知道你懂不懂，这看去似乎平常而琐屑的人世温暖，是弥足珍贵的啊……

　　你就住在胡涛家应考。平常他家吃饭并不讲究，为了让你们考好，胡涛奶奶和妈妈顿顿摆上一桌鸡鸭鱼肉，胡涛爸爸还专门去农贸市场买来了羊脑。中午胡涛奶奶让你们哥儿俩睡在她和胡涛爷爷平时睡的那张大床上，因为唯有那张床铺是最贵的一种马蔺草凉席，她改变平日每天午睡的习惯，坐在床边看一本唐诗，好在规定的时间叫起你们。胡涛爸爸每天傍晚从医院回来，同你们讲许多鼓励的话，把你们应考要带去的笔一支支重复地试过，觉得确实流利好用，这才又赶回医院去照顾胡涛爷爷；他还带来胡涛爷爷的叮咛，胡涛爷爷听说头两门哥俩的自我感觉都不够良好，便让胡涛爸爸带给你们"胜负乃兵家常事"这样的至理名言。

　　考完了，回到家中，你不愿再议论应考的事。几分焦虑，几分烦躁，几分憧憬，几分自信，你有点喜怒无常；而来找你玩的胡涛，却看去依然文静平和。胡涛会吹箫，会弹琵琶，并且在你这一辈的少年中，难能可贵地能欣赏京剧。这当然同胡涛的家庭教育和熏陶有关。我回到家中，胡涛若同你在一起，他必站起来向我问好，甚至你们坐在一处下棋，你妈妈端过两杯可乐去，胡涛必站起来道谢；我回忆起那晚送你去胡涛家，我和你，还有胡涛奶奶和妈妈都坐下了而胡涛总一直伺立在他奶奶椅旁。这样的少年人实不多见了。胡涛报考的全是中医中药类的专业，这是他爷爷奶奶切盼他能从事的专业，胡涛也实在适宜从这方面发展。

　　……然而，放榜了，你以539分考中第一志愿北京工业大学低温技术和制冷设备专业，胡涛却不够分数线而名落孙山。我们都很难过。也很难为情。雨夜里我不打招呼地把你送到了胡涛家，后来的三天里你同胡涛同吃同睡同往考场，谁曾想结果竟是如此地悬殊。

你赶到胡涛家，不知该怎样安慰他和他那四位可敬可爱的长辈，胡涛奶奶拉着你的手，刚说了一句："远远你多争气……"一滴泪水就落到了你手背上，胡涛爸爸强忍住辛酸安慰胡涛的爷爷和奶奶、胡涛的妈妈又一旁劝慰胡涛爸爸，刚出院的爷爷想重复那句"胜负乃兵家常事"的老话，却舌头打绊怎么也不能完句……你鼻子也酸了。

……你陪胡涛去招生办公室查分数，你同胡涛从后院走出，胡涛低着头朝前走，在前院有位老太太坐在小板凳上摇着蒲扇乘凉，她故意扬声问："放榜了吧？"并且用一种分明是幸灾乐祸的目光，死死地跟定了胡涛移动，你事后对我讲，你真想跳起脚来骂那老太太一句什么……远远啊，如今你该平静了吧？你须懂得，人生的途程上，我们都会遇到这样的目光不足为之计较的……

胡涛在人前依然十分平静。然而半夜里他从床上坐起来哭了。胡涛爸爸自胡涛落榜后一直吃不下东西整夜失眠。他原幻想通过查分也许能查出某种计分上的差错，他实在不愿接受胡涛应考失败这个事实，然而查出来就是那个分数。他从自己住的屋子走到胡涛那边，本想坐在睡熟的胡涛身边仔细地想一想该怎么办，却发现胡涛正一个人坐在床边饮泣。父子拥抱在了一起，共同承受着一次人生中的失败。事后胡涛都细细地同你讲了。

你该去报到了。到北工大报到竟也派生出了技术性问题。那地方比铁路二中离我们家更远，摊开一张北京市交通图算来算去，如果坐公共汽车去，怎么也得倒换三次，而骑车至少得一个来小时；妈妈为你准备的被褥无论如何紧紧地叠捆也还是那么大的一团，何况还要带旅行袋，还要带脸盆……正犯难时胡涛来了，他骑了个小三轮车来，是特为送你去报到向亲戚借用的。这下问题迎刃而解。

胡涛蹬着装有你全部行李的小三轮，你骑自行车，而我和你妈妈乘坐公共汽车，一同去北工大报到。

在北工大，你办理着各种入学手续，胡涛和我们守在行李旁，等你办完手续进入指定的宿舍。我和你妈妈都感到颇为尴尬，我们很想和胡涛说点什么，然而我们真不知道该拣什么样的话说。胡涛用手帕揩着脸上的汗，慈慈的，他也不知道该同我们说点什么。我注意到他的表情，特别是他的目光，当他看到一个又一个同龄人兴高采烈地来到大学报到时，他掩饰不住内心的艳羡和自卑；当他环顾着绿树成荫、花坛秀美的校园时，特别是他仰望着新落成的图书馆楼和眺望着远处露出一角的 400 米跑道大运动场时，他眼里隐约闪动着泪光；而当他看到你办完手续手里拿着领来的宿舍钥匙时，却真诚地绽开了一个快乐的笑容，仿佛一朵纯洁明艳的玫瑰开放在我们面前……

进到宿舍，发现四张上下铺双人床上早已粘好纸条，你被分配在一进门右侧的上铺。

"我给你铺床！"胡涛说完，在我和你妈妈来不及反应过来，而你还在游移时，他已经矫捷地登到了上铺；你要把被褥卷举给他，他摇手，他手里不知什么时候已经握着了一只小小的炕笤帚，他开始细心地扫起铺板上的尘土来，扫完了，他才接过被褥卷，替你小心地打开，帮你认认真真地铺排起来。

远远啊，你记得这一切吗？望着趴在上铺铺床的少年，我和你妈妈这时候再没谈一句感谢的话，我们都意识到，那不但不得体，而且近乎亵渎胡涛纯真的感情。

胡涛在铺床。为你铺。为你这个幸运儿铺。而他是个落榜者，一个认真复习过认真应考过而不幸落榜的少年。他的爷爷奶奶爸爸妈妈决定让他进一所补习学校补习，明年再进考场一搏，而你私下跟我和你妈妈分析过，胡涛面对着往往是刁钻古怪的考题常常不能随机应变，他总是答得很仔细却掉进出题者设下的陷阱，因而明年他究竟能否考上也还是一个大大的未知数……但他却暂且抛开自己的不幸与忧愁，为你的入学而高兴，甚至忠心耿耿地为你进入宿舍而铺下你大学生活中的第一张床！

远远啊，你说，胡涛是你最好的朋友，你是随随便便地一说，还是认认真真地用你的心在写下朋友这个字眼？关于朋友，关于友谊，这个世界上已经有过那么多的解释和论述，我想，我们常常会对那样的一种说法倾心——危难时刻见真情，最好的朋友应该是给你雪中送炭的，是在你遇到失败和挫折乃至倒大霉时仍不抛弃你的；然而我们往往不能意识到，那远不是友谊的最高层面，仔细想来，当朋友的一方不幸，而另一方并非不幸时，后者对前者给予关怀、温暖、援助、解救，其实就像水往低处流泻一样，是顺势而为，并且能给自身带来天然乐趣的；最难得的，倒是朋友中无所得甚至有所失的一方，由衷地为有所得并升到自己以上的层面的那一方，感到高兴，为之自豪；换句话说，与朋友同患难固然可敬可感，而与朋友分享对方独得的成功与快乐则更可歌可赞！我不知道你和胡涛的友谊能持续多久，远远，对于人性中情感的恒定性我是一个悲观怀疑主义者，然而，就现实中可切实把握的友谊而言，我以为你应当把胡涛为你铺床的镜头，包括他为展平你的床单并将床单两侧妥帖地掖进褥子下边的细节，包括他那一脸认真乃至兴奋的表情，包括他那铺床中舌尖不时舔一下嘴唇的微小动作，都牢牢地铭刻在你的心上，能在朴素的生活中享受到如此清淳的友情，我对你只有羡慕！

用如许多的文字来写这复杂诡谲的人世中一桩如此单纯微小的事，该不会遭到追求耸听与鄙夷凡俗的人士的嘲笑吧？远远啊，也许是你爸爸也渐入老境中，喝过了人世上那么多种不同配方、不同颜色、不同滋味的酒类和饮料后，如今最渴望的往往倒是一只没有任何雕饰的粗玻璃杯中的一掬无色透明素淡无味而洁净平和的白水……

远远啊，愿我，愿你，愿世人，一旦渴望着这样一杯白水时，都能轻而易举地得到……

1990 年 9 月 21 日
写成于北京安定门

每逢佳节倍思乡

我这个写小说的，所写大都反映北京城市生活，前些时又因表现当代北京市民生活图景的长篇小说《钟鼓楼》获得了茅盾文学奖，因此许多人误以为我是个土生土长的北京人。

其实，我是个四川人。而且，是个地地道道的四川人。也就是说，我不仅祖籍是四川，我本人还是在四川成都落生的。后来，我随父母到雾都重庆，在那里度过了我的童年。我是 1950 年才又随父母来到北京，并从此定居在北京的。北京诚然已是我的第二故乡，但我的第一故乡——四川，却永远在我心目中有着一种特别的地位。甚至每当我看到全国地图时，四川那一块仿佛总散发出一种难以言喻的魅力，使我生出酽酽的乡思。

四川的佳妙是思念不尽的。不仅有峨眉的佛光和九寨沟的奇瀑，不仅有令人垂涎三尺的麻婆豆腐和豌豆巅，更有无数操着乡音在工厂、田间辛勤劳作而质朴憨厚的兄弟姐妹……过去有些北方人或鄙视或戏谑地称我们四川人为"南蛮"，我到北京以后，当身处礼数周全、处事圆通的京片子们之中时，也确乎感到自己是"蛮格格"的，开头真有点难为情，但久而久之，我在认真学习北京人的长处时，也意识到了自己那一腔四川热血的可贵。我想，不管我离开家乡已有多久，那种淳朴厚实、见义勇为的家乡性格，是实在不该任其消磨掉的。

现在我搞专业创作，我是希望我的作品得到比较多的读者欢迎的。使我感念的是，即使我写北京的小说，家乡的不少读者也总是关注着我的。《钟鼓楼》1984 年秋冬连载于北京的《当代》杂志，杂志发行不久，便有读者来信，而来得最早也最让我珍视的一封来信，便是家乡一位售货员写来的，这位在成都远郊一家副食店工作的乡亲告诉我，她觉得我在《钟鼓楼》里所分析的售货员之所以不爱搭理顾客以及爱在柜台上当着顾客清点单据的心理状态，相当地准确。她说，她自己便有那样两种表现及那样的心理状态，她觉得我借小说中人物潘秀娅所发挥的"浅思维"一说，很有道理，并承认自己原来就属于"浅思维"一类。末了她问我：你对售货员心理揣摸得这样透彻，是不是也曾经当过售货员？她并判定我肯定是当过的。这封信于我来说，比一般评论家的赞扬更其宝贵。我那《钟鼓楼》诚然有着这样那样的缺点，但读到这样的来信，便感到自己三年多的努力，总算没有白费。以自己的心沟通读者的心，以理解唤起理解，以作品燃旺人的良知，这便是我的追求。看来这样的追求也还是可以赢得回声的。在新的一年里，我将继续这一追求。我在《收获》杂志上辟了一个总题为"私人照相簿"的专栏，要连发六篇东西；我并将着手进行新的长篇的写作；也想再写一两篇像《5·19长镜头》和《公共汽车咏叹调》那样的纪实小说。

常有人引用一句俗语："树挪死，人挪活"，用以说明人只有走出家乡才能有长足的发展。并常有人说四川人只有走出四川才能功成名就，引用得最多的例子便是文学方面的，如苏东坡，如郭沫若，等等。其实不尽然。古远的例子姑不论，首届茅盾文学奖的头一名，不就是我们同乡周克芹吗？近十年来四川文学事业的发展，成绩是斐然的，尤其四川人民出版社（现在文艺方面分出来成为了四川文艺出版社）在文学书籍出版方面的业绩，更是海内海外都卓有声誉的，所以四川冒出的大作家大作品，是不一定非要出祁山夔门的。当然，有一点也毋庸讳言，就是四川的四十五岁以下的中、青年作家，在全国范围内叫得响的，相对来说似乎少了点，还构不成如"湖南新秀群"、"上海新秀群"那样的阵容。这是为什么呢？我想因素是多方面的，或许本省对自己的有苗头有潜力以及已露端倪的年轻作家（专业的和业余的）扶植、鼓吹得还不充分？抑或是北京、上海及其他外省市的评论界对四川的新秀们重视、提拔得还不得力？不过，我想一个作家和一个作家群的崛起，外在环境和机遇固然是不可或缺的成功因素，最重要的，恐怕还是自身的创新意识和探索勇气。近一年多来，全国文坛真正实现了百花齐放、百家争鸣，各种各样的不同文学探索竞相登场，创新之论此伏彼起，意外之作层出不穷，激烈的言论和极端的做法不时令人瞠目。我以为这是文坛繁荣的征兆，即使是显得最偏激的论点和最怪诞的搞法，只要政治上无害，又不唆人作恶，都是可以存在的，并且很难在未展开充分讨论、未经过一个较长阶段的自由竞争和消长的情况下，去判定它们的优劣妍媸。但是，这样一种状况，对所有的作家和作者，特别是年轻的作家和作者，又特别是初登文坛希图一展宏愿的作者，也带来了一个问题，就是一些比较大的文学浪潮，来势浩荡，总是逼着你去同它认同，于是一些作家和作者就被裹进去，认同了。这种认同，有可能使你成为这个文学浪潮中的一朵浪花，甚至是代表性的浪花，但相反的可能性却更大，甚至要大到百倍千倍，因为它很可能会抹煞掉你的艺术个性，不是引你去扬长避短，而是诱你去扬短忘长，比如说前些年人家写出了"反思文学"，构成了一个浪潮，你去认同，跟着写，固然也能发表，甚至也获好评，但终究成不了大气候，因为人家已经成了大气候，你再努力也只能是个"局部气候"。最近人家在搞"寻根"，如果你只是凭着一股热情，去认同，去"寻根"，那么你恐怕充其量也只能成为"寻根"这个流派中的一个二流角色，因为人家是首创，理论和实践都走到了前头，论代表人物只能是人家。甚至你写得比人家好，人家的光辉也要掩过你去。所以，四川的中、青年同行倘若想成为冲出省界的大作家，构成强有力的不可取代的作家群，恐怕非得把自己的创新意识和探索精神磨炼得更尖更韧才行。要意识到，我们四川有我们自己的独特之处，无论山川河流，无论风俗人情，更无论四川人的特有心理结构和情感表达方式，都呼唤着我们首创一种别人还没试过的东西。

扯得远了。乡亲们当能谅解我。我此刻是身在北京心在蜀。我希望故乡的文学有更大的发展。我确是望之切而言之急。我的这些也许是极冒昧的意见仅供乡亲们参考。当然，出大作家大作品，绝不是为了作家一己的利益，也不是仅仅为了一个群体，为了一个省份，我们热爱家乡的情感最终还是应当汇聚到对我们整个祖国、整个中华民族的热爱中去。写出独特的、反映时代风貌、艺术上精益求精的作品，归根结底是为了广大读者，为了人民，为了给我们民族的悠久文明增添新的积累。

因为客观原因，我看到家乡报纸的约稿信才是这几天的事（信是去年年底就寄来了）。我在临近春节时提笔写成此文，心情确是异乎寻常地激动。在故乡安岳县龙台场高石梯的田野上，深埋着我亲爱的父亲的骨灰盒。在成都东郊有我依然健在的母亲（是她在我投稿屡屡失败时给了我最关键的支持与鼓励）。在成都、重庆以及安岳还有我许许多多的血缘亲（足见我是个多么地道的四川人）。我自然是思念他们、祝福他们的，但我的感情此刻远远超出了狭隘的"每逢佳节倍思亲"的范畴。我热爱并思念家乡的每一寸土地每一掬清水和每一位受她哺育并反哺着她的乡亲，我确确实实是每逢佳节倍思乡啊！故乡的土地和亲人们，愿你们永远给我智慧与勇气！

1986 年 2 月 1 日于北京

魂　窗

我也打开笔记本，试图记笔记。

可我记不好。我最不善于捕捉数字。据说记笔记的诀窍是千万不要抬头去看讲话的人，你只要用双耳聆听，埋头一路记下去，准能记个八九不离十。我却总忍不住要抬眼看讲话的人，有时候他讲的究竟是什么竟流不进我意识里去，我只被他的神情、他的眼光所吸引，最后使我感动的往往并不是那讲话本身，而是讲话者的一种无形的人格力量……

我坐到"酒与文学笔会"的会场上，听江苏省双沟酒厂厂长陈森辉讲话，有一定的偶然性。

我本是来南京写一个实验性作品的，江苏省作协的同志建议我无妨去双沟酒厂看看，陈厂长是个文学爱好者，他知道我，听说我到了南京也热情地欢迎我去，于是我便参加了这个别开生面的"酒与文学笔会"。

说实在的，参加是参加了，我本来可不打算写什么有关的文章。

1983 年春天，我随北京的几位老大哥去山西参观访问，转了许多地方以后，最后去了一趟杏花村，回到北京我写了一组散文，发表在《北京晚报》上，其中最前一篇题为《酒醉杏花村》，大意是说我虽然并不会喝酒，但被杏花村汾酒厂的创业精神所感染，因而不饮自醉云云。谁知很快就收到一位读者的来信，他愤慨地说："你们作家真会拣好地方去！下一回你是不是该到烟卷厂过烟瘾了呢？"

我这人从来不抽烟，平时也不喝白酒，逢年过节或亲朋聚餐时，也只能勉强喝上一杯，但只因为写了篇千把字的散文，便遭来如此的误解，真是冤哉枉哉！

其实是那位读者的思想方法失之于简单。他把生产酒的酒厂同出售酒的酒店混为一谈了。

他真该随我一同到双沟来。

在江苏省地图上，我找了好一阵才找到双沟。它是苏皖交界处的一个小镇。大凡名酒的出产地都是些旮里旮旯的地方。从南京坐了整整半天的汽车，才到达这个淮河边上的小镇。正是连阴天之后，小镇街道上全是一两寸厚的烂泥巴，肥猪在街上若无其事地散步、拱食，两侧的房屋大都陈旧灰暗，卖油条的小摊子就安放在烂泥之中，苍蝇在摊子上飞舞……说实在的，乍从大城市来到这个地方，真觉得有点触目惊心。

双沟酒厂是镇上最文明的地方。厂门修筑得像座凯旋门，从外面朝里面望去，真有点"厂门一人深似海"的感觉。厂外的生活区占地不小，前面是一排排的平房，后面是新建成不久的单元楼。此外还有大片正在施工的工地，到处堆着建筑材料，耳边是不停歇的打桩声。尽管这一切也都包围在烂泥之中，并且酒厂发酵池的香气也无法抵消掉猪粪的秽气，但这毕竟标志着一个大趋势：双沟镇这古老的列车，正在酒厂这火车头的牵引下，加快速度驶向现代文明。

到达双沟酒厂的当晚，陈厂长便请我到他家小坐。他把我带进他那个平房居室时，他爱人正坐在沙发上打毛线。介绍之后，她的表情很平淡，默默地站起来去倒茶。显然，陈厂长带到家里来小坐的生客是太多了，她没有精力一个个都给予热情的微笑。我到双沟酒厂之前就听到许多关于陈厂长和她患难与共的故事。陈厂长还在上大学时就被打成了"右派"，到双沟后曾很长时间一月只有二十几元的收入，她却义无反顾地从福建泉州市来到这苏北小镇，与她所爱的人结合，她也只能挣到二十几元，不久他们有了后代，他们就靠那四十几元钱生活下来……我在接过她倒来的热茶后，环顾着他们今天已经用沙发、彩电、落地风扇以及满壁书画武装起来的温暖家庭，不禁感慨地说："你们这里不错啊……

陈厂长夫人却坦率地说："这里可是什么玩的地方也没有！"

她的性格显然以极度的坦率为内核。她是靠着坦率地面对现实挺过来的。在现实发生巨大的、可喜的变化后，她依然保持着坦率的心境和态度。

我不禁想起了那位读者的话："……真会拣好地方去！"他大约以为酒厂一定都在山明水秀之地、花香鸟语之中，那里的人一定整天都在"将进酒，杯莫停"，过着神仙般的生活。

陈厂长是"拣好地方"而来双沟的吗？那时候让他来这个地方，实在是作为一种惩罚。陈厂长夫人如果要"拣好地方"，那么留在泉州就是。我去过泉州，那里的衣、食、住、行比双沟的优越自不必说，玩的地方也很多。玩是人类一种最本能最合理的精神与物质相交融的需求。泉州的开元寺至今使我怀念不已。那里面不仅有美景，更有丰富绚丽的文化宝藏，是可以百玩而不腻的。而双沟镇却如此陈旧与单调。我的此次"双沟之行"，也确实并非"拣好地方"。江北的扬州我就还没去过，苏北的淮阴有许多诱人的古迹，送我来双沟的车子本来是可以开往淮阴的，但我还是选择了双沟。也许是因为我贪酒吧？有一桩事实可以证明我绝非为酒而来——我一到双沟镇便到镇上医院去看了牙，我的右上第二臼齿正在加速腐烂，弄得我不仅绝不能喝酒，甚至除了流食吃别的任何东西都感到困难。

我并不打算写什么。我只是来双沟看看。吸引我的是什么？是关于他们双沟酒在1984年全国第四届评酒会上夺得金牌的动人事迹。我听人讲了，也看了有关的文章，他们似乎都说尽、写尽了，用不着我再来讲再来写，我来双沟，只是为了领受那样一种扎扎实实向前奋进的精神。

陈厂长自己也在笔会上介绍了有关情况。我打开笔记本却记不下来。为了使酒质优秀，他们作了哪些努力，有一大串数字，也有一大堆事例，我却重复不来。大家都那么说，他也承认，更关键的一条是他们领导班子团结，上下一条心，所以体制改革顺利推行，工艺不断更新，生产不断发展，因而高度酒与低度酒都在全国评选活动中夺了魁。那金牌和银牌都陈列在了展览室中。

我望着正在讲话的陈厂长。他很瘦，但很硬挺，是条汉子。他的下门齿在艰苦的岁月中烂掉了，说话时多少有点漏风。他讲话很有条理，但看得出他并不愿意炫耀。正对着我座位的墙上有一块带图片的宣传栏，那上头写着令我惊叹不已的内容："……落实知识分子政策达到五个100%，即：100%安排到关键岗位上，100%吸收入党，100%解决了住房问题，100%解决了两地分居问题，100%解决了'农转非'问题……"我想这五个100%无论拿到哪儿去也是足以引起震动的，而且，这最充分不过地证明着他们领导班子的绝对团结，谁都知道，哪怕存在着一点点的芥蒂，哪怕有一星星把这个视为"我的人"，把那个视为"他的人"的意识，都是不可能出现这五个100%的局面的，而双沟酒厂却出现了——更使我惊奇的是陈厂长在他的讲话中却并没有讲到这五个100%，在他的心目中，一是觉得这五个100%只不过是正常的、应当的、已经完成的一桩事。他的目光，似乎正望着前面，望着更远也更开阔的地方……

他不讳言夺取金牌的艰难。甚至在你含辛茹苦、终于生产出了好酒，并在严格保密的极为细致的评选过程中终于名列前茅之后，你还是有可能拿不到金牌。因为几种早已列为名酒的酒必须要保住它们的名声，以照顾消费者的心理，并保持对外宣传的稳定性。名酒也存在着世袭化倾向，这问题究竟如何看待尚可讨论，但你必须面对这个现实。这样，你就只剩下一个办法，便是发奋使你生产的酒好到实在没有挑剔的地步，于是不管我们这个民族如何精于平衡之道，到头来还是只好承认你的地位，给你金牌，把你列入名酒行列。陈厂长他们便是这样去夺得他们的金牌的，这里面包含着可以想见的超乎金牌生产者的艰辛、焦虑、沉着、精进，不容一丝世袭苟且，不存一线侥幸……

我从他那一双明澈的大眼睛里，发现了一种异样的光。我知道那不是他一个人的精诚所聚，那是他们整个领导班子、他们全体职工的一种可以称为"双沟精神"的升华……

当座谈完毕，走入展览厅参观的时候，在一张照片面前，我的心更进一步为之震撼。啊，那目光、那目光……

那照片上是陈厂长他们从北京带回金牌，进入双沟镇时，被全厂职工和镇上居民夹道欢迎的场面。陈厂长高举着赢得金牌的证书，他那一双眼里饱蓄着一种令我乍看不免吃惊的目光！

是的。我吃惊。深深地吃惊。那目光里不是喜悦，不是自豪，不是如愿以偿，更不是如释重负……

不管别人会怎样反对，也不管陈厂长本人，以及他的同事们对我的评价会怎样困惑，在这里我要直截了当地说出我对那目光的感受——我认为那目光里浸透着两个字：无辜。

是的。无辜!

我想到了陈厂长所走过的道路。那其实也是无数富有才智的中国知识分子所遭际过的……我们写小说的搞过"伤痕文学"、"反思文学",我们觉得自己已经写足,读者们也都感到读腻,然而在陈厂长的这一目光中,我意识到我们远没有从那经受过炼狱磨难的心灵中挖掘出全部黄金,而读者们也不应自以为已经从陈厂长那一代人的心灵中获取了全部的滋养!

他遭际过那么多的不公正,那么多的屈辱与打击,然而从他那布满累累伤痕的心灵中升起来的目光,只显示着他的无辜。他感谢眼前的时代,感谢生活,感谢战友,感谢群众,感谢亲人,也感谢双沟的山水,他的目光只透露出他渴望着理解,渴望着信任,渴望着合作,渴望着劳动,渴望着创造,渴望着公正的评价……他甚至于不要求更高的报答——他只要人们知道,对他,对他那一代的知识分子,对他那样的创造者,所曾经有过的诬蔑、诽谤、偏见、误解……于他,于他们,全都是无辜的!

那无辜的目光中还笼罩着宽宥。

他宽宥了那些曾经为害于他,为害于像他一样的人的那些一度被邪恶所支配的力量,只要他们改邪归正,他绝不挂记心头,他谅解并宽恕,他甚至宽宥那些在我们这个历史时期还不能一下子消除的某些时弊,比如常常弄得人们头痛的左平衡右平衡,这当然并不是说他同意这种东西,或者说他不尽自己的力量来与大家一起为消除这种民族惰力而展开必要的斗争,但他深知这需要甚至是不止一代人的韧性,因而他对驾临到他们优质酒头顶上的平衡阴云,也更多地只从严格的自我完善上去争取公正,这就更体现出了一种大智大勇的宽宥。

他的心同整个领导班子的心,同全厂职工的心,跳动着同一个脉搏,他的汗水同他们交汇在一起,因而他高举金奖证书时那目光里所流泻出来的金子,自然也并不仅仅属于他个人……

人们都说,眼睛是灵魂的窗户。我感到十分荣幸,在双沟我没看懂那白酒的生产流程,没记住那些显示生产成绩和进一步发展的种种数字,并且因为牙病没能喝上他们的一杯酒,但我看到了他们的眼睛。这扇魂窗给了我永难忘怀的启示。

我在双沟镇医院那设备简陋的牙科诊室中,请一位年轻的医生给我拔去了病牙。这是我事先未曾预料到的。

　　从丢弃了一枚病牙的双沟镇回来，我按捺不住激动的心情，写下了这篇记录魂窗的散文。这也是我事先未曾预料到的。

　　看来我完全不必介意那位读者的讽刺。一切有创造者辛勤创造的地方我都该去。并且，当我被误解的时候，当我被真的不公正地对待的时候，我的魂窗里应当放射出一种什么光来呢？我还能任劳任怨地埋头创造吗？

　　我惶恐。我惭愧。但我懂得了应当怎样在创造中净化自己，以及怎样以一颗纯净的心去创造。

1985 年 11 月 22 日写于南京

月亮的角色

中秋节又到了，这是每年月亮成为主角的时候。月饼因之也成为几乎所有食品店的主角。"天上一轮才捧出，人间万姓仰头看"，这是《红楼梦》里贾雨村口中吟出的句子，有"颂圣"之意，亦隐藏着他追求飞黄腾达的野心，但确也概括出了每年中秋节那圆月的无可争辩的主角地位，犹如舞台上被追光圈中的一号人物，观众的眼光全随他牵动，而心中便涌出相同或不同的感受。

与太阳相对应的太阴即月亮，自然首先是人类探知外部世界的一大关注物，"月晕而风"，"八月十五云遮月，正月十五雪打灯"，都是月亮作为科研对象时扮演的角色，那确是它的"本色"。

但月亮不是一个"本色演员"。太阳或许极少离开"本色"去扮演其他角色，月亮不然。太阳、月亮都是人类感情的承载物，月亮所分载的似乎更多、更复杂、更微妙也更神秘。

除了日蚀，太阳没有圆缺的问题，月亮却初一十五大异，这就使人类发出了"月有阴晴圆缺，人有悲欢离合，此事古难全"的感慨。由此生发，又有"可怜新月为谁好？无数晚山相对愁"，"一痕淡月乱蛙鸣"，"残月入帘归梦醒"……种种对不圆满的叹息，但一旦真的出现了满月，则又有"今夜月明人尽望，不知秋思在谁家？"的思绪涌生，亲人骨肉的分离，往往使满月下的自我更其惆怅："共看明月应垂泪，一夜乡心五处同"。这还是在自己家里望月，倘在客途，那心弦就颤动得更剧烈了："游子魂锁青塞月"，"无情寒月照更长"……而月下的失恋，更其酸楚："月上柳梢头，人约黄昏后……

不见去年人,泪湿春衫袖!"所以有人就发愿"恨君不似江楼月,南北东西,南北东西,只有相随无别离!"人们把思亲、思乡之情,友谊、恋情,都寄托于天上之月,得出了"月是故乡明"、"新月如佳人"一类的共识,这也不独我们一个中国如此,一个中华民族如此,纵观一部世界文明史,几乎任何地方任何民族,都自古便有以月寄情的文化现象。月亮是各种门类的文学艺术作品中出现频率最高的角色之一。比如当我们听到贝多芬和德彪西的以月光命名的钢琴曲时,我们就能获得一种与全人类心灵相连相融的通感。

月亮又是美的象征。有时,人类并不汲汲于让月亮承载明确的喜怒哀乐忧悲凄戚的情感,而只是把玩着月亮本身那形态、光影、氛围、情调所构成的美。"梨花院落溶溶月","月移花影上栏杆","云破月来花弄影","月光如水水如天"……是纤秀的美,而"峨眉山月半轮秋,影入平羌江水流","星垂平野阔,月涌大江流",则是雄浑的美。有时人们刻意望月,并不一定是想以月抒情,而只不过是要欣赏一下月光月色和月下小景,但美的追求即使是附着在不用一钱买的清风朗月之上,也不一定就那么易得,宋人杨万里就叹息过"溪边小立苦待月,月知人意偏迟出"。赏月的方式一是登高,一是临水。所谓登高,也不必太高,有泰山极顶望日出的,却似乎没有攀到那样的高处去望月的,因为只要有一处高于周遭地势的平台,不让树木房屋遮住月亮,便可饱赏月亮之美。有个小学生问我,为什么楼房上伸出去的部分叫阳台,而火车站上下车的地方叫月台?那自然是约定俗成的叫法,阳台固然大都筑在朝阳的方向,但一样可以用来望月;火车站那高出地面供旅客上下车的平台,我想是因为早期都并无棚顶而是赤裸状态,而中国古时将高于地面的平台一般都称之为月台,故而沿用了。临水赏月似乎又比登台赏月更有情趣。平湖秋月、二泉映月、三潭映月……这些风景点都因月生辉,而花好月圆、彩云追月更是两首中国丝竹名曲。月亮及由此派生出的月光、月色、月影、月晕……实在都是美的一种自然存在,人类世代激赏而兴致不衰,是理所当然的。

月亮在人类心目中有时又是永恒的象征,扮演着中性的、无情的、只体现客观规律的角色,《春江花月夜》本是既抒情又摹美的,却也吟道:"江畔何人初见月?江月何年初照人?"月亮俯瞰着地球,阅尽古今,却冷热无语,"今人不见古时月,今月曾经照古人",人们甚至有"本待将心托明月,谁知明月照沟渠"的愤懑之辞。日月如梭，织就着岁月的经纬线，然而月亮往往比太阳更超然物外，尽管你戚戚于"此生此夜不长好，明年明月何处看？"它却完全无动于衷，"长沟流月去无声"，使人惊醒于命运的缰绳还得靠自己握持控制。

中华民族关于月亮的传说，以往似乎固执在了嫦娥奔月这一模式之中。现在年纪稍大的中国人，大都总还记得儿时看过的年画和小人书，听过老人讲的故事，或许还看过有关的戏剧演出，当然也还可能诵过许多以这一传说为题材的诗词歌赋，因而中秋望月，总还能从圆月中那神秘的阴影，想象出广寒宫、桂花树、嫦娥舞袖、吴刚捧酒、白兔捣药、蟾蜍嬉戏一类的景象来。但我问过一些当今的中学生，他们却说望见月亮时并无这一类的想象，倘细问他们所联想到的，则是环形山、登月船。他们都能谈出人类第一次踏上月球表面的时间是 1969 年 7 月 20 日，那登月飞船是"阿波罗"11 号，第一名将脚踏到月面的人是美国宇航员尼尔·阿姆斯特朗，可见作为人类想象力的载体，月亮在不同的时代也扮演着不同的角色。以往它是神话剧中的神秘人物，而如今却渐渐成了纪实性科学剧中有根有据的出场者。不过我还是惊叹于 1000 年前唐代诗人李贺在《梦天》一诗中的超常想象力，他吟道："老兔寒蟾泣天色，云楼半开壁斜白"，这还不出远古传说的老套，"玉轮轧露湿团光，鸾珮相逢桂香陌"，便显出特异诡谲了，最难得的是他那从月球上回望地球的想象："遥望齐州九点烟，一泓海水杯中泻"，那时哪有宇航技术、登月飞船，而李贺这两句诗，借给阿姆斯特朗用，以形容从太空俯瞰地球的感受，恐怕也很相宜。愿我们中华民族不但永葆这样丰沛想象力，而且能将我们的想象——化为活生生的现实。

月亮确是一个"千面人"，它扮演的角色岂止上面所列。"山高月小，水落石出"，它有时真是猥琐吝啬；而"月黑杀人夜，风高放火天"，它偶尔竟也能扮演谋杀者的帮凶。在图画、舞台布景和电影电视的空镜头里，月亮往往并不以满轮清光出现，而呈现为月牙儿（又可写作"月芽儿"），但月牙儿又有上弦月、下弦月之分，已故漫画家丰子恺有多幅以月为题的作品，"今宵不忍圆"，月牙儿画作下弦状，"人散后，一钩新月天如水"，月牙儿画作上弦状，多数艺术家似乎都这样抒发他们对月牙儿的感受，以下弦月承载更多的凄凉悲怆；有时诗人墨客未在他们的作品中标明是怎样的月牙儿，便引出我们许多相同或不同的联想，"无言独上西楼，月如钩"，是向上钩还是向下钩呢？"今宵酒醒何处？杨柳岸，晓风残月"，又究竟是上弦还是下弦？

老舍先生那脍炙人口的名篇《月牙儿》，多次写到"碧云上斜挂着"的"带着寒气的一钩儿浅金"，我每一读及总想象为幽幽的下弦月，不知别的人如何？

但不管怎么说，在大多数情况下，月亮还是被视为人类的朋友，"暮从碧山下，山月随人归"，"明月却多情，随你处处行"；寂寞的时候，"举杯邀明月，对影成三人"；离别虽苦，"多情只有春庭月，犹为离人照落花"，"夜来似与君相见，明月一窗梅影横"，月亮给人多么温馨的慰藉！所以陆游说："君能洗尽世间念，何处楼台无明月？"有了明月，我们也就有了亲情，可以四海为家，不必那么狭隘、悲观了！

古时阴历七月十五也是一个节日，叫上元节，旧籍中对其描述，其热闹多彩绝不亚于中秋节，但如今我们是只过阴历八月十五的中秋节了，尽管早有人指出其实阴历十六的月儿才更圆更亮，我们的心气儿还是聚集在十五这个"正日子"上。在这一天，天上的月亮和我们桌上的月饼交相辉映，无论男女老幼，我们心中都涌动着最强烈的团圆愿望，最浓酽的幸福企求，祝福自己以及家人亲友，乃至邻里同胞，都平平安安，乐乐呵呵，丰衣足食，年年向上！

同亲人分食月饼吧！无论是华贵的双黄莲茸饼，还是朴素的"自来白"、"自来红"，当你咀嚼着它们的滋味时，月亮也就进入了你的心中、你的魂魄。你的生命不仅与太阳同在，也与月亮同在，"一轮秋影转金波，飞镜又重磨"，愿年年的中秋都是你重铸灵魂的佳节！

1991 年中秋节前于北京安定门

不是妄想

我是写小说的。倘若我在这里絮絮叨叨地讲述音乐、美术、绘画、戏剧……其他的艺术门类与小说创作有着多么紧要的关联，读者必不耐烦。那道理还用得着细说么？

我本是想当个画家的。五六岁的时候，我家来了客人，妈妈常对我说："乖，画张画儿送给伯伯（或叔叔、舅舅、爷爷、姑姑、姨姨、姐姐……）吧！"我便铺开一张纸，用彩色铅笔认认真真地绘制起来，临到客人走时，我便上前，郑重地献上那画儿，那气概，那心情，怕跟毕加索赠画也相差无几。但有一次我就从窗里看见，一位客人走到街上以后，漫不经心地将我的馈赠团成了一团，轻轻地一丢，那揉成团儿的作品便滚落到阴沟边了。这使我小小的心灵，得到了人生的第一次教训。原来得到别人承认，竟是非常之难的。

我放弃了当画家的想法。但我想画出真正的好画儿。这是妄想吗？

除了"文革"那十年，我始终没有放弃画画。有时画得少，几个月才画一幅，有时兴致勃发，不能抑制，一日画出数幅。我画画主要是自遣，但也并不羞于见人。去冬我在北京人民艺术剧院，找我的好朋友高行健玩。他住在后台的一间斗室里，推开门，满壁用图钉钉着他那个月里陆续画出的水墨抽象画，我在鉴赏赞叹之余，不免手痒，于是我说："今天不聊天，咱俩且画画儿吧！"竟在那里你一张我一张画了起来，我见他只醉心于水墨的濡染，为同他区别开来，便找出国画颜料，调出一堆中间色，随自己的情绪涨落在宣纸上舞起笔来，构成的图幅虽是抽象意味的，只有色块、线条和水渍，但我不像高行健那般只给个编号，而是加以标题，其中一幅题为《给高行健打电话》，后来我们钉于壁上，望了半天。我发现行健那时并未治印，便让他去找干肥皂，他从导演林兆华那里找来了一块，我用小铁刀切成大小不等的几块，并用铁钉"篆刻"起来，最后为我与他各镌印章三枚，计阳文各一，阴文各一，葫芦形闲章各一，镌毕，找来印泥，一张张将印盖到适宜之处，事毕，两人虽额挂汗帘，但相视而笑，美在心中。上个月，高行健趁其新作《野人》在京首演之机，于人艺三楼举办了一次画展（与尹光中面塑展同时举行），中外观众不少，国际电影大师伊文斯及其夫人罗丽丹亦莅临参观，给予好评，我在贺行健进入画家行列之余，也有了更浓的作画兴致。最近我迁入的新居中，自己总算有了一间小小的书房，我已设了常备画架，并购齐了油画用具，打算在今年内，再画画油画。

我在作画方面的妄想，早已暴露于人，同行好友有时免不了泼我几瓢冷水，邓友梅是我邻居，日前虽已到中国作协"入阁"，公务缠身，有时倒也不弃，还来我处小坐，我把一幅记录去冬到联邦德国访问印象的干棒油画出示给他，他便兜头给了瓢冷水说："画得如此之满！你该晓得以一当十，计白当黑，方是作画之正理！"他的批评甚是，但朋友的这些冷水，只能将我的画兴泼得更旺，将他送走时，我的告别语是："过几天画一幅'不满'的，请你来看！"

其实我还有另一向往，便是登台演出。坦白出这一点，也许会让一些人莫名惊诧。我之身材仪容之不够演员标准，自不必说，我的性格，一般都认为是内向的，见到生人，尚且不免手脚不知搁处，登到台上，面对百千观众，该不成了泥胎木雕？但我偏有一种被压抑着的演剧欲，时时想见缝钻出。说来可怜，回顾以往，只在高中毕业前夕，曾在班级联欢时，同另一同学合演过一出小小的讽刺喜剧，剧情是讽刺"美国生活方式"的，剧本好像是从《人民文学》上找来的，我兼导演，排练了好多天，演出时只用了十多分钟，地点是教室，观众是全班同学，大概也有班主任老师，效果如何呢？记得演毕后也有例行的鼓掌，但演出当中，同学们都在嗑瓜子聊天，真正欣赏我的表演才能的，大概一个没有。后来虽然再无机会登台，但也常常胡思乱想，如"倘若我演哈姆雷特，那有名的台词：'活着，还是死去，这是一个问题……'我该如何处理呢？"现在把这个写在这里，读者读了，会怎样想？但我并不脸红。我相信许许多多的读者，尽管由于种种限制，也不曾在艺术上有所表现，有所成就，但内心深处，原是有着种种"胡思乱想"，想借某些艺术形式，一泄自己的情绪和向往的，因此，我们的心，应是相通的。我们生在世上，原不仅有审美的权利，也有创美的权利啊！

时下音响设备几乎家家都有，只不过水平不同。"穷"的，大概是两个喇叭的收录机；"阔"的，则至少是双卡的音响组合。录音带满天飞。玩旧式唱机的不多了，弄外国那种新式激光唱片的，不久大概会陆续增加，我们生活中的音乐确实是多起来了。但我总是有点怅怅然。为什么？我觉得现在人们自己放喉唱的时候似乎少了。其实音乐这个东西，光听，还不足以发泄自己的满腔的情感，必得自己弹唱，方能一抒胸臆。我小的时候，我们一群红领巾，便常常放喉高唱，回到家中，一边准备做功课，或一边收拾书包，也就一边唱了起来："我们的田野，美丽的田野……"或"小鸟在前面带路，风儿吹着我们……"稍大些，上到高中了，也常常唱几句《伏尔加船夫曲》，或《夜半歌声》中的"追兵来了，可奈何？……"人们听到邻居、路人在那里唱歌，不但不觉得怪异，反觉得周围的生活中，平添了几分生气；最难忘的是傍晚时分，散步到湖边林中，听到一群大姑娘小伙子在看不见的地方齐声唱着一支抒情歌曲，那时真觉得人在美中行，心也愿意求真、为善了。"文革"中的高音喇叭，以强迫性的"学唱样板戏"，败坏了人们的乐思歌喉，从此，生活中的自我吟唱大大减少。如今是到处有录音机播放的乐声，而人们的自然的随口歌唱，尚未恢复到往昔那种水平，你说我怎不怅然？如今我也有录音机，也有录音带，并打算更新设备，弄一套组合式高级音响设备，但冷静一想，我心中的音乐何在？我的喉咙，何以久不歌唱？难道让自己心中的歌从自己的喉中飞出，不比什么高级组合音响设备更值得追求吗？上个月，在一次朋友聚会的时候，我们决定关闭录音机不听，而大家来自由歌唱，我几经犹豫，终于当众唱了一曲《在那遥远的地方》，一曲终了，大家感动，我也几乎热泪盈眶，因为我们都感觉仿佛拣拾回了一些什么宝贵的东西……

这确确实实不是妄想：从本性上，每一个人都是艺术家，都有从事艺术创造的权利，都能从中使自己和别人得到快乐。

1985 年春写于北京劲松

寂寞的价值

一位朋友对我说，他就从来不曾寂寞过。

我为他惋惜。

他坐不住。一天到晚扎到人堆里去。他聊。他笑。客厅——餐厅——舞厅，他在"三厅"中享受着热闹与快乐。

人人都有权利选择自己所喜爱的生活方式。我绝不是认为他有什么不对，更无权去干涉他的个人生活。

我惋惜，是因为他本来很有写作才能，然而他的才能没有一个自我开掘的契机。他在客厅中的高谈阔论，时有睿智的闪光，对聆听者或许颇有一时的启迪，然而唾珠咳玉，随风而散，他始终不能独自静坐下来，将那些思想的火花汇聚为熊熊大火，录到稿纸上；他在餐厅中的幽默，也往往近乎"黑色"，但我只在他酒友的作品中，发现过明明是出自他口的妙语；他在舞厅中的旋转与律动常常令旁人吃惊，因为散发着浓郁的"可读性"，然而由于他终于坐下来写作时缺乏一种必要的心态，那填进格子里的文字却十分平庸。

他所缺乏的心态，便是寂寞感。

我这里所说的寂寞感，不是指一般意义上的孤独感，比如离群索居，性苦闷，事业上的挫折，亲友的离散，等等。当然更不是指麻木或混沌。

我所说的寂寞，即使在热闹场中，在事业上已有所成就的情况下，也会产生。而且，我甚至认为，是不是能保持足够浓度的寂寞感，是一个创造者创造活力是否仍在积蓄的标志。

寂寞，是一种高尚的心境。

寂寞的核心，是敏锐的自我感。

自我的创造，从那涌动的欲望到已达到的实践，都被良知所烛照，深知其黄金般的价值，却被外界所忽视，所误解，甚至不能招来认真的注视与对抗，从而又对自我的创造产生更苛酷的要求，蕴育着更饱含冲击力的突进，这便是深深的寂寞。

人需要外界的热闹，甚至"喧哗与骚动"。但人的内心却不可没有寂寞的时候。当寂寞感升腾起来时，也就意味着你同他人，同群体的区别，也就是你的个性，你的独特价值，你的独创意识，开始凸现出来了。这时候最适宜铺开稿纸写作。当你感到你写下的每一行都可能遭到误解、漠视时，你或许就有取得成功的可能。

当然，人也不能完全陷落于寂寞之中。人是社会动物。这世界原不是为你一个人而存在的，你需与他人共处，并且你必属于一个社会群体，至少，你属于一个民族，一个人种。因此，人不可心中只有自己，不可寂寞到脱离社会，脱离群体的地步。寂寞应是与热闹相对而言。个人应当有时与他人，与集体心弦共振，特别是在涉及他人尊严、集体利益的事情上，这都是不消细说的。但我在这里所强调的，却是人需要有一定的尖细痛楚的个人意识，需要有健康的寂寞感。

健康的寂寞感？难道有不健康的寂寞感吗？有的。仇视人类的心境，毁灭真、善、美的恶念，深藏于心，冷然盘算，便都是我所排斥的寂寞感。健康的寂寞感，应是欲有益于人类，有益于社会，有益于他人，并且也有益于自己，但不被理解的那样一种大苦闷。寂寞的健康与不健康，最终的区别就在于是造就还是毁灭自己与他人的良知。

这就又要说到良知。我所谓的良知，并非《孟子》中所说的："人之所不学而能者，兼良能也。所不虑而知者，良知也。"也并非明代王守仁所倡导的"致良知"的那个"良知"。他们都是把封建伦理道德的仁、义、礼、智、信一类观念视作良知。而我所谈的良知，指的是自人类从"兽"迈进"人"的门槛以后，在艰苦的文明积累过程中，世世代代传递到如今，并不断渗透进"当代意识"，在每一个还称得上是"人"的心中所沉淀下来的那样一种文明的成果。当然，每一个人的良知水平是不相同的，有时竟相差很远。有的人良知旺茂充沛，有的人却近乎良知泯灭。

在艰难的客观环境中，能坚守自己的良知，便会为寂寞所煎熬。记得"文革"初期，我在一所中学任教，我的理智，是全然被"文革"的"道理"俘虏了。我的大部分热情，也拼命地向"红卫兵"和"群众运动"靠拢，我是绝对不想也不敢对抗"文革"的。然而，当一天下午，一群"红卫兵"把一位据说是资本家的人拖到操场，围着痛打，以至将他打死的时候，我坐在宿舍里，目睹着窗外的"红色恐怖"，听到那撕裂人心的惨叫，我感觉有一种比"文革"的"伟大道理"和比"红卫兵"的"可贵精神"更坚实的东西从我心底升起。我咬着嘴唇，只是默默地重复着这样的思绪：

即便他是资本家，他剥削有罪……

即便他作恶多端，理应惩罚……

但他是一个人

不要这样打他，不要这样……

不能这样子把人往死里打……

可以一个枪子儿毙了他，

但不能这样活活地把他打死……

人不能这样对待人……

即使是好人对待坏人……

如果这样做是合理时，那么，这个世界就太黑暗！……

无论如何，我不能接受这样的行为……

我牢牢地捕捉住这一思绪，并且将它稳稳地定在了我的灵魂中。我不是一个政治上的清醒者，我直到那以后依然认真地学习"无产阶级专政下继续革命的理论"，我也不是一个运动中的干净人，我也卷入过两派斗争，写过大字报，在批判会上发过言，但我却永远不允许自己迈过那无形的一条界限：人不能置人于死地，更不能那样折磨人，侮辱人，残害人……

我以为，使我能够终于从"文革"中超越出来，使我能比较早地便写出"伤痕文学"时，实际上便是这种牢牢稳稳根植在我灵魂中的东西，这便是我现在称为良知的东西。后来，我感到条件已经成熟，我便写出了使这种思绪和情感一泻无余的中篇小说《如意》。

在"文革"中，我的良知感，是不能对别人说的，即使亲朋好友，我也是欲说还休。

我深深地寂寞。但这种寂寞是可贵的。它的释放构成了我比较像样的作品。

我不是"文艺心理学"或"创作心理学"的研究者，我实在并不能说清寂寞感与文学创作之间的微妙关系。但我确有感受，有领悟。我曾写过一首题为《寂寞》的小诗：

> 默默成粒
>
> 任风吹过
>
> 看云儿时聚时离
>
> 拾穗人的筐里
>
> 风风光光热热闹闹
>
> 麦芒儿互比长短粗细
>
> 落进犁开的黑土地
>
> 在视线不到的地方
>
> 既痛苦又欢乐——绽开自己

这是我真实心境的写照，在有些人看来，我似乎已经功成名就，想必是天天沉浸在快乐与热闹之中。其实我心头时时充溢着危机感。我真怕失去精细敏锐的自我感觉，失去宝贵的寂寞感。当我又陷于越来越浓烈的寂寞感时，我便知道，我的良知又坚挺并增长了，我对作为一个人的认识和追求又深入了，我对人的尊严、人的价值的体味可是更丰富了，我又一次得以从虚荣和时髦的浪潮中解脱出来，又一次得以从别人的影响和诱惑下摆脱出来，我有了又一次经受失败和"露怯"的勇气，又一次能够捕捉住那些只属于我个人的感受和见解，也就是又一次有了独创的可能，于是我便会赶快铺开稿纸，写下即便永世不被人理解并遭受漠视，却无愧于署上我个人名字的作品。

1987 年秋写于北京劲松

卧读记畅

在家中读自己想读的书，本是一桩纯粹的私事，但也还要受到诸多有形与无形的束缚，比如"不躺着读书"便是常常出自师长、亲人的叮嘱与报刊上"豆腐块"文章的训诫，弄得一书在手，即使处于私人空间中，似乎也非得正襟危坐，方才"像样"。

我这人常常不"像样"。在家中读书，更养成了一种卧读的恶习，就是想认认真真或快快活活或仔仔细细或轻轻松松或一目十行去读的书，越要采取躺到床上卧读的姿势，方才能顺畅地读下去。

卧读久了，也总结出了一些经验，如枕必高而柔韧，光必亮而侧射，身必侧屈而常翻，书必壁托而斜置，疲必用目养神，喜必称目远望……。说来也怪，我卧读凡三十余年（从十几岁算起），眼睛至今非但没有近视，也尚未花眼，我知道我的这种情况大概属于"特例"，所以绝无针对宣谕"卧读有害"的仁人君子们那科学论断的歹意，更无"唆人作恶"号召大家都来卧读的"险恶用心"，我想写下的，不过是个人的一点对社会和他人无害的隐私而已。

是的，我读书几乎必卧；也有坐读乃至正襟危坐而读的时候，但说来古怪，凡读得入心的，留下深刻印象的，至今回味无穷的书，确确乎倒是取卧读姿势的居多。像列夫·托尔斯泰的四大本《战争与和平》、雨果的四大本《悲惨世界》、米·肖洛霍夫的四大本《静静的顿河》、罗曼·罗兰的四大本《约翰·克利斯朵夫》……以至恩格斯的那本《反杜林论》，我都是躺在床上读完的。

我想至少对我个人来说，躺下后全身肌肉可以彻底放松，而且血液循环过程中心脏也许比采取坐姿时更易于将血液泵于脑内，况且自我的心理暗示也集中于"这不是工作而是休息"的意念，更使身心大畅，所以这样读书无论从生理上、心理上都令我更舒适、更自然。也有读累了的时候，那就得书顺势一放，双掌一合垫在腮上，或仅是"眯一会儿"地养神，或竟从容入睡；也有被书中文字感动到不能自禁的时候，那也可将书顺势一放，或仰卧着盯视天花板，浮想联翩，或侧卧着望窗外，或将欢喜系于一角蓝天，或将悲愤托于一席星空，或随着树影的摇曳而心动神移，或盯着天光的变化而孜孜求索……

我的卧读并非都在夜间，常常是在白天，因此一般不是卧在被子内而是和衣卧在枕褥上；当然，对于我来说，晚上不在灯下卧读一阵便钻进被窝立即开始睡觉的情形，不能说绝对没有，但那往往是因为情绪受到了特殊干扰，或身体确实大为不适，否则我总是要手持一卷，直到读得确实疲倦，才会搁下书本关灯入睡。最惬意的卧读大概要算冬日小恙中，钻进雪白的温暖的被窝，枕头发出洗涤晾晒后的一股太阳的香味，那时往往不读新书，只读自己书架上百读不厌的旧书，算是享受与老友的重逢之乐吧，真是人生之乐，此乐为最！

宰予昼寝，被孔老夫子斥为"朽木不可雕"，我之白昼卧读，自信还非朽木行径，但不可雕，恐怕就难免了，呜呼！

1991 年 3 月 30 日北京绿叶居内

我的近况

《知心屋》主持人梁迈来信，说有些读者朋友"非常关心"我的近况，希望我写篇短文说说。人生在世，他人的关心自然极为可贵。

昨天下午，忽然门铃响，来了两位陌生人，我对未经预约的客人，一般概不欢迎，倒不是因为"架子大"，实在是因为我现在比过去更珍惜生命的每一时日，对自己的作息，都是预先的安排，总不愿再勉强自己，更不愿拖累别人，耗费掉宝贵的光阴。但昨天来访的两位客人，都是来自农村的兄弟，一位来自四川，一位来自安徽，前者说在家种水稻和红苕（就是白薯），后者说在家养一些鸡鸭。他们都喜好文学，都写一点小说，也投过稿，得到过大出版社大杂志社编辑的亲笔退稿信，也在当地县级的报纸副刊和杂志上登出过一点作品。他们来我家，是为了看看我，见我安然在家写作，很感安慰，坐了十多分钟，我各赠他们一册我的随笔集《一片绿叶对你说》，便互告珍重，欣然握别。想来如他们一样的过去知道我现在关心我的人，确如梁迈先生所说的还颇有一些，所以我想借《知心屋》一角，汇报一下自己的近况，以使关心我的朋友们释念，倒也不错。

我在去年2月底，被免去了《人民文学》杂志主编的职务。报纸上曾在有关报道中说明，是正常换届。我自1987年起担任该杂志主编，到1990年，确已任满3年，3年一届，任届期满不再担任这项工作是正常的，也极合我个人意愿。我这人不适合担任行政领导一类的职务，而适合专门从事文学创作，即所谓专业作家。可以说我现在又进入了专业创作状态。我曾接到过一些认识的和原本不认识的人的来信，还有电话，有同行，有文学爱好者，也有并不怎么读文学作品但知道我名字的人，他们提出一个共同的问题：你还写不写东西？写些什么东西？

我当然写东西。

多年以来，写作已成为我个人生命的一种存在方式，或谓耗散方式，或谓燃烧方式，或谓挥发方式。总之只要我还有一支笔、一摞纸，就还要写（我的许多同行朋友都已购置了电脑，不再用笔写作，而我目前尚无此能力，仍作"笔耕"状）。写什么东西？自然是我自己想写的东西，从血里流出的东西。写出的东西发不发表呢？近一两年，也有一些报纸副刊、杂志、出版社的编辑来约稿，他们说明他们的要求，我考虑自己的意愿，有了双方觉得合适的，我就投给他们，他们大都也就登载出来。

去年，江苏的《钟山》双月刊，第5期有个头题小说，是个中篇，叫《曹叔》，署名鱼山。有位同行读后说："写得好冷静。"她不知鱼山是谁，也有人直接去问《钟山》的编辑，试探着问："是刘心武吧？"那确是我的作品。为什么用"鱼山"做笔名？署名听便嘛，关键是作品怎么样。《曹叔》怎么样呢？反正我自己觉得挺不错，也听到反应，说颇有味道。当然读它的人似乎不多，我想读过不喜欢的、讨厌的，和没读过的都是有的。这很正常。一个人和一篇作品总要寻觅知音，但一个人和一篇作品总不可能使所有的他人都成为其知音。世界、社会、人生都如此。到《知心屋》自然是为了寻知音求知心，所以我实话实说。

今年《钟山》第4期上，我又发表了一个中篇小说，叫《七舅舅》，是《曹叔》的姊妹篇，没再署"鱼山"，而用了真名。为什么又不用笔名了？还是那句话，署名听便嘛，关键是作品怎么样。一位同行朋友读完打来个电话，兴奋地说："真好！我觉得里头瑶表妹那个话真对！"另一位同行朋友却在电话里说："不如《曹叔》。依我想来，七舅舅这个角色后来的命运不会那么平稳。"瞧，褒贬不一。但总算不是一片沉寂。

我近期发表的小说还有《上海文学》上的短篇《缺货》（1991年6月号）和《天津文学》上的外国历史中篇小说《永恒的微笑》（1991年3月号），后者有人说"不可卒读"，太书卷气，不像小说。我写时和投稿时都颇自鸣得意，但知音全无，令我不能不自省一番。毕竟一个作家把东西拿出去发表，总不能是印出来供自己孤芳自赏，畅销、轰动固然不必，也难以达到，却总该至少有一批读者对之喜欢或至少觉得有趣才好。

我近期发表了大量散文、随笔,如湖南《芙蓉》双月刊上的《献给命运的紫罗兰》,广东《花城》双月刊上的《生活赐予的白丁香》;计划中一系列《红楼梦》的人物论的头两篇《话说赵姨娘》和《话说璜大奶奶》,已分别在《读书》和《随笔》杂志上刊出。此外,今年的《儿童文学》杂志上一直在连载我的传记小说《达·芬奇的故事)。《家庭》杂志从今年9月起将连载我的一个家庭婚恋小说《一窗灯火》。

如此说来,我写得不少,发表得也颇多,但有关心我的人仍问:怎么现在很少看见你的文章呢?我想这是因为他看的那些出版物,我都没有投稿。同署名听便一样,投稿自然也听便。我一般只向来约稿的地方投稿,比如《知心屋》的主持人梁迈先生给我来电话、来信,又寄来若干《知心屋》的"玉照",我觉得颇为有趣,两下里自愿,自然我就寄稿。关心我的人如与我在《知心屋》中见面,不仅可以释念,也如同与我促膝谈心了。

说写作是我的生命存在方式,自然只是一种形容,一种夸张。文人为文,总有"语不惊人死不休"的臭毛病,所以去同文人的文句纠缠,最无聊也不能有实际收获。例如李白说:"白发三千丈",但决计不能将其收入《吉尼斯世界之最大全》。而当年的"燕山夜话"、"三家村札记",批了半天,评了半天,到头来不得不承认那只不过是三位文人的一些至少是无害的表述个人见解的文字而已。愿读者诸君也以此来理解我的文句。说写作是我的生命存在方式,不过是极而言之,以明我对写作一事的虔诚心态。其实除了写作,我还画画(不画国画,只画水彩画和油画,以风景、静物和抽象的色彩组合为题材的最多),还弹钢琴(只是自娱,即便用业余水平来衡量,也属外行),还养花养金鱼(每天浇水喂食),还协同妻子养两只大猫(一名晶晶,一名狸狸),还骑自行车游览(尤爱去什刹海一带和前门外一带的小胡同中转悠)……

我的近况就是这样。聊了许多我最后想说,愿我和关心我的朋友,都平平安安,快快活活,使每一个日子都具有意义而不虚度。

1991 年 9 月 1 日

于北京安定门

我或许算个熟练工

我现在主要靠写作维持一家人的生活。具体来说，便是将写好的文稿卖给收购者（报纸副刊、杂志、出版社），换取稿费。

我从16岁起便开始在报刊发表文稿，到目前为止，已在国内外出版了近四十本书。我主要写小说，此外也写散文、随笔、评论，很少写诗和剧本。就写小说和散文随笔而言，我觉得自己或许可以算是一个熟练工，就是说，有比较扎实的基本功，摸到一些门径，写起来比较顺当，成活率比较高，订货比较多，交货也比较及时，不搞伪劣假冒的产品，算是有一定的信誉，作品被发表以后，多少总也有些影响，大概也是看在"老师傅"这个面子上吧——比如这两年我没发表出几篇小说，但今年《中篇小说选刊》选了我一个中篇《蓝夜叉》、《小说月报》选了我一个短篇《画星和我》，我挺知足；这两年散文随笔写了不少，国内《新华文摘》、《读者文摘》、《青年文摘》都摘过，香港中新社的《中华文摘》和中文大学的《二十一世纪》也都转载，自然更知足。也仍在出新的书，如最近香港勤＋缘出版社已出了我的新长篇《风过耳》，中国青年出版社的版本下个月也将面世。

写作，至少就写小说和散文随笔而言，在我来说，犹如我的一位搞工艺美术的朋友——他是一位搞玉雕的老师傅——一样，首先，是一门社会所需要，而自己也可以赖以谋生的手艺，当然，因为我们爱这门手艺，入了迷，有时甚至不免走火入魔，乃至于废寝忘食，不计成败，亦将赖之谋生的目的撂诸脑后，呈现出一种痴迷颠狂的状态，所以，也便可以说，这时我的写作（或他的雕玉），已成为了我们生命本体的一种存在方式，我们的灵魂，在这一创造活动中得到难以言喻的大快乐。搞玉雕的老师傅他早已不搞重复性的创作，他每选一块玉，每雕一件作品，总要力图创新，当然他也不是每雕一件必是一个珍品，也有变化不大创意不足效果一般的制作——但因毕竟熟练，水平总在一般平庸之作稍上，所以照样有人预订，有人收购。我的写小说和写散文随笔的情况、境遇亦类乎此。最近我又写成三个中篇小说:《小墩子》、《红蛙》、《杀星》将于今年九、十月份同时出现在上海、山东的三种双月刊的第 5 期上，题材、写法各异，也许都绝非精品妙创，但自信是熟练工，讲信誉，故而制作认真，总不至于使读者读了不知所云，味同嚼蜡，亦不至于有损该三种期刊声誉。

要谈文学神秘，写作神秘，那么，又有哪一行不神秘、哪一种生存方式不神秘呢?掌勺的厨师炒菜就不神秘? 炒股票的能手他就不神秘? 会当"不倒翁"官僚的他的内心也一定神秘；所以，不如反过来说，弄文学搞写作其实跟干别的一样，没什么神秘的，你想写你写就是了。熟能生巧，如果你总生不出那个巧来，就说明你在这一行上永远"熟"不了，或只能"夹生"，那你就别干这个，干别的去，每个人到头来大都总能找到一种适合自己的熟中生巧的事业。

不过世界总在变化，社会总在变化，行业也总在变化，因而我们得有应变的能力。如果有一天那变化使得我变得落伍，写出的东西卖不出去，没有人要，那我一定不骂世界，不骂社会，不骂文学，不骂写作这一行，不骂别人，尤其不骂读者，更尤其不骂那些卖得出稿子，人们抢着买他稿子读他稿子夸他稿子的新作家，当然我也不骂自己，我什么都不骂，谁都不骂，虽然不骂，却必是找辙——我想天无绝人之路，我总能找到那时候的一种适合我的谋生方式、存在方式，并且也许我会渐渐喜欢起新方式来，因为我这人内心良善，为人诚实，又肯出力，所以不愁寻觅不到一个新的位置，有个好的归宿。

当然，按目前的主观愿望，是把卖文为生的存在方式，尽可能维持到底。似乎可能性还挺大。这就好。

1992 年 2 月 26 日于北京绿叶居

风·花·血·夜

10 月 11 日，我在北京劳动人民文化宫书市签名售书。同时售两本，一本是中国青年出版社出的长篇小说《风过耳》，一本是上海人民出版社出的《献给命运的紫罗兰——刘心武谈生存智慧》。买书的人一个接一个，有时拥挤得使桌子移位。一位读者不排队，挤开前面的人墙，对着我大喊两声："我看完了——刘心武的小说越写越棒啦！"喊完便忽地消失，引来一片笑声。我当然得意，我写的书有人愿出有人愿买还有人叫好，我感到自己的生存有一种坚实的支撑。

最近我已经赠送了亲朋好友一百五十余册《风过耳》，仍不断有电话来问我要书，包括并不太熟悉的人士。我当然知道也有人很不喜欢乃至痛恨《风过耳》，我希望他们把他们的批评公布出来。对于称《风过耳》为"新儒林外史"的赞誉，我一方面不敢当，一方面也愿声明，在这本书里至少有一半的角色并非儒林中人，我以为我笔下的这所有人物都面临着一个突破现时生存状态的问题。堕落的灵魂或许甘于沉沦而永劫不复，如仲哥那样生存亦绝非我所颂扬而期待着读者的沉思。如果《风过耳》可简称为"风"，那么谈生存智慧的那本《紫罗兰》便可简称为"花"，这是一朵开得很认真的花，其中"风中黄叶树"一章是专讲如何对待逆境的。据专程来京陪我签名售书的金永华统计，上下午共三个小时售出了约四百本"花"，我自信买"花"的读者大多数是会认可我有谈逆境的资格的，尽管我的观点他们会不尽同意。

售书乐，乐融融。而写书其实是苦的。我新完成的系由上海文艺出版社出书的《四牌楼》，前后历时五年，当中撕毁过一半原稿重起炉灶，"呕心沥血"一词，改完后方觉此回可用。这是一部同"风"全然不同的"血"书，属于沉甸甸的那一类，我把大体清白无辜的凡人灵魂撕开，作严酷的拷问，最后归于大赦免大悲悯。

昨天接到香港勤＋缘出版社给我出的第二本书《蓝夜叉》，可简称"夜"吧。我想它在香港一定很寂寞，忙着赚大钱的香港人，谁会来读这书里的四个发生在大陆的爱情故事呢？但我对世界上无论生活在哪儿的人的心灵必有接榫点相通处，仍抱有执著的信念。

1992 年 11 月 25 日

青春的门槛

有一个青年,他想画一幅题为《青春的门槛》的画。他画了无数次,撕毁了无数次,久久地没有画成……

因为他心里淤塞着一团乱麻般的思绪,他怕迈出那青春的门槛,怕失去还没有享受够的青春……

是啊,青春的美好,不必详尽地铺陈,单单想到这一点便令人心醉——青春是一种特权!

"他还年轻!"这是人们对青春期中的红男绿女的一种覆盖面极宽的赦免。可以任由他们糊涂一点,马虎一点,浪漫一点,淘气一点,懒惰一点,疯狂一点……无妨犯一点错误,或者无妨耍一点脾气,肆无忌惮地笑,尽情尽兴地哭……因为他们正当青春,所以不要苛责他们!

"我还年轻!"这是自己对自己的一种几近于全面的谅解。以后的事情以后再想以后再谈。让世界只是一幅画,生活只是一首歌,理想只是朦胧的朝霞,事业只是远方的车站……因为我们正当青春,所以只管扭动欢快的舞步!

然而岁月匆匆,一个那样的日子终于来临——脚尖触到了门槛,青春的门槛!

抬头一望,门槛外面是一个惊心动魄的世界。

迈出那门槛,责任和义务将沉重地压到肩头;原来只觉得别扭而从未深究过的他人的目光,逼近面前,不得不认真地加以剖析;啊,人际关系如此这般错综复杂,而自己终于不能再加回避;没有人轻易对你谅解和宽宥,连自己也不能不对自己的一言一行一颦一笑细加反刍审评；感情世界竟也变得如此迷离扑朔，原来绝不能轻言友谊和爱情；道德是生活这个大鱼缸的玻璃外壁，原以为看似透明无妨穿游，却原来无比坚硬不许超越；世界不是一幅画而是一种复杂深奥的存在，生活不是一首歌而是一篇难以答好的考卷，理想必须明晰并切实地作出抉择，事业是一趟已经开来不抓紧时间努力登上去便要迅即开走的列车……

啊，青春的门槛！

狂跳的心啊，你能不能平静些，告诉我，告诉我，能不能不迈将过去？怎样地迈将过去？……

你怎能不迈过那青春的门槛？那是无可回避的。世上有那样一种人，他年龄早已超过青春期，但心理结构和为人处事水平仍停留在青春门槛以内。这种人常常因不能适应社会、生活、他人而被视作低能儿、"缺心眼"、"二百五"、"十三点"、"大傻帽"……永远保持青春的活力是非常美好的，永远保持青春期的心理结构和为人处事水平，特别是超越青春期仍建立不起坚实的信仰、理想、道德观和事业心，那就不但不成其为美好，甚而要堕入丑陋和丑恶了！

你必须勇敢地迈过那青春的门槛！

当你脚尖触到青春的门槛时，你必须勇敢地失去青春！

只有丢失青春，才能换取成熟。

只有任仲春的劲风吹落花瓣，才能在骄阳中结出你青涩的幼果。

怎样迈过那青春的门槛？

要义无反顾。青春诚美好，但青春必凋零。迈过去！敢于用你还不够坚实的肩膀，承受社会压上来的责任和义务；敢于面对波诡云谲的社会生活，敢于迎接微妙的眼神、莫测的心机与需要仔细破译的话语；敢于在感情世界里经受超越天真烂漫层次的严峻到甚至于痛彻肺腑的考验；敢于树立起宏大的理想目标；敢于以坚韧的毅力和奋发的进取开创出时代、祖国和人民所需要的业绩……

要欢欣鼓舞。青春诚美好，但青春的门槛那边更奇妙。花儿落了，会有果实。最初的果实的确是苦涩的，甚至是丑陋的，然而果实比花朵更有价值，随着新的岁月中的奋斗，果实将逐渐硕大，逐渐饱满，逐渐光彩照人，逐渐果香四溢——青春如花，点缀得这个世界缤纷似锦，但主要是供于观看；青春后的生命如果，使这个世界变得滋养，并通过种子延续着人类的文明，它就不仅是供于观瞻而是创造出新的生命……迈过青春的门槛，在失落的痛苦过后，又将获得多么大的快乐！预支一部分那至高的快乐吧，果断而敏捷地迈过青春的门槛！

有一个青年，他想画一幅题为《青春的门槛》的画。他画出了一个高耸的门洞，门洞这边是一个撑壁犹豫的青年，门洞外的强光勾勒出他的剪影，他正待迈出那门洞下的门槛却还缺乏最后的一束勇气——而门洞外是一眼望不清的缤纷世界，显得神秘莫测，令人胆怯心惊……

他该怎样才能把这幅画儿画得更好？

年轻的朋友们啊，让我们一齐帮他来画！

1992 年 3 月

坐在门槛上的送煤工

那时候，我还住在小杂院的平房中，没能享用上煤气和暖气，做饭取暖都必须依靠蜂窝煤，预定好的蜂窝煤由附近煤厂的工人蹬着平板三轮车送来。记得那是初夏的一天，我一人在家，煤厂的师傅送煤来了。他把旧车轮剪成的皮条挎在肩上，侧身将装煤的竹筐用那皮条箍在腰侧，运到各家小厨房门外，便将煤饼技巧地倒在地上。倘若哪家是老弱病残，他便帮忙将煤饼码好；倘若自己有劳动力，他便走人。我自然是可以码煤的人，师傅将煤倒下，我便道谢，请他进屋喝茶。他摇头说不喝了。因为送到我家小厨房门外是最后一站，他便站在那里点燃一支烟，用脖子上搭的已是灰黑色的毛巾擦着额上的汗，暂且喘息。

我埋头码煤。我家小屋里的录音机里正放着一盘西洋抒情小曲，我经常听那盘带子，喜欢，却多少已有点麻木。忽然，我直腰抬头之间，瞥见了那送煤师傅，他被录音机传出的乐曲吸引住了，乃至于点燃的烟吸了一两口后再没有去吸，慢慢地站在我家屋外的洋槐树下，显现出一个出自内心的略带惊讶的愉悦表情。

我知道那三十来岁的运煤工小学毕业后再没有受过什么文化教育，生活不富裕，视野也绝不宽广，依我想来，他的欣赏趣味，也许只集中在比如说相声、评剧（那时还没有通俗流行歌曲出现）一类的品种上，因此，在一瞥之中，我也不免有点吃惊，他怎么会被西洋古典音乐所吸引呢？

我便主动招呼他："进屋歇，进屋听吧！"

他问我："这叫什么曲子？"

我告诉他："是原先俄罗斯作曲家柴柯夫斯基作的曲子，叫《船歌》。"

他一脸入迷的表情，"啊"了一声。

"进屋坐，我把这曲子重放一遍，是好听，我也一直喜欢它。"

他却并不进屋。我明白他的表情身姿表达的含意：他一身工作服上满是煤灰——岂止工作服上，他脸上也有煤灰，淌下的汗水又在那煤灰上划出了不能平直的道子——他怕进去坐会把我家沙发弄脏的；他淡淡一笑，脸朝外，坐在我家屋门的门槛上了。我便不再劝，赶紧调整录音带，重放那曲《船歌》。

在初夏的洋槐树下，树荫铺在我家屋门前，露出团团闪烁的光斑。洋槐花盛开着，漾出阵阵清香，《船歌》那柔曼的曲调越过坐在门槛上的送煤工那厚实的身板，送进他的耳中，传到院里……我永生难忘从他脸上所看到的那种由衷的审美愉悦感。

《船歌》放完了，他也便走了。烧完他那回送的蜂窝煤，我也便搬到很远的楼房里去了。我再没有见过他，但我脑海里永远刻下了坐在门槛上听《船歌》的送煤工形象。多少回我想把那形象画下来，却总不能成功。

坐在门槛上的送煤工，使我意识到，进入一种自发的、非功利的、全身心的审美愉悦，哪怕是偶然遭遇，为时短暂，那都是人生途程中最幸福的境界！

我年轻的朋友们啊，敢问你们，在你们的生活途程中，可有过这样的时刻？

或许，你整日被裹挟在熙攘的人流和事涡之中，简直没有静下来享受文学艺术和大自然的间隙，审美愉悦竟与你无缘！

或许，你总是被世俗的审美潮流牵着鼻子走，人家听什么你也听什么，人家看什么你也看什么，人家说好你即使并不以为好也跟着说好，潮来潮去，你在潮水中随涨随落，久而久之，你甚至面对着你跟随潮流所追逐的对象，已无多少真正的审美愉悦可言，你所获得的，也许仅是浅薄的"我总算不落伍"的心理满足！

或许，你确是不为潮流所驱动的，你能冷静，能抉择，但你是否又被一些功利性的前提所支配呢？比如，你总想自己也从事某种门类的文艺创作，你总在分析辨识、预估预测，这样的东西会"又叫好又卖座"吗？那样的东西舍俗就雅值得吗？太古典是否趣味太保守了？太新潮是否格调太粗野了？……结果，你尽管浏览了许许多多的文学艺术作品，却总不能使审美意识摆脱功利前提，因而，也总不能进入那坐在门槛上听《船歌》的送煤工的审美愉悦的佳境。

　　人生途程说长也短，说短也长；人生乐趣说多也少，说少也多。在毕竟有限的人生途程上，更多地享受人生乐趣吧——在诸种人生乐趣之中，那种凭借直感，摆脱世俗牵缚和功利前提，而全身心投入艺术世界和大自然魂魄的审美愉悦，是最宝贵的时刻、最瑰丽的境界！

1992 年 6 月

牧童短笛

听钢琴独奏曲《牧童短笛》，总有种种如诗如画的联想。我猜贺绿汀创作此曲，既有江南水乡的儿时回忆涌动心头，也有前人从生活中炼出的诗句丰沛着灵感。宋人雷震诗曰："牧童归去横牛背，短笛无腔信口吹。"钢琴曲便是此诗的乐化。

往事越千年，而牛耕的景象，在中国无论大江南北，还是东原西坝，到目前都依旧还是一种乡村生活的常态。再远不去说它，至少从唐人起，诗人们的灵感便常被耕牛触发，而耕牛艰辛的工作情景，似乎倒并不怎样使他们诗思如潮，使他们所津津乐吟的，是耕牛从劳作中解脱出来，由牧笛引归的场面。

盛唐大诗人王维，便有颇多描摹归牧的诗作。如"斜光照墟落，穷巷牛羊归"，但那画面似不够简洁，所以又有"牧童望村去，猎犬随人还"，不过这又与初唐王绩的"牧人驱犊返，猎马带禽归"太相近，有掠美之嫌，因而他又有"田父草际归，村童雨中牧"的句子，色泽淡雅而饱含氤氲的水汽，然而也还不能说达到一个至美的境界。

宋人对牧归的景象似乎有更浓烈的诗兴。朱熹也有"田父把犁寒雨足，牧儿吹笛晚风斜"的诗句，比雷震诗意境凄婉。明人张羽似想将此同一画面略增些明快的情调，因而吟成"牧雏不管蓑衣湿，一笛春风倒跨牛。"不知为什么诗人们总愿更多地表现风雨中的牧牛场面，宋刘宰又有"牛背牧儿酣午梦，不知风雨过前山"的句子。而对牧童的憨态，也是杨万里这样的杰出诗人所最感兴趣的，他有"童子柳荫眠正着，一牛吃过柳荫西"的描绘，但也许他觉得画面太平实了，意蕴便难深厚，所以又写下了"远草平中见牛背,新秧疏处有人踪"的较虚缈的句子。有时诗人们又省去牧童,如宋张舜民的"夕阳牛前无人卧,带得寒鸦两两归",黄庭坚的"近民积水无鸥鹭,时有归牛没鼻过",都创造出了一种超级的宁静境界。清人汤贻汾企图用"饭罢日亭午,人牛相对眠"重现此一境界,他以为一切静止,便达于安谧的极至,其实不必。宋辛弃疾的"平冈细草鸣黄犊,斜日寒林点暮鸦",孔仲平的"老牛粗了耕耘债,啮草坡头卧夕阳",乃至杨万里的"童子隔溪呼伴侣,并驱水牯过溪来",都有动态和声响,但即使是"隔溪呼伴",都不但不令人感到喧闹,反而增添了更多的静谧与安逸。

听着钢琴曲《牧童短笛》,体味着上述种种诗情,倘条件允许,再细赏一幅比如说宋人李迪的《风雨归牧图》,或自次平的《牧牛图》(自然只能是复制品),那真是一次无上的享受,可谓灵魂的温泉浴。

上面所引诗句,大多数似乎都吟的是双角粗大而平弯向后的水牛,有的或许是不会凫水的黄牛,但总体而言都是耕牛即役牛,并非"天苍苍,野茫茫,风吹草低见牛羊"里所说的那种主要用于取乳和食肉的乳牛与肉牛。役牛既是一种能源,更是一种农用机械,但比起当今的石油和拖拉机来,它是富有灵性的,所以引出如许的诗情画意与乐思。历代艺术家之所以最爱抉取归牧的一景加以表现,我想,那是因为在那一生态环节上,最能体现出人与物、作与息、劳与逸、动与静、艰辛与欢愉、酸楚与谐谑、利他与益我、入世与出世……人间的均衡与相互交融,所以其意境历千古而仍撩人心弦保其魅力,明代诗人蔡复一"短笛牛羊归,余光照童子"的诗句有什么创新可言?而人们照样喜欢,晚唐杜牧一句"牧童遥指杏花村",本意在表现清明寻酒,却至今使画家们在传达诗意时都不约而同地突出着耕牛与牧童,现代画家李可染(可惜近年仙逝)的牧归图究竟有多少幅?幅幅都仍是人们不肯轻易割舍的珍藏。夕阳归牛,牧童短笛,具有着某种永恒的素质,单纯、清朗、明丽、爽洁,也许,历代的艺术家和鉴赏家,都愿将灵魂汇聚融入到那样一个境界之中?

说到底,人们吟物、吟牛,配之以青草绿柳、溪水湖泊、夕阳微雨,到头来还是表达一种人内心中的呼求,那呼求并不是针对山川景物、耕牛鸥鹭的,而是针对一己以外的他人,人与人在呼求中达到和谐,是一种至高的境界。唐代大诗人王维写了那么多关于归牧的诗句，其实，他最好的两句是："野老念牧童，倚杖候荆扉。"画面上没有归牛，也没有牧童，然而，人们在野老的引颈倚杖的关切和期望之中，能够深切地体味到一种使人类代代相传下去，并使人性一代代更趋美好的原始驱动力。

1991 年隆冬

我的隆福寺

上小学时，我家住北京钱粮胡同，上学放学都要穿过隆福寺。父亲是个喜爱研究北京故旧的知识分子。他领着我们全家住到钱粮胡同时，隆福寺已变为一座百货市场，大殿都关闭不开放，但他就知道那昆卢殿里有世界上最壮美的一个"藻井"（那是一位专门研究古建筑的朋友告诉他的），并且塑有神态最生动的"天龙八部"（我早在读金庸的《天龙八部》之前就知道了那八个神怪，盖出于此)，熏陶我的效果之一，便是有一天我用一个糖瓜儿买通了母亲任"食库管理员"的同学，钻到那沦为货仓的昆卢殿里。巍峨的殿堂里黑黝黝的，高大的佛像已被蛛网缠绕，陈旧的幡幔发出阵阵闷人的气息；可是仰颈观望，高居于上的覆盆状藻井，在一缕从窗隙射进的菊色光束映视下，仍呈现出一种朦胧的壮美；整个藻井又似一朵倒悬的金色玉莲从中心吐出一颗硕大的宝珠来，十足地神秘、玄妙！不过我们在环顾那八个诸天和龙神时，却被在幽暗的光缕中似乎正朝我们扑来的夜叉吓得尖叫着逃了出去。至今我还为此发愣：夜叉怎么又是一位护法的角色，列入"正面人物"的"天龙八部"之中呢？

我目睹了隆福寺的变迁。起先，它是个天天开市的庙会，大殿和庑廊边各色方形、伞形、长廊形的布篷下，卖各种各样日用杂品的大摊和小摊栉比鳞次，有品种齐全到百数以上的梳篦摊，"金猴为记"，摊中摆放着一尊木雕金漆的大猴；有卖猪胰子球和蛤蜊油等化妆品的小摊，有卖泥兔爷、武将棕人、大头和尚窦里翠（一男一女的套头壳儿）、卜卜噔（一种可吹弄的薄玻璃制品）以及空竹、风筝等玩物的摊档……其间更夹杂着卖各色京味小吃的摊档，有连车推来的卖油茶的摊子，不仅龙嘴大铜壶闪闪发光，车帮上镶的铜片和铆的铜钉也油光锃亮，卖褡裢火烧的平底锅滋滋地响着，散着油香。不过我更感兴趣的是卖半空花生、糖稀球、牛筋窝窝、综果条、干崩豆……的小摊。后来实行"公私合营"，拆了一些小殿堂和庑廊，建成了"合并同类项"的售货大棚；再后来是"文化大革命"，"破四旧"先破了殿堂内所有的佛像，包括那"天龙八部"，渐次就破到了殿堂本身，那昆卢殿据说是明代建筑中的孤例，其藻井比故宫的养心殿和天坛祈年殿的藻井更见巧思和气魄，到此则大限来临，不仅大殿的全部木料、琉璃瓦和大青砖全部用作了"深挖洞"的材料，殿北的汉白玉石桷、石陛、石雕，也都"将功折罪"、"变废为宝"，捐躯于防空洞中。父亲那位搞建筑史的朋友"文革"中已"自绝于人民"，我们自然再不敢听从他的"狂吠"，去为这些"破烂货""请命"——直到"文革"后我才重访童年、少年时代几乎天天竖穿的隆福寺，"隆福寺"已徒有地名而已。如今，那里是一所装有滚梯开放的五层商业大厦，里面不仅出售大陆国产精品，也出售比如从巴黎来的香水、日本来的录像机、香港来的康元饼干，以及从台湾转口而来的仿毛花呢……感谢商场一位人士告诉我："昆卢殿那藻井怎么也拆卸不开，用斧头砍下去火星乱蹦，连斧刃都锩了……后来好像是运到雍和宫去了。"我还真去雍和宫询问，却不得要领，"藻井如何去？剩有游人处"，令我百感交集。一座寺庙有必要永存于世吗？"人世有代谢，往来成古今"。没有湮灭也便难有新生。苏联——现在这国也没有了——有部电影叫《两个人的车站》，车站上明明人流如鲫，何以标作"两人"？一位"大陆第五代导演"对我解释："这是说，在那一段时间里，那座车站是因为他们两个人而存在的。"是的，在那一段时间里，隆福寺因我而存在，我的隆福寺既不是明"荣仁康定景皇帝立也"的那座香烟缭绕的大寺，也不是清代竹枝词中所吟的"古玩珍奇百物饶，黄金满橐尽堪销"那种景象，我的隆福寺洗礼了我的童年和少年。我在那里学会了抖空竹，空竹在抖动中发出的蜂音将伴我一生。

1991 年秋

在胡同里转悠

　　春秋，我最喜欢在北京的环城马路上骑自行车漫游；冬夏，我最喜欢到北京老城区的胡同里转悠。

　　在环城马路上，扑眼而来的是近年来拔地而起的高楼大厦，以及同世界上其他地方形态差不多的立体交叉桥；时常可以见到带有"欢迎、WELCOME"字样的大幅标语。我自然懂得都非为我而设，但骑车路过时还是高兴——环城路虽是一个封闭的圆圈，却最具开放的气氛，这气氛竟未见衰减，日益浓酽。

　　在老城区的胡同里转悠，另有情趣。酷暑，北京热得同广州差不离，穿 T 恤短裤也还是燥热，但到比如说什刹海附近如蛛网般的胡同里转悠，则常可行走在古槐的浓荫之下，黑瓦灰墙、脱漆木门，色彩似乎单调，却能感觉到一种厚重的情思，连同那消燥的荫凉，一同铺到心上。严冬，北京冷得同哈尔滨不相上下，捂着羽绒大衣、戴着帽子、围脖、手套、蹬着皮靴，西北风一过，也还是让人发怵。但到比如说崇文门外密麻麻的胡同深处里转悠，则常可以在鹅毛般纷飞的雪帘中，窥见到北京市民生活最底层的某些景象，从而也能有一种沉重的思绪，连同那飞扬的雪花，一同落到心田。

　　前些天，我转悠到曾经居住过的胡同中，在一个陈旧的院门前，与昔日的邻居蔡大妈邂逅——其时她正用铁簸箕，往院子里运蜂窝煤。北京的居民住新楼的有福气烧管道煤气，住旧房子的也有许多用上了罐装煤气，但也还有不少如蔡大妈一样的胡同杂院居民，仍耐心地烧着蜂窝状煤饼。煤铺工人有时来不及将煤饼运到院里，便需用户自己分批将运到的煤饼运进自家。我帮蔡大妈运完蜂窝煤，在她家小坐。她家居室更见狭窄，但也显示着近年来生活的提升——饭桌旁有冰箱，冰箱旁挤放着洗衣机；转角沙发紧靠着双人床，对面是酒柜，柜上是时下北京人最引为自豪的"二十一遥"（即二十一英寸直角平面带遥控器的彩色电视机）。蔡大妈告诉我：老伴蔡大爷虽已从工厂退休，但另找了一份看仓库的事由；两个闺女都嫁了有楼房住的丈夫；两个儿子一个在中外合资的饭店里为大厨"打荷"（配料），一个儿子虽说犯了事进过一趟"局子"，但出来后起了一个执照，摆了个服装摊，也还红火……讲述这些时，她颇自豪，末了望着我，耸起眉毛，极为关切地问："还写啦？"

蔡大妈的眼里、脸上，有着无限丰富的意味。她知道，我难，不易。我离开她家，继续在胡同里转悠，我想，她也难，也不易——她住的那个院子，十来户人家，仍共用着院中一个自来水龙头，到这冬天常冻结住，得浇滚水才能化开——但她执著地生活着、企盼着，正如我，以及许许多多的北京市民。

什么心情？心情是讲不出来，也写不出来的。心情的深处，是灵魂的哑谜。倘若千千万万人的谜底竟有相叠之处，那么，该种心情便会溶入历史吧？

1992 年春

从一个微笑开始

又是一年春柳绿。

春光烂漫，心里却丝丝忧郁绞缠，问依依垂柳，怎么办？

不要害怕开始，生活总把我们送到起点，勇敢些，请现出一个微笑，迎上前！

一些固有的格局打破了，现出一些个陌生的局面，对面是何人？周遭何冷然？心慌慌，真想退回到从前，但是日历不能倒翻，当一个人在自己的屋里，无妨对镜沉思，从现出一个微笑开始，让自信、自爱、自持从外向内，在心头凝结为坦然。

是的，眼前将会有更多的变故，更多的失落，更多的背叛，也会有更多的疑惑，更多的烦恼，更多的辛酸，但是我们带着心中的微笑，穿过世事的云烟，就可以沉着应变，努力耕耘，收获果实，并提升认知，强健心弦，迎向幸福的彼岸。

地球上的生灵中，唯有人会微笑，群体的微笑构筑和平，他人的微笑导致理解，自我的微笑则是心灵的净化剂。忘记微笑是一种严重的生命疾患，一个不会微笑的人可能拥有名誉、地位和金钱，却一定不会有内心的宁静和真正的幸福，他的生命中必有荫蔽的遗憾。

我们往往因成功而狂喜不已，或往往因挫折而痛不欲生，当然，开怀大笑与嚎啕大哭都是生命的自然悸动，然而我们千万不要将微笑遗忘，唯有微笑能使我们享受到生命底蕴的醇味，超越悲欢。

他人的微笑，真伪难辨，但即使是虚伪的微笑，也不必怒目相视，仍可报之以一粲；即使是阴冷的奸笑，也无妨还之以笑颜，微笑战斗，强似哀兵必胜，那微笑是给予对手的饱含怜悯的批判。

微笑无需学习，生而俱会，然而微笑的能力却有可能退化，倘若一个人完全丧失了微笑的心绪，那么，他应该像防癌一样，赶快采取措施，甚至对镜自视，把心底的温柔、顾眷、自惜、自信丝丝缕缕拣拾回来，从一个最淡的微笑开始，重构自己灵魂的免疫系统，再次将胸臆拓宽。微笑吧！在每一个清晨，向着天边第一缕阳光；在每一个春天，面对着地上第一针新草；在每一个起点，遥望着也许还看不到的地平线……

相信吧，从一个微笑开始，那就离成功很近，离幸福不远！

村路上，告别母亲

她忽然觉得，如有一束强光，把那天的情景照耀得格外鲜丽，而且删去了多余的细节，只凸现着最撩人心弦的事物……

她说，那天，在村路上同母亲分手时，她才第一次看清，母亲脸上的皱纹是那样密集而细碎；母亲一反往常的絮叨，变得拙于言辞，甚至有点手足无措；她忽然无端地把手中的网兜掉到地上了，母亲同她一起弯腰去拾，刹那间，她嗅到了母亲身上的气息，那是非常熟悉的气息，带有灶孔和玉米糁粥的味道，还有那汗水浸透土布的特殊酸涩……在母亲身边十九年的许多往事，蓦地涌上心头，拥挤、撞击着心房，这是从未有过的体验；共同拾起那网兜后，在同母亲对视时，她发现母亲在强忍着什么……她和母亲都赶紧闪开目光，模糊了，模糊了……她意识到，那是泪水……

她说，那天，村路上的那些水曲柳忽然具有了不同寻常的姿态，不，不仅是姿态，还有表情，还有乐音般的声响……从小在那水曲柳下放羊，在那旁的水渠里洗衣裳，怎么直到这一刻，才发现棵棵水曲柳都有着和自己分明一样的生命，在向往着更灿烂的前程，它们那挥动的枝条，仅仅是对她恋恋不舍吗？它们那叶片磨擦的哼唱，难道仅仅是对她奔向城市的祝贺吗？不，不，那里面也分明蕴含着嫉妒，发泄着艳羡——它们会自己把根拔出来，同她一起搭上那长途汽车，也去试一试各自的运气吗？如果她也像它们一样，一双脚永埋在乡野，只能永望着这一方天空，永和小渠做伴，永远只拥有一个对远方的朦胧的梦而不能兑现，她将多么痛苦，她将多么寂寞……

　　然而,她在村路上,在那一排水曲柳下,同母亲告别时,刹那间,她忽然心动神摇,母亲,村路、小渠,青纱帐,看青棚……包括那手扶拖拉机散发出的刺鼻的柴油味,开拖拉机小伙子的那不怀好意的大声打趣,以至那骄阳下黄烟般滚动的尘土,都使她心尖发酸,是的,一定要走,要去拥抱更广阔的空间,去迎接崭新的生活,但离开母亲和村路,离开这造就了自己血肉的这一切一切,难道是容易的吗?……

　　人,永远承载着那些不可更改的因素,她的故土,她的生身父母,她的童年,她的回忆……但人又永远应当朝前走,去改变生活,主宰命运,同时也改变自己……

　　在一个静静的傍晚,一个女青年对我讲述了五年前她离开故乡,来到大都会开辟新生活的最初遭际,她关于村路上告别母亲一幕的回忆,使我的心弦也久久地颤动……

　　她倾诉完了,我们相对沉默了一会儿以后,我问她:“村路上,告别母亲的一幕,那些细微的感触,究竟是当时你就有的呢,还是现在你回忆起,才生发出来的呢?”

　　她想了想,才回答我说:“怎么说好呢?……当年,那一天,我也许是混混沌沌的,如果那天晚上,我向一个人表述,我一定没有现在这样的语言……就是前两年,我也不一定会这样说……就是那情感的深度,也不会是这样的……是呀,奇怪,说到底,那天我也许并不是现在回忆中的那样……想起来了,当时村里外号‘臭嘴’的,就是恰好开拖拉机经过那段村路的那主儿,他看见我和我妈站那儿等长途汽车,他就冲我嚷了一句,我也没听清,大概其是说我要进城找个阔主儿,我就烦了,就让我妈回去……后来汽车来了,我赶紧上车,说实话,不知道那是怎么了——慌慌张张地忙着买车票,结果我再往车窗外头望时,车子已经拐了弯,我妈的身影一点儿也不剩了……就是这样,可我今天想起那一幕,讲给你听,却仿佛拍成了电影似的……是我的思维,起了变化吗?”

　　思维、清澈思维、精思维、诗意思维……“仿佛拍电影似的”,最平凡的化为了最优美的,最琐屑的化为了最崇高的,从而得以重新对生活产生惊奇,对自我生存价值作出更充分的肯定,同时也对他人、群体、社会怀有更浓酽的理解渴求与谅解愿望……

　　她对村路上告别母亲一幕的诗意回忆,启迪着我们:在我们的生命历程中,其实处处埋藏着诗的种子，问题是我们能不能以新的经验为雨露，以深的感悟为阳光，把那种子催出芽来，使其蹿叶、开花，结出瑰丽的心果……诗人的灵感，文学艺术家的创作冲动，都是循此而生的，当然每一个产生此种情愫的人不一定都投入诗的以及其他文学艺术领域的创作，但一个心灵美好而成熟的人，他一定具备这样的能力。

在我们每一个人的青春期中，都一定有一个类似她那样的随着岁月流逝而越来越显得神圣的分界点——也许我们不是在长满水曲柳的村路上，不是在小渠边，不是"臭嘴"开着拖拉机掀起滚滚黄尘，也没有刺心的话入耳……但我们也离别了母亲，割断了童年的脐带，又兴奋又惶惑地投入了社会，迈向了探险的历程……愿我们都有一个诗意的回忆，都有一种珍贵的情愫涌动在心，都擅于拍"心灵电影"……

啊，那是怎样的情景啊——村路上，告别了母亲……

抱猫闲话

常常产生荒诞感的人，心智的康健度较一般人为高。

清夜扪心，为白天的某事而愧悔；白日临事，依然故我——是为常人。

一个人的童年如果没有留下任何可称美好的回忆，对于他人来说，他是可怕的。

倾尽全力祈盼奇迹的人，离奇迹最远。

不当哲学家，无须总问"为什么？"应当常问"怎么办？"

幸福说到底，只不过是一种自我感觉。

看电视不如翻报纸，翻报纸不如读书，读书不如沉思，沉思不如写作，写作不如听音乐，听音乐不如走向大自然，走向大自然你要仰望苍天……

什么都不如达到一种境界。

惆怅隶属于善良；绝无惆怅感的人也许非常不凡，但必定非善良之辈。

静夜放喉长啸，与白日坚持沉默，哪一个更难？

"熟人"究竟是一个什么怪物？使我们中国人一生难以摆脱其阴影。

"看在我的面子上"——中国人最难对之说："不！"

只看得起已被证实的"烈士"——

一翻起案来，便翻个底儿朝天……

"宁为太平犬，不作乱世人"么？其实，也有"宁为乱世犬"的，——当然，不多。

小雨中散步，不打伞；不能体会其美妙者，枉生于有雨的世界……

家猫完全听得懂主人的话语，并常常为主人懂不全它的话而惊讶。

名人是其崇拜者的人质。

第一次见到大海的激动感，还能回忆起来吗？如已模糊消退，则应再次去亲近大海。

伟人同你的区别，很可能仅仅是运气不同——仅仅。

世人总不能憬悟：友情比爱情更珍贵，也更神秘。

人是潮流的俘虏——不管是弄潮、随潮、观潮还是反潮流，到头来人的一生，还是要用时代潮流来作为标尺衡量。

同性恋同居不婚，婚而拒育，婚离频密，独身主义，体外受精，试管婴儿，变性手术，人口负增长……人类渐渐习以为常，进步？堕落？也许都不是，人类就是这样。

读好书，是灵魂的深呼吸。

人的尊严，在于必要的拒绝。

醒来滞留不散的噩梦，应可作为我们内心最好的殷鉴——但鲜有人养成此习。

任何时候都想拔尖儿，所以变来变去，乃至一百八十度大转弯——其实很简单，性格而已，不必对之作过多的道德评论；如果讨厌他，无论他怎样变都不去注意他就是了。

从某种意义上说，作家不过是一种社会填充物罢了。

工人阶级的概念越来越模糊了——全世界均如此；经理属不属于工人阶级？回答往往是肯定的——世界不再那么重视概念而趋向务实，人类是糊涂了还是更聪明？

理想不是一只细瓷碗，破碎了不能锔补；理想是花朵，谢落了可以重新开放。

理想既是花朵，那就再艳丽也终会谢落。

理想花朵的重放，需要春天来临；春天来临，需要等待；等待需要耐心；耐心需要向往；向往便是理想么？不，那只是花的模糊心像；糟糕的是我们常把心像当做花朵。

须知：花朵是非常具体的东西。

花朵具体，美不可喻，然而盛极必衰，终将谢落。

心像模糊，可以乱喻，且似永可驻留；于是，世人常有将心像取代花朵的。花朵谢落，可结果实。心像永悬，却绝无收获。

1993 年 6 月 5 日

你有一个情感世界

在成年以前，你当然已有种种情感；但那时你的情感是混沌的，仿佛只是风中摇曳的稚嫩花蕾。现在你开始成熟，你情感的花蕾已然膨胀、张开，你有了一个完整的情感世界。你的情感，当然渗透在你的理想、事业之中，与你的理性、知识相随相伴；但你的情感世界确实也有相对的独立性。是的，你有乐于公开的情感，你也有了隐秘的，仅属于供自己咀嚼、享用的情感。

凡你乐于公开的情感，都是芳馥的花朵吗？当然，那基本上是馨香的花丛，你那爱祖国的情怀，那献给父母师长的尊敬关爱，那对大自然的欣悦……朵朵情感之花，都缀满璀璨的心灵露珠；但是，倘若你对明星充溢着过了头的崇拜，假如你对自我抱有过了分的欣赏，那情感的花朵，也许是因为胀得过圆吧，便会变形乃至花瓣凋落，因而失去自然的清芬……

迈入成年门槛的朋友啊，请珍惜你那乐于倾泻的情感吧！愿你那激情的波涛，能顺着生命的河床健康地奔流，而不至于狂肆泛滥。

凡是隐秘的情感，都是花上的虫豸吗？当然，某些贪婪的、损人的情绪蠢动，那的确是花心的害虫、秀瓣的霉斑；但是，如果你仅是默默地进入了初恋，倘若你只不过是隐忍着一份钦慕，或者你是在咀嚼那暂不愿为他人道的遗憾与惆怅……只要你能在隐秘中珍爱他人、锤炼自己，那么，你便不必自责自罪；也许，你情感的花朵，反会通过默默地沉淀，走向成熟，你的花瓣可能终于谢落，但那不会是无谓的牺牲，因为，你的花托，将膨出一枚青果！

　　迈入成年门槛的朋友啊，请享受你那自然而纯洁的隐秘情感吧！愿那仅属于你这无可取代的个体生命的内心秘密，能使你在生命之旅中变得坚强而勇于自立，不至于总得依靠外在的情感宣泄，才能化花为果。

校园的黄昏

夕阳渐敛，学生散尽后，校园有一种静穆的美。教室里粉笔灰还在斜光里飘动，操场上篮球架面对自己长长的影子，在回味着喧闹中球体的撞击，花坛里的波斯菊仰头让晚风抚慰。是哪位住校的年轻教师，在楼廊里忽然引吭高歌，只有一句，是美声唱法，那共鸣声回环飘荡开去，愈显出黄昏静校后校园的安谧。

近一两年，我发表了不少散文随笔，其中有的发表在以青年学生为对象的报刊上，于是有人笑对我说："你是当过教师的，难怪你有那么多话说！"

一定不是人家语含鄙薄，一定是我自己内心不洁，听了总有点那个。

"他原来不就是教中学的吗？"

这话一点儿都不错，诛说此话者之心，确有歧视，我是明白人，知道许多施之于我的让我难受的东西，最底里的，便是这个；我也吃这个，脸上不现，嘴里不说，现在文章里写了，也还悻悻的。当然，这也是中国国情。去过法国，小镇上，镇长搞招待会，警察局长、税务局长、邮政局长，座次还都在中学校长之下，在中学教员家里做客，宽敞典雅的客厅里，用落地音响放西方音乐家作的《中国花园》给我们听，是镭射唱盘，那是十年前，镭射唱机极昂贵，一般的法国人家，还买不起。

前几个月接到来自家乡四川的一封读者来信，厚厚的，不是评论我的作品，当然更不是跟我打听镭射唱盘的事，是一个县里的若干中小学教师，半年领不到工资，大概已经想了许多办法，都不见效，于是"病笃乱投医"，联名求助于我。法国作家，估计得不到这样的信。法国未必都那么好，中国未必都这么糟，但偏偏在中小学教师的待遇上，让我赶上了这样的对比度，奈何！

北京的中小学教师的待遇近几年颇有提高，如果学校还有收益高的校办工厂，那教职员工的待遇就很可能相当不错，会让一部分只拿干工资的机关干部羡慕，不过如羡慕那也只是羡慕收益，而非职业符号。

一个已跳槽的前教师见到一位原师范学院的老同学，他会劈头便问："还没出来啦？"

或莞尔一笑，告之已调出到何处，或面有惭色，或面不变色而心有不快。

即使在京城，中小学教师仍绝非令一般市民看重的职业。

我亦不能免俗。我尽量少提及自己当中学教师的履历，我不让自己的儿子上师范，并小心翼翼地防止自己在与同一社会层面的人士交往时，没心没肺地提及相同类似的"底细"。

但还是偶尔会在梦境中走进坐满学生的课堂，竟是一种身受处分的感觉，被下放了么？凭什么？惶悚地发觉并没有备好课，或忘记了带上课本；如果我说我在梦里重温着教学相长的温馨，你不会相信，我又何必撒那个谎！但从潜意识里浮上来，一人独处，偶尔回想起三十年前的粉笔生涯，却也实实在在有缕缕的诗意牵络，如仲春柳枝上的游丝；三十年前是一九六三年，独愿回忆那一年，至少在我，那时的学校有学校的样子，学生有学生的样子，我们教师也很像样子，校园的黄昏，我情独钟，因为年轻，未婚，住校园中，静校，吃过晚饭，在宁静中可以散步，可以与三两同样的年轻同事聊天，可以冥想，也可以什么都暂不做暂不想，只是倚坐在操场的墙根，让夕阳的余晖铺到自己身上，享受一种难喻的快感……但一九六六年六月以后，学校整个儿颠翻了过来，我现在不去回忆那个，我只愿再努力想象，三十年前我宿舍窗外的那株合欢树，它泛着金光的红缨子花，总是慷慨地把甜香送进窗隙，伴我批改作文，或助我阅读世界名作之兴，它如今该老粗老粗了吧？那宿舍中，谁在闻它的花香？又是怎样的一些心情？校园沧桑，它默睹默闻，几多校园的黄昏，几多教师的歌哭，谁曾挂怀？哪个看重？

如今出现了私立学校，有的公然被称之为"贵族学校"，报纸杂志上登过许多有关的消息，还有评论，大抵是指认为新生事物，也遭到一些訾议。我当教师时没这种学校，我当教师前十多年私立学校可太不稀奇，那时的若干教会学校，相当的贵族化，学费也是高得很的，所以如今搞私立学校，扬言为有钱人子女服务，高收费，高投资，高标准的教学设备，高标准的宿舍和娱乐设施，高薪聘良师，包括洋教师，培养的目标，有说是百分之百送去留洋的，诸如此类，细想也并非从"无"中生出的"新"，是"春风吹又生"吧，火烧了几十年，到头来又"远芳侵古道"，令我这只在公立学校中任过教职的人，不禁感慨系之。不过我最牵心的，还不是这类的新生事物，而是那些给我写信的家乡教师们，他们的欠薪，可都已发放？报载，最得风气之先的"贵族学校"，也是出在四川，该校距给我写信嗷嗷待薪的那所学校，并没有多远，遥想同一个太阳，把同样的余光斜铺到那两所学校时，那其中的教师们，该有多么不同的感受，我在这里，于幸运者无助兴之技，于不幸者更无解救之法，只能面向西南，默默地为双方祝福。

黄昏过后，是酣然一梦，然后是露珠洗出的早晨，晨光中的校园，凝聚起人类文明中最值得自豪的景象，世界各地，各民族，各国家，不分肤色，不分语言，为把已有的文明传递下去，更为发展那文明，都让一批被称作教师的人，伴随稚气的朗读，释放出人性中新的曙光，激发出人脑中新的智慧，营造出一幅幅雷同而见之不厌的教与学的斑驳画面；哪个民族格外看重群体生存的这一环节，哪个民族的前景便格外灿烂，反之呢？有反之的吗？

然而我总撕不下粘在心上的一个意向，就是校园的黄昏，我的，我们的校园，它在黄昏中飘飞着粉笔灰，以异样的静穆，拷问着我们的灵魂，至少，拷问着我：为什么？真的吗？怎么办？待何时？

这当然好笑。铺排些字句，除了榨出些洗水裤腿里的"水"来，于事何补？于人何益？铭心刻骨地意识到，虽拥有了比教师堂皇的社会符号，却绝对地无用，尤其不堪与教师对比。

只是那三十年前，在黄昏中，倚坐在学校操场的墙根，让暖暖的夕阳斜铺到身上，暂时不思不想的情景，永难忘怀，写及此，眼竟潮湿了。多大的出息！

1993 年 8 月 24 日于绿叶居中

虽然篇

虽然你永无希望长出一双托起你翱翔于天宇的翅膀，但你永不应失去对鸟类的艳羡。

虽然你每天清晨的雄心勃勃，总被傍晚的忧心忡忡所取代，我还是祝愿你保持每天清晨的那份气概。

倒过来呢？晚上雄心勃勃，清晨忧心忡忡，如何？虽然听起来似乎无大区别，其实却大相径庭。

行动前的自信与勇气即使在行动后消磨为疑虑与沉思，总比带着畏惧与迷茫行动，而在停顿时用虚妄的想象麻醉自己要好得多！

虽然在高度紧张的都市生活里，我们在蛛网般的人际交往中练就了一条巧言善辩、谈笑风生的舌头，可是我们一定要清醒——这并不意味着我们的思想也随之丰富而深刻。

是的，思想也要借助于语言，但说得太多太满太油滑太随便，也就会造成来不及思来不及想，特别是来不及严肃地思、深入地想，久而久之，我们有可能成为"舌大脑小"的人。

一定要懂得，即使就个人而言，最有深度和力度的语言，也多半是不用舌头宣谕的"无声语言"。

因此，都市人一定要在百忙中自觉地息言停舌，即使没有很多的独处默思时间，只要不影响工作，不令他人误会，哪怕是喝一杯茶的工夫里，做到置身人群中、而无杂语喧，让自己的思维，在静默中张弛一番，也是好的。

虽然你忙完一天很累很累，疲惫不堪，可是回到家中，你还是发现了花盆里植株新孕育出的花苞，为之欣喜；虽然你从紧张的竞争中归来，烦恼萦怀，可是回到家中，你还是耐心地听取了女儿的倾诉——她们班如何在全校的歌咏比赛中获得了第一名，并终于随之开怀；虽然你在社会人际交往中已麻木了感知，见怪不怪，可是回到家中，你还是为妻子到发廊新做出的发型而发出惊叹，忍不住幽默地置评……

虽然你的价值往往不得不由社会来从你的事业角度衡定，你的生存意义，却也许更精微地透过你在家庭中的这些琐屑乐趣而体现出来。

虽然你觉得在爱，其实你只不过是喜欢；

虽然你感到在被人爱，其实人家只不过是喜欢你而已；

我们常常不能分清自己心中的感情：是爱，还是只不过一时的喜欢；结果，有时我们付出过多，甚至全身心托付，却很快在惊悚或厌倦中觉醒，愧悔不迭；

我们常常不能分清袭来的感情：是只不过一时的喜欢，还真是达到了爱；结果，有时我们将就过多，乃至于全身心承受，却很快在对方的冷却与抽身中迷茫，痛苦难言；

虽然这并不困难，我们却常常忘记区分：是爱，还只不过是喜欢。

我们从此要注意区分。是爱河，那就不能视作仅流淌着喜欢的浅溪，只是在水边用脚尖轻薄地撩动；如果只不过是一道喜欢的弯渠，那就一定不要认作深深的爱河，盲目地往里头"扎猛子"。

虽然玉兰花在月光下羞怯地颤动过它的苞瓣，你却并未在一个春晨凝视过它的怒放；

虽然红睡莲引逗得黑蜻蜓不住地同它私语，你却并未在一个夏日的傍晚，漫步湖畔，深深地吸进晚风送过来的莲香；

虽然山峦变得绿中有红、红中有黄、黄中有紫，而紫中又套着墨绿，你却并未在一个晴和的秋午，双臂合抱胸前，与那秋山秋树共享斑斓的情趣；

虽然飘飞的雪花甚至已贴到了你的面颊，吻着你的热唇，你却只是任它融化，而全然无心环顾四周，欣赏它们浓笔绘出的奇妙图画；

你啊，可怜的当代都市牛仔，你的财富果真地在与日俱增么？而你的心灵风景，却很可能已是一片干枯的沙漠！

虽然我们总说"欢迎批评"，其实我们往往只被迫地接受裁决与责罚，而拒绝着宝贵的忠告。什么时候我们才能坚信"忠告即财富"呢？

1994 年 6 月 10 日绿叶居

如果篇

如果能摆脱条件反射式的笑容，而让脸上的微笑如晨光吻开玫瑰般自然，那该多好！

在一个匆匆的工作日又将被夜色吞没的时候，如果你邀请我去某个 KTV 引吭高歌，我也许会婉言拒绝，因为我觉得回到我那绝不豪华的家里，搂着我的小女儿，给她讲一个哪怕是已经讲过好多遍的童话故事，能使我得到更多的快乐。

如果我已经被不清不白而又充满诱惑力的事物缠住，那么，我会断然抽出心底的那把名叫"羞耻"的刀，斩去缠在身心的诱惑，以恢复一个清白的自我。

如果在许多天里，你都没有和你的配偶有过哪怕是短暂的对视，我以为是一桩可怕的事。是的，你会说，双方都太忙，回到家又是一大堆家务事……而且，你们似乎也并无矛盾，连"那号事"也颇正常……但我还是要说：配偶，其实应当就是那个只要在一起，便对视得最多的人。

如果你的窗外有一株树，你就应当把它视作一个亲人，你当然应该知道它是一株什么树，大概有多大的年龄，它的叶片有什么特点，它那也许是很不起眼的花与实是什么模样……当你休憩时，你可感到它的叶片在对你絮絮低语？当风雨袭来时，你可关注过它在飘风急雨中的枝摆叶落？当你在远方旅行时，当你思念起你的家、你的亲人时，你可也把那窗外的树包括在内？

如果你的窗外有一株树，那是你的福分，不要身在福中不知福啊！

如果你总是羡慕别人，你就会渐渐养成嫉妒的习惯；如果你养成了嫉妒的习惯，你就会渐渐远离快乐；如果你无论如何也快乐不起来，乃至于你明明取得了成绩、获得了成功也还是不开心——因为总有别人比你更出色更成功——你便会招来叫做"癌"的那个"朋友"！而且——信不信，并不由你！

如果你从到达风景名胜地开始，便总挂记着在哪儿吃饭吃什么饭一类的事，倒不如干脆在家里摆一桌子酒菜，一边翻阅一本关于那风景名胜地的画册，一边大吃大喝，可叹的是，像你这种"醉翁之意全在酒，而不在山水之间"的游客，还大有人在，所以，弄得一些本来非常秀美的地方，也开出了无数烟熏油爆以快朵颐的饭馆，大煞风景。如果你们有一天憬悟：为灵魂而"吃风景"是远比为消化道而寻快乐重要的事，你们方能称作真正的"游客"。

如果你住在楼上，外面正在下雨，你朝窗外望去，看见不少人打着伞走路，这时如果你心里产生出一个联想，你觉得那些不同颜色的伞活像一些游动的花，一些胀得浑圆、带着露水的花……那么，应当祝贺你，因为你有一个好心境，而好心境是你事业有成的力源，并且好心境更是你生命力健旺的标识。

如果你以为在亲人、挚友之间，"对不起"这三个字全然多余，那你是彻底地糊涂！其实，在亲人和挚友间，一旦出现始料未及的无心冒犯，"对不起"这三个字所引出的心理回馈，会更强烈、更醇厚，你们的心，将会更密合地"相印"。

如果你从未失过恋，那么，你未必是一个幸福的人。

因为失恋虽然令我们痛苦，却让我们懂得了感情之不可勉强。

屡恋屡成的人一旦失恋，存在着对所恋施暴的危险。

在经历失恋后所获得的爱情，往往才不仅会开出芳馥的花朵，而且结出甜蜜的果实。

暴风雨过后，如果有一道彩虹出现，我们会原谅它击落了那么多的花瓣树叶。

激烈争吵后，如果有一个微笑展现，我们会很快忘却许多的"急不择言"。如果在黄昏笼罩中，面对着都市的万丈红尘，你的心中生出一种无端的惆怅，那绝不是一桩坏事。

无论你个人取得了多么大的成功，但又一个黄昏昭示着你：去日苦多、来日渐少。

唯有将个体生命，紧紧地拥抱住真正的"意义"，并最终融汇进去，才可能接近永恒。

朋友，不来虚伪与矫情，请扪心自问：我们是否拥抱住了那个"意义"？

1994 年 6 月 10 日绿叶居

倦读记怅

这当然不是一个好现象——我最近很难提起读书的兴趣。

遥想当年，我还是一个初中生，到了王府井的"少儿读物门市部"——我清楚地记得，它就在帅府园的口上，后来那里改成了"蓝天服装店"——环顾着书架上的那些书，特别是那些童话和民间故事书，一颗心会怎样地狂跳，我恨不能把它们一股脑全买下，当然不是为了再去转卖，而是为了把它们赶紧地阅读一通！

那时读书真有一副好胃口，记得在当年的隆福寺旧书摊上，我曾用二百元旧币（折合为今币仅两分钱）买下了一本瓦西列夫斯卡亚的《杨柳树与人行道》，薄薄的，按字数大概只合如今的一个中篇，译者不记得为谁，但我很为那流畅并煽情的译文所打动。瓦氏系波兰出身的女作家，后长期在苏联定居，二次大战后有长篇《虹》获斯大林奖金，那本《杨柳树》大约是其早期作品，讲的是波兰工人受苦的故事，应属"阶级教育"一类读物，但很拨动了我热爱文学的柔肠，该书我保留了很久，直到"文革"前才失散。

至"文革"前，我已读了许多西方古典名著的译本，当然也读了若干中国古典文学名著，同许多青年人一样，我总是对"外面"的东西有着首选的兴趣，但像《青春之歌》、《创业史》、《红岩》等当时组织上号召阅读的革命小说，我也都是一口气读完的，并且相当感动。我很早就读过《鲁迅全集》——不是八十年代的通行版那样，删去了全部译文的不全之集，而是包括鲁迅先生所译的比如说《工人绥惠略夫》（原作者后被斯大林镇压，书亦不传）、《星花》（苏联拉甫列涅夫写的比他那《第四十一》更"出格"的中篇小说）、日本武者小路实笃的古怪剧本和盲人爱罗先珂的神经兮兮的童话（这自然是我的感受）等等节目的"大全集"，我对鲁迅先生的敬仰，从此历经悠悠岁月而不衰。

甚至在"文革"中，我也仍有着偷食"禁果"的强烈食欲，记得一本偶然得到的戏剧家丹钦科的回忆录《文艺·戏剧·生活》（撕去了封面，书页上布满水渍），令我在暗夜的昏灯中感慨不已。

"文革"后由于我自己登上了文坛，又做了几年编辑工作，所以读"时文"颇多，兴致一度也很高。近几年赋闲，重读喜爱的书，如故友重逢，有的，真是"士别三日，当刮目相待"，原来其中竟有潜藏的奥秘，以前未能发现，如今方心领神会，叹好书之实不怕暌别多日，重温旧梦，可屡滋新趣；有的，却"不堪回首"，当年不啻俊男玉女，如今邂逅，只觉面目平淡，衣着泛馊，只好归结为当年的幼稚，后悔何必"第二次握手"。

百读不厌的，是《红楼梦》，枕边必备，可从任何一页任何一行看起，仍是常读常新，惊叹其无所不备，而又仿佛毫不费功。

但近来居然有倦读情绪。

每天总有若干印出的文字，送到眼前，双眼却实在捞不出多少"鱼儿"，不敢说人家写的登的多是"文字垃圾"，但水浑少鱼，却是实情。再，不少新书且不说内容如何，其包装虽堪称华丽，排校却舛错百出，有的更达到骇人眼目的地步，读书之乐，还能几多？倦读的外因，大概如此。

不过主要还是自己心理上产生了问题，读书本已成为我生命的一个组成部分，别的时间且不说，光是每天出恭时，我就一定要手持一本书，至少是一本杂志一张报纸，才能安生，但近来我在出恭前，怎么也选不定可持读的东西，勉强抓了一样，到时却眼无趣心无力，倦倦倦，倦读——不是我已把书读够，而是我对书变得格外地挑剔。

这种过分的"挑食"，显然是一种病态，也许是我开始进入了老境？这征兆不是来得太早了么？为什么我现在很难被一本书所打动？甚至会干脆认为"被文字感动是幼稚的表现"！为什么我现在很难膺服一位著者？难道仅仅是为自己也写书，手未必高而眼已吊起八丈？为什么我现在那么害怕"浪费时间"，那么怀疑"开卷有益"

的古训？为什么不再有阅读《杨柳树与人行道》那样的激动，不再为《九三年》里的一个细节甚至一幅印得并不清晰的插图而浮想联翩？为什么我对着占有两面墙的书架，想抽出一本书来读，却总觉都可暂时放弃，就好比我如今在食品商场堆得满满的货架前，却会觉得"总无可食之物"？

我并不是厌读，而是倦读，并不是拒食，而是挑食。可是这很可怕，为此我很惆怅。

不能总把所有的书都仅仅当做"备用的文字资料"（这正是我越来越往上升腾的"读书观"），不能只剩下一部《红楼梦》能够反复翻阅，不能从此再没有鲜活的读书之乐与被文字打动而产生的内心激情……是的，不能！

有朋友对我说，我这种状态，他很理解，因为他也有同样的"症状"。他说，他分析他得"倦读病"的原因之一，是被时髦风气牵着鼻子走所致。西方社科新著译本大量推出时，他囫囵吞枣地读得头昏脑涨；西方现代派作品译本大量发行时，他不仅读西方人的"正品"，也读了不少中国新锐作家的"借鉴之作"；而西方的"后现代"文论尚未读竟，国人的"后现代"的"平面化"之作又接踵入眼……他偶尔读点"陈旧之作"，新潮人物嘲曰："你老兄怎么还读这种老古董！"他便抱惭而退，这样读下去，渐渐意趣全无，而压力陡增，焦虑已极，又焉能不倦读乃至厌读！

我的情况，确与这位朋友不同，但他的自剖，对我还是颇有启发，概言之，这种倦读情绪，应属一种文化困境的个人感染，往深里追究，要扪心自问：在这样的人文环境中，我们应以什么为读书的驱动力？

但愿这只是一时的低潮。

祝我尽快从倦读的状态中挣脱出来！

1994 年 7 月 6 日

豌豆苗的心香

有评论家把我写的小说归为"京味小说"之中，并断定我深受老舍先生影响，这当然都是对我厚爱之论。其实，我并非北京人，我落生在四川成都育婴堂街，并在重庆岸度过了童年，而我的祖籍，则是内江专区的安岳县，所以，我所吮吸的文化乳汁，有很浓酽的"长江文化"成分。

我只不过是在八九岁时，随父母乘船过夔门、出四川，来到北京，从此就定居于北京，积累了几十年的北京市民社会的生命体验，写小说多取北京世事变迁为素材而已。

我家迁居北京以后，一家人在一起的时候基本上还用四川话交谈，因此，我写小说，可能更多地师法于曹雪芹，在叙述语言上，不怕"南北杂糅"，我不可能像老舍先生那样，用非常纯粹的北京话思维，在小说叙述策略上，使用地地道道的北京话，一以贯之。我写北京人生活，在客观叙述时，更多是使用糅进北京话的书面语，当然，写到地道的北京人的对话时，我有能力描摹他们的"北京味"，这大概是一些论者将我归入"京味小说"作家的依据。

对我写作影响最大的本国现代作家，老舍先生不消说是其中一位，但排在最前面的，却还不是老舍先生，而是四川籍作家李劼人先生，他的《死水微澜》《暴风雨前》《大波》对我的影响力极大，我以为李劼人先生的创作，堪称是"长江文化"的璀璨结晶。

从前些年起，以一部电影《黄土地》为开端，使"黄土高原文化"威名大震，又波及到流行音乐、绘画、摄影、舞蹈、电视、文学……各个领域，并广播于海外，以至于使某些外国人一提到中国，脑子里浮现的便是黄土高坡的粗犷浊厚景色。其实，中华文化内涵极其丰富，黄河流域所构成的文化景观固然是极有代表性的一个大板块，除此之外，像东部渤、黄、东、南等海疆所构成的中国海洋文化、北部广袤的草原所构成的中国草原文化……当然也都是不可忽视的有机因素，而长江流域那既壮丽又秀媚的长江文化，也实在值得大大地弘扬！

我不是文化学专家，无力就"长江文化"提出理性的认知，而且，长江浩瀚，流域广阔，不仅其上、中、下游各具特性，仅就四川境内的种种自然景观与人文景观，便又有千番旖旎、万般风姿。以我对故乡安岳的朦胧记忆而言，那虽是所谓的穷乡僻壤，但一眼望去，绝非黄土高坡那般枯涩险诡，而是一阕浑厚润泽的"绿色交响乐"，稻秧嫩绿，竹丛流碧，近坡披翠，远山背黛，田塍上豆苗茂盛，又间有大块的油菜地，正怒放着金花……不仅眼睛的感受与黄土高坡大为异趣，鼻息里还往往有豌豆苗的清香在氤氲窜动，唉唉，那是怎样地牵魂夺魄啊！就在这样的沃土上，勤劳的民众用他们的脑和手，创造出了怎样的文化！而我这个在长江流域度过了童年的中国人，在我的血里、肉里、骨里、魂里，怎再能剥析开"长江文化"的融铸、熏陶！

说到底，当我们说"我是中国人"的时候，我们最终是在认知我们是中华文化的一个传人，而我们的生存意义，也便是努力使自己在这传承中将它发展，并努力地将它融汇到整个人类的文明之中，令我们的星球在宇宙中灿烂放光！

1994 年 12 月 6 日

爱斯不难读

我上中学的时候，学的是俄语。那是俄语吃香的年代。教我们俄语的教员，本是学英语的，但他都羞于承认自己懂得那种"帝国主义语言"。但后来俄语也不时兴了。我一个哥哥毕业于北京大学俄罗斯语言文学专业，可以说受到了在中国所能得到的最好俄语教育，但他毕业后恰逢中苏交恶，被分配到外地一个农村中学工作，有一回就有一位极淳朴的学生家长问他："你懂那修正主义的话哦？"让他不禁涨红了双颊。

但也许是出于对外部世界的好奇，我"学外语之心不死"，六十年代头两年，一个偶然机会，我接触到了一点关于"世界语"的知识，于是很兴奋，觉得波兰那位创建"世界语"的柴门霍夫，他的立意，是为了用这样一种语言促进世界大同，至少应算是个左派人物，而且在中国，积极推行世界语的，如胡愈之、楚图南等人，也都分明是革命的或进步的人士；我还特别欣赏"世界语"这个词汇的拼法：Esperanto，中文的音译，恰是"爱斯不难读"，你听多好！这"不难读"的"世界语"，能不爱它吗？

可是"文革"的急风暴雨，彻底砸碎了我的"外语梦"。记得是一个雷雨之夜，在学校宿舍中，我已睡熟，忽然屋门被擂得山响，几被捶破，我惊醒后赶忙提着裤子开门，立刻冲进来若干汗津津喘吁吁的"红卫兵"，他们有的手里拿着军训用的木枪，怒目圆睁地围住了我，我得承认，一霎时真是给吓懵了；懵懂中，只见为首的一位把手里抓着的一张印刷品直伸到我的鼻子底下，怒声喝问："是你的吗？！"我定睛一看，是一张铜版画，那原是我的，后来，送给一位教俄语的老师了，那位老师，已作为"现行反革命"揪出，"红卫兵"连夜揪斗他，从他宿舍中抄出了那张铜版画，认为是很大的一个"罪证",遂拷问他从何而来,他到头只好如实交代:系我所赠。那时我刚到中学教书不久,既非"当权派",亦非"权威",本身无历史"过节",平时跟学生关系也好,所以"红卫兵"并不是要揪我,他们冲过来找我,本是想让我证实那位俄语教员在"胡咬",但我面对那张当年"割爱"赠人的铜版画,立刻重复地说:"这原来是我的,是我的……""红卫兵"们于是义正辞严地呵斥了我一番,大意是:这画上画的是啥玩意儿?地地道道的苏修丑恶景象!而且这底下一串的俄文,为什么对"苏修语言"这么样地有感情?……看在你还属于人民内部矛盾的分儿上,今天你当着我们把它扯了,也就算了,要不,把你拉过去一起斗!我当然立刻接过来,当着他们把那画儿扯了。他们临去时,其中一位还扭过头来训我说:"要学外语,为什么不学阿尔巴尼亚语?!"他们一阵风地走了,我站在屋当中,呆呆地望着地上的碎纸片,在惊怕之余,又不禁惨笑。那张印制得很精美的素色铜版画,画面上根本不是苏俄的景色,而是匈牙利布达佩斯的一座古老宫殿,底下的文字,既非俄文也非匈牙利文,而是"世界语",可是,我能给这些刚上初中就遇上了"造反有理"的"盛大节日"的狂热分子解释清楚吗?我如试图解释,岂不"越描越黑"?

我当然没去遵"小将"之嘱学阿尔巴尼亚语,到1972年后,还没等"文革"结束,因为中美修好等外交上的重大变化,社会上开始有了学习英语的空气,那时中学的英语课也有了设置,但课文大抵是些"文革"口号和领袖语录,教师教起来吃力,学生学着也费劲,有那英美国家的人偶然看见了那样的英语课本,竟说他们"看不懂"。直到"文革"结束,英语教学才恢复到正常的轨道上,而这时的我,俄语忘光,"世界语"远离,再学英语又觉自己为时已晚,"掌握一门外国语"的愿望落空了,不过却也并不怎么特别地惆怅,因为我总算可以自由自在地用我自己民族的语言,表达我想表达的了。

没想到世道的变化,果然是白云苍狗,而自己,也随着世事的变化,有了更大的"文学胃口",原不过是一种"朴素的文学感情",觉得能写出人家认可是文学的东西,发表出来,就挺不错的,后来就觉得要写自己认为是文学的东西,再后来就觉得文学不仅是本国本民族的一种文明,也是整个人类文明的重要组成部分,因此眼光就越出了国境,恰好我们也打开了国门,机遇凑巧,竟又数次连身子也晃出国去,所谓"中国文学要走向世界"之说,也便不仅听来顺耳,仿佛跟自己也有了点关系似的,而在这个节骨眼儿上,忽然间,外语问题又冒了出来,成为一个似乎不能再毫无所谓的"坎儿"。

柴门霍夫所创造的那个"爱斯不难读",虽尚在东欧等地仍有人使用,可是我们面对的现实,是英语的霸权地位,有人说"英语是国际知识分子的公用语言",我是认头的,以我多次出境访问的经验,你如掌握了一般的生活英语,那么你周游全球,在各个旅行环节的衣食住行上,便不会有大的困难;倘若你能熟练地运用英语,那么你在任何一种世界性学术会议上都可以很顺畅地跟与会者进行交流;而你在"第一世界"里所见到的作家,无论他的创作母语是哪一种,比如说法语、德语、西班牙语、俄语……乃至阿拉伯语、意第绪语什么的,你用英语同他们交流,一切都不成问题,而你如果完全不懂英语,又没人给你翻译,那你会尴尬万分;说实在的,英语现在不仅是商界、学术界的全球性公用语,而且大有要成为"世界语"的架式。

当然,即使这样,一个中国作家,也还是可以不学英语。但你自己不学不要紧,你的著作要是没人给你翻译成外语特别是英语出版,那么你的作品,可就无法"走向世界"了。那个世人所瞩目的诺贝尔文学奖,最早规定,是必得有瑞典文的文本,现在因为评定这个奖的院士们全都精通英语,所以你只要有英语译本就行。1994年的得主,日本的大江健三郎,他就有七本书都译成了英语,给他奖,当然不是因为评定这奖的院士们读了他的日文原著,而是读了那英语译本。有些非"第一世界"国家的作家,特别是某些"第三世界"作家,他们并不怎么用自己的母语写作,而是直接用英语写作,结果获得一种"优势",毋庸经过翻译这道工序,便大获西方人青睐,甚至获得诺贝尔文学奖,如索因卡、布罗斯基、沃尔科特等;近几年,也开始有些中国人,干脆连人带语言都全盘英美化,直接用英语写书,在西方出版,有的获得了相当不错的效果,当然,他们所写的,是中国这边的事,西方人可以如此便当地读到用他们语言顺他们阅读习惯并进入他们图书发行轨道的"中国故事",这以后,他们还会对必得翻译一通的中国小说感兴趣吗?

那个出身于巴勒斯坦,并早已定居美国的赛义德,用英语写了他那抨击西方搞"后殖民主义"的书,不管怎么说,他抓住了个理儿:凭什么东方人得按西方的标准生活?连自己的语言都在日渐消退,而英语倒成了"第三世界"凡想有点儿身份的人必得掌握的语言?当然他所说的那个"话语"还有更深层含义,这里且不论,我现在联想到的是,一种超越各民族语言的"爱斯不难读",到底何时才能成为世界文化交流的"公平符码"?这一理想,真的要被"英语就是世界语"所取代吗?

1994 年 12 月 9 日

朴素的阅读感情

上中学时，每到开学领到新课本，回到家里，我总要忍不住摩挲翻阅良久，特别是那一学期的语文课本。当我在那种情况下读语文课本里的文学作品时，常从心底里自然而然地产生出惊喜、惊奇或疑惑、失望的情绪来。那，便是一种朴素的阅读感情。这种阅读状态的优点，首先是具有非功利性，因而比较容易进入纯粹的审美境界，但其缺点也是很明显的，便是很受自身所达到的认知感应水平的局限，往往把浅近视为绝妙，而将深刻当做了乏味。有的文章，后来在课堂上经老师讲解、启发，这才茅塞顿开，如眼前散去了灰雾，终于看到了明丽的美景，于是痛感光凭一己的朴素阅读感情，实在会永远地蒙昧下去。当然，也有的文章，任凭老师掰开揉碎地条分缕析，又或层层剥笋、探骨入髓，理智上是懂得那是名家经典，并且因为考试时入题的可能性极大，为不丢分计，也能把那些个中心意思、段落大意、写作特点背得溜熟，但私心里却还被朴素的阅读感情所左右，怎么也喜欢不起来，直到永久。

现在年过半百，因为经历过太多的非自愿与非自选的阅读过程，一度险些失去了朴素的阅读感情，所以当进入无职一身轻，并且可充分地自选阅读对象，以非功利之心，松松弛弛地翻翻看看时，竟又往往由朴素的阅读感占了上风，或边读边颔首赞叹，或抛书仰笑欢乐开怀，或摇头撇嘴心想不过尔尔，或竟愤然罢读誓不再沾……倒也悠哉悠哉，我行我素，颇称自得。

但仔细想来，朴素的阅读感情不可无，却也不可任其淹没了理性的认知。因为感情这东西，很容易挟带偏见，用简单化的"真棒"、"喜欢"、"没劲"、"讨厌"……来代替客观的科学标准，如是个人在家里自言自语，或顶多是与一二亲朋随便聊聊，倒也罢了，如是写成文章，作为文学评论，则就未免是感情用事，起不到应有的良性作用了！

所以，如今我把自己的阅读与评议分作两档。一档是完全听任朴素的阅读感情当家的"私人阅评"，一档是参与社会文化活动的阅读评议。比如说，我个人的朴素阅读感情，是极钟爱李劼人的《死水微澜》的，认为在我所读过的与他同时代的作家同一历史时期的长篇创作里，不是一般地好，而是超水平地妙；再如，有位四十年代的作家，叫欧阳凡海，他写了部长篇叫《无辜者》，我以为也极好，很奇怪为什么现在竟没有出版社给他重印。但我一般都只是在私下场合与人交谈时，任凭朴素的感情汹涌澎湃，甚至于使用一些极端化的谚语，如某某的什么什么，文学史上评价那么高，但倘若拿来跟这个比一比，哼，简直是盘死板地照着菜谱炒的菜！如果写文章提到这两部著作，我就会比较冷静，因为，不是我不可以发表独到的见解，而是，文章面对广大读者，介入社会文化生活，我就不能光凭一己的偏爱或偏厌立论，我必得超越朴素的阅读感情，先占有更充分的材料，做好案头的对比分析工作，形成有学术价值的命意，再选取起码是自成逻辑的批评方法，认真地当然也应该是生动地表达出自己确属标新立异的见解来。从朴素的阅读感情直接跳跃到一个耸听的结论上，我以为那不是严肃的文学批评。写文章表达自己肯定什么需要如此，写文章表达自己否定什么更应如此，而且，总是在那里肯定或否定什么，恐怕也不是什么高明的文学批评。我以为，真正有价值的文学批评，不仅应超越朴素的阅读感情，也应超越肯定、否定以及开单子、排座次、贴标签、封大师……批评模式，应是或从作家作品的分析中升华出对人类文化现象的睿智理性认知，建构出一个有魅力的自足体系，或提供出一种令人耳目一新的批评方法。

当然，也还有一种朴素的非阅读感情，此话怎讲？就是说，有时候，并没有读过那作家的那作品，却仅仅凭借主观猜测、道听途说、宗派情绪、无据联想……便产生出一种粗陋的感情来，并加以发泄。自我检查，倒还并未落入到这种渊薮里，幸哉！

1994 年 12 月 19 日

我要上天，我要入地

梅兰芳的《宇宙锋》，最精彩是"装疯"一折，五十年代拍成了电影，导演是吴祖光。现在不少人忘记或简直不知道，吴先生曾是正儿八经的电影导演（并非"玩票"），他四十年代在香港导演过故事片，五十年代导演过梅兰芳的好几部舞台艺术片，包括《宇宙锋》在内的这些舞台艺术片，现在都成了具有文物价值的艺术瑰宝。

吴导所拍的《宇宙锋》"装疯"一折，不仅梅大师的表演出神入化，与之配戏的张蝶芬（饰哑奴）、刘连荣（饰赵高）也严丝合缝，堪称"珠联璧合"。

戏中梅大师所饰的赵艳蓉"把乌云扯乱，抓花容脱绣鞋扯破了衣衫"，"倒卧在尘埃地信口胡言"，其"胡言"之一，便是"我要上天"和"我要入地"。此话一出，赵高顿感不妙，忙说"天高上不去"、"地深入不了"，当然光是这样的"疯话"，还不足以让赵高绝望，所以又在哑奴的暗示下，爽性"假意儿懒睁杏眼，摇摇摆，摆摆摇，扭捏向前"，竟一把抓住赵高，"把官人一声来唤……奴的夫呀，随儿到红罗帐倒凤颠鸾！"这下赵高算是认定女儿真疯了，将女儿献给皇帝以求深宠的计划拉吹，只好自叹晦气。

我在少年时代，因为父母兄姊均喜京剧，家中时有胡琴清唱之声。两位哥哥更曾粉墨登场，一位专攻梅派，《宇宙锋》亦是排练剧目之一。所以我平时虽学唱小生，哥哥排《宇宙锋》"装疯"，硬派我暂饰哑奴，也只好帮他配练那些个复杂而优美的身段。我对赵艳蓉居然听哑奴指点去装疯这一点，非常感兴趣，所以演来很是卖力，只是总忍不住要"笑场"，有时就气得哥哥停下排演，由"疯女"而摇身为"怒哥"，跺着脚说:"真真要把我气疯了!"我便笑得更厉害,说:"你要的不就是真疯的效果吗?"

记得当年在与哥哥排戏时,我曾迷惑不解地问:"想要上天入地,那不是很正常的想法吗?我就总有这样的想法,怎么会是'疯话'呢?"哥哥也是读过那时候很流行的法国科幻作家儒勒·凡尔纳的《月界旅行》、《地心游记》的,他略一沉吟,解释说:"那是古代吧,古人的见识也就是那样吧。"

弹指间,与哥哥那么无忧无虑地"装疯",已成飘远的落英了。世道的变迁,文学的嬗递,令人无限感慨,现在我忽然悟到,"我要上天,我要入地",对别的社会群落不知怎么样,对弄文学的人来说,确确乎不能视为"疯话",甚至于,我以为,好的作家,好的作品,实在地,需要有那么一种"上天入地"的"疯劲儿"。

"我要上天",作为文学来说,就是不满足于文本的漂亮,而是还升华着深邃独特的哲思,当然这种升腾的哲思不一定要直接说出,最好融贯于鲜活复杂的文学形象与行云流水般的文学语言中。"我要入地",就是不满足于仅是或描摹或变形或想象出人的生存状态,而是要挖掘到人性的深处,尤其是人性恶的最酽黑的底蕴。当然这种挖掘有种种不同的方式,可以用一把充满义愤与控诉的利铲,也可以用饱浸讥讽与嘲谑的尖锥,更可以用不动声色的锄头,乃至用充满大悲悯的"终于赦免"的激光,来引出于全人类皆有裨益的心灵悸动。

有人说,凡浸淫于文学艺术的人,都有点痴,有点疯,至少有点神经质,这虽不能作为一个规律,却也是看得见摸得着的人间景象。因此,社会各界,对真正醉心于独创的文学家艺术家,无妨多一点宽容,多一点谅解;而且,他们那些全身心地"上穷碧落下黄泉"求索不已的作品中,很可能确实给从政治家、企业家一直到最普通最"底层"的人们,提供着认知启示与心灵滋养。

要上天就上天吧,要入地就入地吧,心灵潜能无限,文学潜能亦然,期待别人,也鞭策自己,展拓出更宏阔深邃的文学空间!

1995 年 3 月 10 日

在爱的船舶中

得到海峡文艺出版社出版的《冰心全集》，本想放在书架上，留着慢慢读，谁知一翻之后，不禁从站姿变为坐姿，又从坐姿变为倚枕半卧——这是我与书之间的最亲密的姿势——直到从第一卷翻至第八卷，除细看照片外，又隔三差五地选读了若干原已熟悉的美文，以及许多原来无从得见——应是第一次面世——的书简，掩卷之后，思绪缱绻，竟不觉傍晚已至，家人唤起来吃饭，这才将八卷全集放入书架。

冰心的文章虽然贯穿于整个世纪，浸润了几代中国人的灵魂，但是在这个波澜壮阔，或者说波诡云谲的时代里，始终并未处于中心地带，有些时候，真是被漾远于相当边缘的位置，但事物的久远价值，并不能以一时的煊赫来判定，冰心著述的伟大，恰在于其美轮美奂的平常。

记得几年前去拜望冰心老前辈，她蔼然地问及我的家庭，我便细细地讲给她听，她听完，很认真地跟我说："家是一只船，这只船很小，但是很重要。这只船里应该有爱：有的人在受到来自社会的打击时，他支撑不下去，甚至毁灭了，那跟他回到家里，得不到小船上的爱，心灵没有了最后的支点，有关系……所以你要爱你的家，关心你的家人，让这只爱的小船，能在风雨波浪里，继续驶往光明，驶往幸福！"当时，我虽很感激老前辈对我以及家人的关怀祝福，却并没有产生出多么浓酽厚重的感想。那时候，我正血气方刚，总爱听一些不凡之论，自己说起话来写起文章，也总是"语不惊人死不休"；冰心老前辈的话，似乎太平常，属于常情常理，也就是年轻人往往觉得不过瘾，不深奥，更缺乏强刺激，显得未免平实直白的所谓"浅显的道理"。

经受过近 10 年的时代风雨，我也算是滚过几个筋斗，越过了几个跨栏，吃了几堑长了几智，至今仍在文学跑道上奔驰未息，回头凝望，静夜细思，冰心老前辈说给我的那些话，便至为宝贵，并且在应验中，使我懂得，有些最平常的事物，最平实的话语，其实是最值得珍惜的。

当然，冰心只是我们这个世纪的民族伟人之一，而且在涉及方方面面的众多伟人之中，她也只在文学这一隅，并且即使在这一隅中，她也只是多元的壮丽文学花园里的一种香花罢了。比较起来，有的人或许更高扬理想的大旗，有的人或许更壮怀激烈，有的人或许更庞然硕大，有的人或许更深奥繁复……但她在一个世纪之中，越过那么多的风云际会，那么多的惊涛骇浪，始终坚持在民族的心灵中注入爱的涓流，孜孜不倦地诲人以最基本的关爱：爱生我养我的父母，爱长辈，爱老师，爱兄弟姊妹，爱子女，爱家庭……并由家庭这只小小的爱舟辐射出去，将淳朴的爱，及于同窗、同行、邻居、友人、旅伴……再及于山海、草木、故乡、民族、祖国、世界、人类，以至于整个宇宙。

冰心的爱，可能有时超越阶级，并穿梭于中西文化之间，但仍是有原则的爱，她在抗日战争期间鲜明的爱国主义与反法西斯立场，将她的创作明白无误地划定在了属于进步人类的一边。现在我们国家在以经济建设为中心的实践中已经取得了举世瞩目的成就，在这样一种情形下，冰心关于以家庭为本位的爱的诉求，便具有了常读常新的现实意义，翻阅着刚刚到手的八卷全集，我不禁这样想：倘若我们每一个社会成员都首先能爱自己的亲人，大多数家庭都能充盈着互爱互励的气氛，并且每一个社区的邻里间都能够建立起互谅互助的人际关系，大多数单位里都能有一种同舟共济的氛围，那么，我们的社会便能更加稳定，经济便能更加繁荣，而一些新的道德观念，新的伦理关系，也可望早日萌芽，健康发育……

冰心所倡导的关爱里，也不是没有必要的恨，必要的讽刺乃至于相当强硬的据理力争，我们不要忘记，在本世纪初白话文学中，冰心是"问题小说"的始作俑者，也就是说，自那半个多世纪后的"伤痕文学"、"反思文学"等充满激昂情怀的小说，其实都承继着冰心早期小说的血脉，只不过，后来冰心的创作更多地转向散文随笔，并更多地吁求最素朴最本原的人间之爱罢了，而这爱也是有骨之爱，我们在她以八九十高龄所写出的关于教育现状的充满焦虑的文字中，可见到她愈加刚硬的脊骨。

　　忽然又想到八十年代初，在新侨饭店文学界一次座谈会上，包括我在内的一些中青年作家真有点欲推进民主进步舍我其谁，并大有振臂一呼便毕其功于一役的狂傲气概，最后会议主持者请冰心发言，她心平气和地说："以我 80 年的经历，我想说，实现民主不是一件简单的事，那是一桩复杂的社会工程……"当时我浑身的血正沸，听见她这话如何不觉是兜头一盆冷水？心中很是悻悻。但她那充满了理解与关爱，却又以 80 年的人生体验所竭诚提供的忠告，却于我，也不仅是我，后来我与另外几位当时在座的朋友谈起，都痛感这平直的"老人言"里，有很深刻的内涵。现在 15 年过去，那音容宛在，而其营养，还有消化的余地。

　　翻动着八卷全集，看到其中许多头一回面世的书信，信笔草出的短短文字中，竟漾溢着如许醇厚的人性善美，是爱的旋律，也是爱的实践。冰心的人格力量，甚至于更集中地凝聚在了其中。于是觉得这次出的并不算全集，因为冰心老前辈给我的许多封信，便并不在其中。编辑也曾向我征集过，先是因为搬家，东西一片混乱，无从检出，后来是我自己未能积极响应，现在见到这书，才后悔不迭。冰心晚年的信函，大都片纸简言，单看一两封，或单看给同一收信者的，似琐碎平淡，合观则竟呈现出瑰丽的精神景观，如不褪的彩虹。不过，我想，这全集定有增订之时，冰心老前辈给我的信，还有与大家分享的机会。

　　《冰心全集》是爱的船舶。于我将在这爱的船舶中获得更多生的智慧与进的勇气！

1995. 8. 26 于参加《冰心全集》出版座谈会后

桃 红

我家附近的护城河边，有一株桃树。护城河边栽种的植物，分布是很有规律的。我家附近的这一段，乔木基本上只是垂柳与桧柏两种，间隔相等地交换矗立。可是不知为什么在其中一处地方忽有这样一株桃树，它不与垂柳、桧柏看齐，很别致地长在临水处，并且朝河心倾斜。每年春天，柳梢未能泛绿、桧柏未能转碧时，它是最早向附近居民传递早春气息的信使。连续几年了，每当我觉得春天该至却一时春意尚淡时，我便会下楼去看望它。今天我再一次迎着乍暖还寒的小风去它那里。我欣喜地看到，它那紫膛色的树皮，鲜润了许多，而满树的枝杈上，都已鼓胀出了丰盈的花蕾。那花蕾的颜色，说是浅红、粉红、淡红、胭脂红都不恰切，那是独有的红，只好直称其为桃红。

桃红柳绿，是春色中最主要的因素，然而，从贵族的眼里望去，会被视为"俗艳"；有时更被视为轻佻、"狐媚"。《红楼梦》里的王夫人之迫害晴雯，"理由"之一，便是"我看不上这浪样儿！谁许你这样花红柳绿的妆扮！""桃红又是一年春"，桃红是"花红"的先声，但因为开得早也便谢得早，便有"轻薄桃花逐水流"的恶谥。民乐中有《小桃红》，一般也都认为是较为庸浅的俗曲。但是我却颇为桃红不平。

牡丹华贵，堪称"国色天香"；芙蓉清雅，自属"曲高和寡"。还有若干高贵的花卉，具有非同小可的红颜。然而平民化的桃红，实在不该受到奚落与鄙薄。

我认识一位名叫桃红的妇女。她原是我家的邻居。她默默无闻地在针织厂当了30 多年的熨烫工。她家父母去世得早，她是老大，底下有两个弟弟两个妹妹。在 30

年前直到 20 年前的那段岁月里，她以每月 30 多元的工资，竟能为陆续上山下乡的弟妹个个都置备齐铺盖、木板箱、衣服用具，把他们一一送走，后来又一个一个地把他们接应回城，帮助他们一一就业成家……我所曾目睹感受的种种，当我面对护城河的桃树，端详着那些并没有香气的朴素花蕾时，便往往会联想牵系，生动地浮现出许多的细节。桃红结婚很晚，孩子至今还在上学。她的丈夫，是个"清水衙门"里老实巴交的公务员。前些时我曾在护城河边遇见她，她平静地告诉我，她们那个厂子已然倒闭，但是迟迟未被别厂兼并，她本人已经下岗，正积极地在寻觅"再就业"的路子。问及她的弟妹，他们也都是些最基层的工人、售货员、小公务员，她说有一个弟弟、一个弟媳、一个妹妹也都下了岗。对于她和她的这些亲戚来说，生活仍是艰辛的。可是我注意到，她在和我谈话时，手里一直托着一个花盆，用塑料薄膜包拢着，那里面，是大片绿叶簇拥着粉红花苞的瓜叶菊；见问，她便告诉我，是刚从大弟弟家拿来的，要拿到自己家，好好地养，欣赏那美丽的花朵。我从她平静而坚毅的神情，以及那手托的花盆中，感受到一种来自底层的韧性与善良。

　　当然，我的看重桃树，尊重桃红，也许是太与个人的这种人际联想相关了。但无论如何，我不怕人讥我为"底层情结"。这份"情"这个"结"有何不妥呢？令我惭愧的只是，徒然会到护城河边赏花，却一时想不出来，为他们，这些平民朋友，能做点什么实事？

1997 年 3 月 15 日

淡黄的银杏

拨完他家的电话号码，我禁不住心跳加剧。

是他爱人接的电话，我急切地问："怎么样？好多了吧？"

他爱人说："他要自己跟你说话呢！……"于是我听见他爱人放下电话，扶他走到电话机旁的声息。他们家为什么不把电话挪到他枕边呢？啊，那会太惊扰他……可他也不必非挪过来接我的电话啊！……

我跟他是"总角之交"，并且从初中到高中，都在一个班里滚；我们一起经历了难忘的少年时期，并一起迈进了青春的门槛……以后的 30 多年里，我们难得地一直保持着联系；直到现在我才意识到，人生中这样的一种关系是至为宝贵的。

他在中学时便是一名出色的体操运动员，并且从初一起就能从 10 米跳台上往下翻着跟头跳水……上大学时他曾在市级运动会上拿过冠军；然而，现在他却被查出了骨癌！这是我难以承认的事实……

是他本人，半个月前，在电话中把这一消息冷静地报告给了我。他知道我一定恨不得马上去看望他，并且估计我也一定会给他提些人们常给病人提去的东西，诸如水果、罐头、补品什么的，或者还配上一束鲜花……他便告诉我，一般的同事、朋友、老同学，他都不会主动通知，人家知道了，来不来看望他，看望时愿意往医院送些什么礼物，他都悉听尊便；但对于我，他的态度是十分明确的：当然应当去看他，但不要去医院，他现在每周一至五都在医院里，主要是进行放射性治疗，但周六、日他回家休息，他要我等到双休日，去相对来说，离我住处要比去医院远上一倍的他家去见见；并且他嘱咐我一定要给他带些可以看着解闷的东西。到了周六，我当然马上去了他家。我和爱人给他提了一大兜子我认为可以让他开心、解闷的书报杂志，包括我新出不久的小说集。爱人本来坚持要提一堆补品去，后来我使她明白，我和他不是一般的交情，所以一定要"免俗"。我们给了他爱人600元钱，让她根据实际需要，来给他买些可以辅助治疗、调养身体的食品。他们极爽快地收下了。那天他居然兴致勃勃地倚在床上跟我聊了一个多小时，他爱人说他的精神气色是入院后头一回那么样地好！

他自己告诉我，查实了那长在骨盆上的骨癌后，他都下决心动手术"卸下四分之一的身体"了！可是医生进一步查实，他骨上的瘤子还并非原发的，而是从他肝部窜移过来的！这样，就不能动手术，并且还要治肝！他笑着说："奇怪！我从来没做过什么坏事呀！……"我当着他的面也只是跟他笑着插科打诨，心里却非常地酸楚；他岂止是没做过坏事！他在平凡的岗位上，几十年如一日，做了那么多细微繁琐的好事，那在他们单位是有口皆碑的啊！

他不要我总去看他。但希望我至少每周要往他家打一回电话。中学同学们有时打电话到我这里，议起他的情况，总是些强作乐观其实更令我惊恐的话语。所以这个周六我打通电话后，心里非常紧张。特别是，我知道，对别人他和他的家人或许总要强作祥语，但对我却肯定还是直言不讳……

我听到电话里传来他的声音："哎，你好！……我问你呀，银杏树结出的果实，是什么样子呀！……"

我便说："是有人给你介绍了偏方吗？银杏就是白果呀！外头一层薄薄的壳儿，银白色，所以叫银杏啊！……银杏有小毒，所以不能多吃！不过，对于特殊的病人，它也许能起到'以毒攻毒'的作用吧？……谁给你介绍的偏方？其实你真的无妨试试呢！……"

他在那边问我："你在哪儿看到的银杏？银杏的果实结出来，那果肉是白色的吗？"

我有点糊涂了："我当然看到过啦！我在《笑星和我》那篇小说里，不是写到了五塔寺的银杏树吗？那儿有两棵好粗好壮的银杏树，恰好一雄一雌，所以每到秋天，就挂满了银杏，熟透了，还自动往地下掉……怎么，这对你的偏方很重要吗？"

他在那边认真地说："我记得银杏的果实，跟核桃一样，它外头是有一层果肉包着的，熟透了，应该是淡黄色的，而不直接显示出银白色……剥去那外果肉以后，才是银白色的果核，剥下果核，里头的果仁儿，是软和的，淡绿色的……对不对？"

我便问："你那偏方，是不是非要用外头的那层果肉呢？"

他说："我没说偏方，我说的是你小说里的描写，你行文时说：银杏树上，金黄的叶片中，缀满肥硕的白果……恍若银珠；这是不准确的啊！银杏的果实，熟后应该是淡黄色的呀！你应当准确地描写它才对啊！……"

原来他是在给我小说中关于银杏的描写郑重地提出批评意见！

我终于弄明白了以后，一种莫可形容的感动，如热浪般滚过全身……

我们一起度过的那些青春岁月，倏地，浓缩重叠放射进星般地涌动在我的魂魄中……一个身患绝症的朋友，他此刻孜孜汲汲所关切着的竟是我的小说如何能把每一个细节都处理得天衣无缝！……我一时无语相对，只在心里默祷：具有如此真率与善美心灵的人，是应当享有其天年的！而那淡黄的银杏，将永远烙嵌在我的心灵中，昭示着我：生命固有终结，而对他人的无私关爱，却通向着永恒！

1996 年 3 月 12 日

跃向蓝天

接到李纪爱人电话后，忽然炸雷阵阵，天降骤雨，这是"天人感应"么？我心里发紧。李纪与我是"总角之交"，我俩在北京二十一中上初中和在北京六十五中上高中时，都同班。他实在多才多艺，初中时便弹得一手好钢琴，体育方面乒乓球、举重、游泳、跳水都很棒，我那时常站在 10 米跳台下面，仰望张臂弹跳准备入水的他，佩服得不行；又曾在区级运动会体操比赛现场，看他在双杠上翻摆自如，最后竟高高跃起，空中转体，正当我屏气心紧之时，他已稳稳落在垫上……可就是这么一个体育特棒的人，去年年初却突然查出了癌来！他爱人这回给我来电话说："你们俩关系不一般，所以我通知你，他已开始进入昏迷……"我搁下电话，不待雨停，急忙赶到医院。

我强忍住眼泪，轻轻推开病房的门……我愣住了，没有我预想中的亲人围床或医护人员抢救一类的场面，只有他一个人卧在病床上，并且非常清醒地，用明澈的眼睛望着我，喜出望外地说："咦，你来了！是第六感觉吧？觉得我这时候正想你，对不？"我略显惶惑，他便问："是……他们给你打电话了？"我恍然，便说："什么电话？是……大雷大雨，把我召来了……确确实实，我们之间有神秘的第六感觉！"于是我便坐在病床边，跟他闲聊起来。我发现那盖住他身躯的被单，在他腹部高高地鼓起，而一根透明胶管把他的尿引到垂在床下的接尿袋中，里面是红色的血尿，便不像往次那样询问他的病情，而是引他回忆我们少年和青年时代共同接触过的那些妙人趣事……他的爱人、弟弟、儿子陆续地回到病房，原来他们都只是短暂地离开了一下……他们跟我打过招呼后，便一边帮他翻身、吸水，一边静听我俩闲聊……李纪跟我说，他正看萧乾、文洁若合译的《尤里西斯》，很有趣，但他听说金堤的译本另有一味，希望我能帮他找到送来……最后李纪自己提到了他的病，说"痛起来真像下地狱一样"，他爱人忍不住便插进来说，他这是头一回这么说，又责备他"既然如此，为什么不把止痛药全吃掉"？李纪便对我说，不能让自己对止痛药上瘾，要让这药更持久地起到镇痛作用！他微笑着说："我怎么着也该再坚持 5 年吧！"我憋回涌到眼角的泪，忙转换了一个话题。我们居然聊了一个半钟头！我一再地告辞，他一再地说："没事，再聊聊，再聊聊！"他爱人等也不劝，由着我们聊。

我离开病房不到 50 个小时，李纪便走了。他爱人告诉我，他跟我聊的那一个半小时，几乎是他昏迷后仅有的清醒期。李纪在中学热爱数理化，他在高二时便常拿着大学理科的高等数学课本，解微积分难题"玩"。他积极要求加入共青团，每到寒暑假都动员我跟他一起参加"团课学习班"、下乡参加劳动。在 1959 年的高考中，他考分不低，可是由于他"出身不好"，又被戴"有色眼镜"的人看扁，在他的报名表上写了"建议不予录取"这类意思的评语，致使他先是落榜，后来因为师范学院中文系招不满，才又从"废档"中将他的报名表检出，得以入学，毕业后分配到北京三十中当了一名并不适合他志趣也非他最能施展特长的语文教师，但他在那岗位上兢兢业业，不断培植自己的业务兴趣，终于成为优秀的一员；后来该校改为法律学校，他当了副校长，工作极其认真负责，他是在去年春节前，亲自到陶然亭踏勘学生们越野赛跑路线时，病情突然恶性发作，被送进医院的。李纪的英年早逝，当年的同窗都很悲痛。我遇到现在已经成为建筑大师的马国馨，对他说："李纪没能充分展现他的才能和价值。"马大师也为这位高中同窗叹息，并对我说："你能不能写篇文章，寄托我们共同的祈盼？"当然，我要写，愿今后世法平等、人尽其才。文章写完，我觉得仿佛又看到了从 10 米跳台上高高跃起的李纪，他从容地跃向了蓝天。

1997 年 8 月 1 日

寄往仙界

去年暮春我在一家小书店的架子上发现了一本王小波的《黄金时代》。这本书我耳闻已久，却一直未看。于是我便从书架上抽出它来立读。我在书店立读的功夫是很深的，可称是我的"童子功"。王小波的小说语言仿佛磁石般吸住了我，一种阅读快感与惊诧跃动在我的心中。但我没买下那本书。把书放回书架前我产生了一个想法，便是，何不想办法认识这个文字如此有魅惑力的作家，问他要个签名本，并找个两便的时间，闲聊一下呢？

打听到王小波的呼机号码不难。但告诉我号码的朋友说，他觉得王小波是个"独行侠"，性格似乎比较内向，偶尔出现在某些文学圈的活动中，也总是默听他人说话为多；因此，对我这样一个比他大一茬（甚或两茬），且美学取向不怎么搭界的陌生人，他愿不愿答理，很难预测。我想他当然无义务理我。可是我真的很想从与他的接触中获得营养，便不揣冒昧地呼了他。很快便回电了，声音颇粗，懒懒地问："谁呼我呢？"我报了家门，那边只"啊"了一声，淡淡的；我便把在书店立读《黄金时代》的感受告诉了他，问他手头还有没有这本书，说想得到一本细细品味，他说："书没有了……"我便说书没有没关系，我再去找，问他有没有兴趣见见、聊聊？他似乎也没马上答应，但给我留下了两个直通电话的号码，一个是他和妻子李银河自己住处的，一个是他妈妈处的。

后来我们约定见面。他先来我家。他一出现在我眼前，便让我吃了一惊。我觉得是《水浒》中的某一汉子凸现在了眼前。他不仅个子很高，而且粗黑茁壮。把他比成一百单八将中的哪一将恰宜呢？至今亦难判定。他手里提了个简陋的透明塑料袋，里面是一本书。我眼尖，认出那是本《黄金时代》。可是他落座后，并没主动把那书给我。我便主动问："是给我带的吗？"他这才拿给我。我一翻，没签名，便说："你要给我签上大名！"他才把书放在膝盖上，潦草地签了名。他似乎来得勉强，兴致不高。但是促膝瞎聊，一来二去的，茶过三巡，居然言谈渐欢。后来我们到楼下一家小饭馆喝啤酒、吃家常菜。他胃口不错，话多起来。给我讲了很多他经历过的事。他的话语中透着睿智幽默，但表情憨憨的，坐如铜钟，很节约手势。那天为了聊个痛快，我们占用了小饭馆唯一的单间。我是那家小饭馆的常客，常用那小单间宴客，从来都未额外收过"单间费"，但那天我付款时，柜上偏要加收我30元"单间费"；我还略抗争了一下，但环顾饭馆，不仅其余客人早散，每晚利用店堂拼桌睡觉的大厨已然坐在了"床"上，这才看表，已过22点，忙多掏30元钱付上。现在已回忆不起我们究竟都聊过什么，只是那时心中储下的"有趣感"一直消费到现在，仍未耗尽。

我细读了《黄金时代》。不是一般的好。太好了。写下这些文字时，作者心灵中只有纯粹的文学思维，只对文学负责。然而那些由最朴素的词句铺排的文字中不仅渗透着诗意，也熔铸着极密极浓极细极深的时代、社会、人生信息，并有对人性的探幽发隐，而这一切的组合却又并不导致灰暗的"沉甸甸"，竟是十二万分地"有趣"。这书的书脊上有"文坛外高手王小波力著"字样，大概是出版社的营销策略，但我总觉得像王小波这样的文学才子，只要他的书面了市，便是登上了文坛，何能"见外"？

再后来我又约了些"小朋友"欢聚，王小波一呼即来，席间他高谈阔论，不再是内向人的模样。他的见解常常与人不同，不仅与席间诸人不同，甚至于与大家从报刊书籍与耳闻中所获悉的所有见解都不同，并且不同得极为"有趣"。

第三次约王小波，他爽快地应了，临到聚前却来电话，向我道歉，说是老同学来访，中午喝多了，晚上不能再喝。我也没在意。心想见面的机会还多的是。

前些时新的《小说界》、《花城》陆续到了我案头。一个刊出了王小波的《红拂夜奔》，一个刊出了他的《白银时代》。这两个作品也是你绝对不好随意贴"标签"与"归类"的。非常地独特。跟《黄金时代》有血缘关系，却变异得很厉害。在《红拂夜奔》里，王小波将小说叙述一定要"有趣"的美学追求直接地公布了出来。有趣，很有趣，但是需要讨论。我已打算好，过些时便约王小波来"理论"。

　　万没想到前天接到一个可怕的电话，说王小波没了。怎么会突然没了？据说是他一人独居一室（李银河在英国），夜晚楼下有人听见他在楼上大叫了一声，便没了动静。天明后才有人发现他僵倒在了地板上。法医鉴定为心脏病突发。谁能想到《水浒》中的壮汉也会心肌梗死呢？

　　这电话让我久久不能入睡。顿觉人生无常。太可惜了！王小波的文学天才尚未充分地展示于世人。在我们短暂的接触中，总体而言，我是处于"入超"状态。但我对他也许亦有过触动。他在一篇随笔中写到，"文革"中他父亲仅被"游斗"过一次，是"陪斗"，恰巧那时他从外面回来，一眼看到，并与父亲"对了眼"，当时他不禁笑了一笑；为什么笑一笑？说不清道不明。那时他还是个少年。尚未成熟的心灵在那怪异的景象面前，鬼使神差地作出了这样的反应。可是父亲始终为这笑一笑心存芥蒂，是他后来意识到的，父亲并未直接说出，直到去世。我对王小波说，这素材只用在一篇短短的随笔里，太可惜了；实在应该展开来写成一篇非常（用我的习惯用语，是"震撼心灵"，用王小波的美学用语应是"极其有趣"）的小说。他听了，很认真地表示可以考虑。我不知他后来是否真的动手写了。从他的电脑里能否调出这篇作品？

　　在王小波的人生中，我是一个于他极不重要的过客。然而现在我觉得他没了于我是一个重大的损失。在眼下的世道中，难得有几个毫无功利关系牵动的谈伴，何况并非同代人。

　　可是我想我还有机会跟王小波对谈。他留下的作品还可一再品味。我有什么想跟他讨论的，可以通过神秘而坚实的心灵渠道，寄达他飞升到的仙界。是的，王小波怎么会没了呢？他只不过到仙界去了罢了。那里一定会让他感到非常非常有趣。

1997 年 4 月 19 日

天 问

　　电话铃响，是安徽来的长途，找我家小保姆小孙。她常利用我家电话与家乡父母联系，每次通话她总是大声大气的，似乎是觉得山高水远，非声大不足以传情；她与家人通话用家乡话，像唱歌一样，她与弟弟先后来京，一个当保姆，一个蹬平板三轮专给饭馆送啤酒，两人含辛茹苦，挣下的钱大把地往家里寄，自己只留下最必需的一点点，因此去年她家已盖起了小楼。她回乡度春节后带来了那小楼的数张照片，最耀眼的一张，是在楼下的堂屋中，饭桌上摆了一个两层的大蛋糕，他们全家人坐在蛋糕后，个个脸上溢着鲜花般的笑容。自那以后，她常向我们提起的，便是全家人再加把劲挣钱，把新楼内外装修的费用攒足。这天她家乡来电话，我在书房中听她应答时发出比以往更大的声音，开始以为是在笑——她的笑声一贯强烈而持久——稍后觉得似不对头，跑到厅里看，才发现她是在嚎啕大哭！

　　原来，电话那边传来的，是极恐怖的消息：她父亲，一位还不到 50 岁的汉子，在砖窑干活时，被突起的狂风所刮下的铁制手推车，砸在了取土的坑中！

　　小孙和弟弟第二天一早便赶回家乡去了，临走我们全家尽量安慰他们，爱人除把她存在我家的工资悉数给她外，又另给了她一千元。我们都希望她父亲的情况不至于有多么严重，盼小孙不久仍能到我家来；说实在的，她和我们相处得已俨如家人。可是没两天小孙便给我们来电话，她父亲下身被砸残，她是不能再来北京了！

　　小孙的父亲，从照片上看，敦实苗壮，一脸忠厚，据来过我家的小孙乡亲们说，那真是村里难得的好人、能人，没有任何不良嗜好，烟不沾，酒只偶尔一点点，从不要钱，没跟任何人吵过架，农活样样精通，干别的也都不学自通；因小孙母亲本有残疾，所以她家在村里原属较困难的一家，但这几年通过全家奋力，居然立起了新楼，令人们又惊又羡。谁知偏就出了这样的事！

小孙家的突遇不幸，再次令我痛苦地仰望苍天，默默追问"为什么？"为什么一而再、再而三地，让我目睹耳闻乃至切身感受到，良善者的遭遇不幸，甚至于突然殒命，而非善的家伙，恶人，有的却偏安然无恙，并无恶报降临？人生付出的各种代价，特别是那赫然闯入的灾害，究竟是由谁，在何处，依据什么原则或规律，来裁定贯彻？

今年才过半，光文化人，已被那无以名之的主宰，收走了很不少，有的寿数不能算高，有的打算创作出更精彩的作品而壮志未酬，令人扼腕不已；但毕竟这些人是出了大大小小的名，病笃时多无医药费之虞，仙逝后有连串的悼文见报；而民间的草根人物，生老病死，天灾人祸，离合际遇，悲欢歌哭，见名见姓加以报道实不可能，更有小孙家这种从社会学角度说不清道不明的突发悲剧，谁愿为之唏嘘探究？

感人生世事之艰辛诡谲，叹病患死亡之神秘莫测，我问天，天无语，心中充溢着莫可名状的情愫。然而我顿悟：也许，我正需要踏在这份痛苦的追索上，迈出新步。

1997 年仲夏绿叶居

丁香花又开了

我一直称宗璞为大姐。同我称林斤澜为林大哥一样，我觉得宗璞大姐叫起来又亲热又顺口。

宗璞大姐视我为写作的同行，我的学识、教养、艺术感觉都远逊于她，读她的作品，时有自觉形秽之感。但与宗璞大姐促膝闲谈，却又并不感到心虚气短。她总能引发出我最佳的心理状态，往往在她很平易的诱发中，我忽出妙语，叠现奇想，令她和我都很快活。

宗璞大姐对我的作品相当关注，她读得细，把得严，常常提出直截了当的批评，比如她读完我那《这里有黄金》便说："后面一节，应该整个儿删掉！"又指出我一篇作品里乱用了"歔欷弱歔"这个词，我用这词来表示"小声叹息"，当然是错了，这词的意思是"抽泣的急促呼吸"。但她若表扬，那也是非常干脆的。我有篇几乎谁都不注意的小说《巴黎长生不老药》，她品过后说："唔，这说明作者很会叙述。"我听了真差点儿蹦起来，不过我拼命抑制住强烈的反应，不为别的，宗璞大姐身体很弱，在她眼前即使是因为高兴而像爆竹那样报喜，也很可能让她难以承受。

我哥哥从四川出差来北京，我跟他提起宗璞大姐，他大惊，问："你说的是不是冯钟璞？"我说是，她笔名宗璞，哥哥正色道："你怎么可以这样乱叫！你该叫她冯阿姨！"

原来，我祖父跟宗璞父亲冯友兰有交往，他们是称兄道弟的，而且我母亲在年轻时，曾于生活最困难的阶段，被孙炳文先生收容，而孙先生的夫人，便是冯友兰夫人的亲妹妹，我母亲那时也常见到冯先生冯夫人，称为叔叔和阿姨，我母亲既然与宗璞同辈，我当然该叫宗璞阿姨才对。

我承认我叫宗璞大姐是串了辈分了，可毕竟我们家跟她家并无什么血缘关系。我也不想借助于祖辈父辈的旧关系，来显示我跟宗璞似乎有什么超出文坛诸友们的特殊缘分。我想我与宗璞就是一种纯朴的同爱弄文学的关系。我就还是叫她宗璞大姐。宗璞知道我们两家祖辈父辈的关系后，颇觉有趣，引我拜见冯老先生时，特意提起我祖父，告诉他"这是刘云门的孙子！"冯老先生于是喜形于色地回忆起当年我祖父和另一祖辈友人的趣事来，喃喃道出，但一来他是浓重的河南口音，二来他年老舌硬，我都没有听懂，出了冯老先生书房，宗璞嘱咐我："你就还叫我大姐！"我真高兴。

宗璞大姐所住的燕南园居所后窗外，有大株的丁香树；这些年她几乎每年春天都要给我来电话，约我和妻子去赏丁香花。我们只去过一次，我捧回了大束的丁香花，并由此写成了畅述自己生活观的《生活赐予的白丁香》。我还记得，那回随宗璞大姐在北大校园中漫步，忽然发现有一丛紫丁香树，它的根系中蹿出了一个花穗，竟然离地两寸，便迫不及待地烂漫开放，那情景令我和妻子，以及宗璞大姐和她的先生都非常感动，我们意识到，生命之花的尊严，正在于勇敢地绽开自己！

转眼又是新春，丁香花又开了。宗璞大姐，我们心中的花穗，又该绽吐出怎样的芳馥？

1995 年 12 月 14 日

雪白的向往

　　我没见过我的祖父。但父亲经常向子女们讲起他。父亲告诉我们，祖父是个医生。但祖父生活在一个动荡的时代，他并没能静下心来行医。祖父在 1925 年到广州参加了国民革命，后来他以军医身份随北伐军一直打到武汉。可惜他在 1932 年便去世了。祖父留下遗嘱，要孙辈学医，成为治病救人的白衣天使。父亲曾以优异的成绩考进协和医学院，但是由于后来与祖父失去联系，没有了经济来源，只好辍学，去谋求一个马上能养家糊口的职业；他当然更为迫切地企盼子女们至少有一位能终于成为医生。遗憾的是，由于种种主观与客观的原因，不仅我和哥哥、姐姐们长大成人后都没成为医生，我们的后代也都选择了别的职业。

　　但对医生的尊重，却由于上述的原因，在我们家族里，成为了延续几代的心理品格。祖父清末留洋东瀛早稻田大学，学的是西医。他回国时曾带回一架显微镜，后来放在家里，经常让家人用那当时新奇得不得了的仪器来观察水滴里的奥秘。祖母去世后，祖父将其遗体捐献给协和医学院，进行病理解剖，以作研究，这在当时真是惊世骇俗之举。西医的特征之一，便是崇尚雪白的颜色，医生、护士穿白袍、戴白帽，医院的四壁总是尽量保持雪洞般的纯洁情调，病房里一般也总是显示着雪白的床单、枕头、褥被，往往那病床的栏栅也漆得雪白……现在中医也大量地使用雪白的符码，雪白、雪白的情调，能使病人忘却病痛，去掉杂念，心灵得以归于安谧。我结婚后，发现我的岳父最喜欢雪白的颜色，这是因为他身体长期不好，经常住院，所以对白衣天使们有一种由衷的信任感与亲和欲；他的这一心理定势也传给了我的妻子，以至于现在她选择时装，总是倾心于白色，当然她也常取"白与黑"、"白与灰"、"白与鹅黄"等配置方案，但一色白的套装，她竟有好几身，所以常有不大熟悉的人问她："您是在医院工作的吧？"她不是，但她因病住院时，确实是最能与医生、护士建立良好关系的模范病人，因为她的心灵深处，也有着未能实现的雪白的向往。

在各种各样的职业当中，医生实在是最值得尊重的。当然，有各种不同水平、不同品格、不同表现的医生。医生里也确实有极个别的坏人。但作为一个总体而言，医生实在是配得上雪白、雪白的那么一种圣洁的符码的。细想起来，当医生实在是对人生享受作出了最大的牺牲。人生的享受总是与美丽的洁净的完整的雅致的事物联系在一起的，可是作为医生、护士，却总是要天天与丑陋的污秽的残缺的粗鄙的事物打交道。病人总是要用血脓、呕物、腐肉……乃至于粪便来玷污雪白，而雪白符码的维系，需要花费多么巨大的体力与心力啊！

前些时从电视上看到一条报道，一位到北京人民医院耳鼻喉科做门诊手术的病人，因术后鼻中出血，怀疑医生的手术失败，不知心里怎么一恼，便忽然向医生施以暴力，差点将那医生的眼睛毁掉。这当然是一桩很特别的事件。我看到这报道后心里很难过。我想，即使现在真有不敬业不尽职或服务态度不好的医生，即使现在处于转型期的医院出现了种种令人不解不满的状况——如药费过高、医德参差、管理不善，等等，即使具体到我们个人确实遇到了医疗上的失误，我们可以批评、抨击，可以向有关部门反映、申诉，甚至可以依法诉讼，却无论如何不能对穿着雪白医袍的医生，施之以暴力！何况人民医院那位被打的医生，他的医德和医术都无可指责。我们怎么能对雪白、雪白的，这人类中治病救命的族群，失却信任与尊重呢？

向往雪白，并不是胶着于实现成为医生的愿望，也并不只是渴求在一旦需要时能获得医生呵护；在我心灵中，这种向往已经升华为一种对圣洁的牺牲精神的追求。

1997 年 3 月 6 日

做一个"乡下铁匠"

我有一本保存了 37 年之久的《朗费罗诗选》，是杨德豫译，人民文学出版社 1959 年 10 月第一版的，当时这本 143 个页码的诗集只售 0.58 元。前些年我在书店里看到过重版本，因我所保存的初版本历经劫难却依然完整洁爽，所以没有再买。这是我最心爱的藏书之一。朗费罗这位美国近代诗人的诗作史有定评，固然是好的，但我等自己无法直接阅读原文的人，必得借助于高妙的译文，方可咀精汲华。杨德豫先生的译笔，给我的感觉，既传达出一种异域的情调，却又流畅清丽，韵味沛然，仿佛那诗本用汉字写成。

1959 年于我个人是个极重要的年份——那一年我高中毕业。我没能考上理想的大学，经受到个人生命史上的第一次严重挫折。《朗费罗诗选》里许多的篇什，都仿佛专为那时的我而设。静夜里，在校园庭院幽暗的路灯下，我默吞着这样的一些诗句："不要在哀伤的诗句里对我说，人生不过是一场幻梦！/……我们命定的目标和道路/不是享乐，也不是受苦/而是行动，在每个明天/都比今天前进一步。/……伟人的生平昭示我们：/我们能够生活得高尚，/而当告别人世的时候，/留下脚印在时间的沙上；/……那末，让我们起来干吧，/对任何命运抱英雄气概；/不断地进取，不断地追求，/要学会劳动，学会等待。"（《人生礼赞》）"不屈不挠的意志的星，/从我的胸臆中上升，/清澈，雍容，沉默，/安详而又恬静。/……当你的希望一个个落空，/你也要坚定，要沉着！/在这样的世界里不能畏怯，/不久你就会知道：/受苦而又坚强，/那是何等高尚！"（《星光》）那时我才 19 岁，却觉得心里壅塞着许多的困惑与烦恼，这些诗句流淌过我的心灵，使我多少得到些慰藉与鼓励。

在我 24 岁那一年，赶上了"文化大革命"；论年龄，如果我还在大学里，那有可能成为一个"红卫兵"；然而其时我已是一所中学里的教师，被毫无疑义地定位于了"旧学校培养的学生"、"修正主义教育路线的工具"、"资产阶级知识分子"，虽然不是"当权派"，够不上"反动权威"，却也一样地被"红卫兵小将"冲击；那时心灵中所壅塞的是恐怖与无措，不等"红卫兵"来查抄，自己便慌忙将宿舍里的"封、资、修"书籍尽可能地毁弃；但下意识里，也还是用"这一本也许算不得罪大恶极吧"撑大了"网眼"，总算让《朗费罗诗选》等少数几本，成了"漏网之鱼"，并且在"文革"最狂暴的阶段过去之后，又在一人独处时，从床下找出朗费罗的诗来捧读，于是这样的一些诗句，便如同落在荒旱焦枯地面上的温润雨滴："这一天又冷、又暗、又凄惨；／雨下着，风也刮个不倦……青春的希望已经被狂风吹落深渊！／日子过得又暗又凄惨。／平静些吧，忧伤的心，且休要嗟怨；／乌云后面依然是阳光灿烂的春天；／你的命运是大众共同的命运，／人人的生活里都会落下些无情的雨点，／总有些日子又暗又凄惨。"（《雨天》）

这本《朗费罗诗选》，陪伴我度过了整个青春岁月。当我过了 40 岁后，有一天又翻到了这样的一些诗句："我觉察出，／无端虚掷了多少时光；／美好的意愿如同一支箭／中途落下，或飞向一旁。／可是谁敢／用这种方法来衡量得失？／失败可能是变相的胜利；／最低潮就是最高潮的开始。"（《得失》）"醒来！起来！健儿的身手／休息太多力气小；／荒芜土地、未耕田／顶多只能生野草。"（《断片》）……

现在我把这本《朗费罗诗选》传给了我的儿子。我让他反复吟咏其中的《乡下铁匠》。那是朗费罗 32 岁时所写的一首诗："一棵栗树枝叶伸张，／乡下铁匠铺靠在树旁……"据说那是一首完全写实的诗。当朗费罗 72 岁生日时，美国剑桥的儿童们用那棵栗树的木料打造了一把圈手椅，献给他作为生日礼物。诗中的乡下铁匠"额上淌的是老实人的汗水，／他取得能够得到的报偿，／他敢睁大眼睛来看全世界，／因为他不欠任何人的账。／……劳苦，——快乐，——悲伤，／他行进在人生的路上；／每个早晨看见他开始干活，／每个黄昏看见他收场；／有些工作起了头，有些干完了，／挣来一夜的酣畅……"我对儿子说："如今不少人希图一夜暴发，做什么事都恨不得一蹴而就，追求功名利禄、荣华富贵，当所谓的'成功人士'；其实，要获得真正坚实而美丽的人生，还是应当立志做一个‘乡下铁匠’……”儿子只是微笑，他不看我送给他的书，却用英语背诵着，那抑扬顿挫的异国音韵，抚慰着我疲惫而仍不免焦虑的心灵，我知道，他是在朗诵那首诗的最后一节："谢谢你，我可敬的朋友，／谢谢你的教益和榜样！／在人生的熊熊炉火里，／我们的命运也要经过锤炼；／在那轰鸣的大铁砧上，铸成了／火花四射的事业和思想。"

朗费罗算不得多么伟大的诗人么？这本纸张已然发黄的汉译本算不得多么珍贵的庋藏么？可是，在人生的途中，那滋养了我们心灵的，无论来自何时何地何人何著的健康文明结晶，难道不都是值得永远忆念珍视的么？

1996 年 12 月 18 日

鱼寿星

一条普通的小金鱼，活了 10 年，依然健美无恙，该称鱼寿星了吧！

10 年前，我用 6 角钱，从垂杨柳农贸市场买下了两条小金鱼。那是上不了"谱"的品种，身体尚够不上蛋形，眼睛和头部与鲫鱼差别不大，只有尾鳍已然散开，全身除了红色没有别的色斑或"珍珠"等抢眼的特点。这种小鱼，据说是培育金鱼优良品种的过程中，因为无论从遗传和变异的角度上衡量，都不符合预期的标准，因而坚决加以淘汰的"废品"，鱼场为了省事，往往把它们随着废水排放到污水管中，弃之如敝屣；当然也有个体鱼贩子会去把它们讨来或用极小的代价趸来，到农贸市场一类的地方，卖给我这种喜欢小鱼儿，却完全不懂"鱼经"的人。

我用一个小小的灌水塑料袋，将那两条小金鱼提回家中，养在了一个小鱼盆里。这鱼盆很不规范，是用一个从实验室淘汰出来的玻璃缸锯成的，很小，灌满它还用不了两升清水。这样的鱼这样的器皿，也许会被正经的养鱼迷笑掉大牙吧，但我却非常喜欢我的这一对玫瑰花瓣似的小鱼。家里其他人也都善待它们，每天早晨，个个都愿充当投饲者，用的是现成的米粒状、或红或绿的人造鱼粮；为了避免重复喂食把它们噎死，每个人投食前总是大声问："你们喂了吗？"如别人都没喂，便得意地投入 10 粒，细赏它们摆尾抢食；倘发现别人已喂过，便总有点怏怏。

养了没多久，我们便搬家，从城南搬到城北，搬家时放弃了很多不必要带走及难以带走的东西。这两条小鱼我们却舍不得放弃，小心翼翼地将它们带到了新家。但在新家没过多久便发生了悲剧：两条鱼逝世一条。推敲原因，其实很简单：这鱼缸盛不了太多的水，因此溶解在水里的氧气有限，两条鱼都越长越大，需氧量越来越多，这就必得牺牲掉一条鱼，才能保全住另一条鱼。把牺牲掉的小鱼放进纸盒，埋在楼下小花园以后，我曾腹诽过犹存的一条，认为它的竞争能力虽强，却也未免太无情了一点。可是我做了一个实验：把一面镜放到鱼缸侧面，只见那缸中小鱼没多久便努力朝镜中的鱼贴近，尾鳍摇成一把火。我便暗想，一定是它知道伴侣为己舍身，故而总祈盼着能召回她来。当然，我无从判断它们的性别。只是从此便将剩下的小金鱼当成了一个小伙子。

这小伙子竟从此好生过活，默默无言地在我书桌上伴我度过了许多岁月。敲累了电脑，我朝他一瞥，无论他摇鳍舞蹈，或是悬若秋叶，甚或是微微耸动，从肛门泄出一条黑色的粗线，都令我感受到生之乐趣，与生之艰辛。我猜想他的思维里，一定既有对生命神圣的感悟，也有将求生俗念落实到技术技巧上的探索。

10 年，这 3000 多天里，我们常常顾不得给他喂食换水，冬日里有时供暖不足，炎夏时又会有烈阳直射鱼缸，他却都能经受。我发现他很能守拙应变。水清温适时，他抓紧运动；水浊寒溽时，他便或静若浮沤，或将嘴不断地伸出水面，有规律地吞咽空气。他始终没有生霉斑或其他疾病，而且吃食极有克制，你每回无论多喂了他几粒鱼粮，他都只吃 5 粒，剩下的旧粮它尽量不吃，除非你忘了按时喂它。现在它该算一位老大爷了吧！它的生存价值，它的生命哲学，它的求生技巧，能用这样的逻辑来否定，来轰毁么——你为什么甘于此，而不争取游入江湖河海？

1997 年 4 月 22 日

聆听春声

人的年纪越来越大，心灵的感受力搞不好就会越来越钝弱，比如，人生年年逢春，对春的敏感，有的人是经年不衰，有的人却一年不如一年，乃至于常常是当春匆匆地擦肩而过之后，别人提起时，才吃惊地说："啊！今年的春天已经过去啦！"

春的到来，是一种立体的推进，春色撩眼，春阳暖心，春风拂面，春雨润身，春氤沁腑，春香陶魂，春味鲜嫩，春情满斟，春梦缥缈，春光宜人……然而在春的诸种因素中，春声具有格外的魅力。

春至燕归，群莺乱舞，淑气催黄鸟，园柳变鸣禽，所谓"春在乱花深处鸟声中"，这当然是春声中最明显的旋律。前些时在长沙出土的唐瓷上，发现了失传千年的五绝："春色满春池，春时春草生；春水饮春酒，春鸟弄春声。"这位佚名诗人把春声视为春的极致，实在很有见地。如今在越来越现代化的大都会中，笼中豢鸟以外的自然飞禽，一度有骤减的趋势，但随着人们环保意识的增强，有关措施的推行，现在一些大城市里，又有了飞禽的回归，乃至于候鸟群的翩然来栖，春禽欢鸣，引动着人们更充分地享受春祺。但春声不止是鸟雀的啁啾，也不仅是春雨的淅沥，春风的笛韵，以及街头长巷中迢递的卖花声。最美妙的春声其实应回旋在我们自己心臆中，而我们所应静下来聆听的，便是自我心灵的这青翠鲜润的吟唱。

聆听自己心中的春声，正如有时候我们能自测体温、自把脉搏、自量血压一样，我们在氤氲的春氛中，也无妨在一个比如说春阳柔和的清晨，或春月清朗的夜晚，一个人静静地坐在一个角落，倾听心底春溪的潺潺流淌……

于我来说，聊以自慰的是，虽然我已五十过三，但在这最新的春风里，我还能很清晰地听到心灵中的春声，那首先便是，对年轻人，对新事物、新观点，仍葆有一份浓酽的兴趣，一种踏春寻胜的探究欲，一段不愿割弃的好奇与关爱……

我在文坛上浮沉游泳已连续了近 20 年，虽还不至称廉颇老矣，但也算得是熟泳手了。我就很害怕自己不仅在文学的河道中冻结为厚冰老坨，失去了自我的活力，而且还堵住河道，使年轻的泳手无从畅游。因此我就一直保持着阅读新人新作的习惯，不仅那些已然走红的文学新星的代表作尽量地找来观摩，还常常愿对尚不甚为人看重的新手新作，产生出一种油然的欣赏，或虽不能喜欢，却有一种莫名的惊奇。这时我心臆中所发出的，便是一派春声，我聆听到那音韵时，很为自己高兴。有时我也把自己的这心声，化为文字，发表出来，表达出我的一份喜悦，或一种理解，或试图向其他读者提出我的诠释，以供参考……

特别是，当我对初接触十分陌生，甚或十分疑惑，乃至有几分抵触的新人新作，终于获得一种理解的角度时，便更为自己庆幸：我的心还没有老，它对"杂树生花"的斑斓春色，尚有充分的感受力与容纳力！

当然，我承认，近年来，特别是去年，我和某几位年轻的论者，也有过一些正面或侧面的争论，但我在与他们的观点与观念发生冲撞时，始终注意到，他们的发言权是否同我一样，得到了充分的保障。倘若他们只不过是因为坚持一种哪怕是包括我在内的为数不少的人认为是不够正确，甚至于是有害的学术观点，而派生出发言权上的问题，那么，我是很愿站出来，尽我微薄的力量，来为他们享有充分的发言权而奔走呼号的。这也是我心中的春声，我聆听到了这声音，我祈望这声音不仅能长远地存在，而且在实践中能化为真正得以坚持的行为……

有些新观点，新说新论，也未必是年轻人提出来的。这几年我看到听到的若干醒目炸耳的新观点，有的出自我的同辈，有的出自老前辈的笔下口中。我对这些信息能有敏感性么？虽然不一定苟同，但不苟同能作出自己特有的心灵回应么？那是并不一定要拿出发表的，但不可视而不见、听而不闻，漠不关心，麻木不仁！我聆听自己心音，啊，我又一次为自己的心理健康庆幸，我的心中有对种种新说新论欣然回应的春之声韵！

"流光容易把人抛，红了樱桃，绿了芭蕉"，北方的春天更是短暂，丁香才谢紫，倏忽竟已青杏如豆，真是身外无久春；然而，心灵却可留春常驻。常常检测心中春意，聆听心的春声吧！

1996 年 3 月 26 日绿叶居

晶莹的珍珠

——青岛印象

胶州湾是一张碧玉雕就的荷叶，青岛市是镶在这荷叶边的一颗珍珠。

我感到荣幸——在这盛夏时节，能得到珍珠般的青岛市的爱抚。

什么给我留下的印象最深？是汇泉浴场那童话世界般的更衣设施？是"八大关"那掩映在绿树花丛中的幢幢别墅？是海天相接处那雪白的巨轮在缓缓进港？是长长的栈桥上那焕发着青春活力的夏令营队伍？……

都难忘，都像永不凋谢的花瓣，带着隽永的芳馨，将永远储存在我记忆的仓库。

然而，有几个镜头格外令我感动，使我不禁心潮起伏。

在海滨浴场那金黄的沙滩上，均匀分布着一些蔚蓝色的清洁箱。我看见专职的清洁工，不时拾取着游人丢弃的杂物；我还看见几个小朋友，主动把吃净的冰淇淋纸杯，送到清洁箱前投入……在这人们嗜冰若狂的盛夏，青岛市一天该丢下多少冰棍纸、雪糕盒、汽水瓶？而无论是绿荫森森的公园里，还是细沙漫漫的浴场前，大体上都能保持着一种整洁清爽的面目……

这该有多好呀。使我们这个世界显得无比美丽的，不仅是如画的风景，不仅是优雅的建筑，也不仅是宜人的气候，以及人们各自穿在身上的华美衣服，更为重要的，是公众的文明，而卫生习惯，则是衡量文明水平的最准确的尺度。

我还看见身携药瓶的清洁工在中山路向雨后的积水中喷洒消灭孑孓的药物。这想得有多么周到。别小看这一措施，这说明他们正以怎样的观念和行动，来时时拂拭着青岛这颗美丽的珍珠。让愚昧、自私、肮脏、盲目……这一切不文明的观念、习惯、作风、现象，尽快消除！我们只有生活得更科学、更道德，才能更快乐、更幸福！

是的，也还有一些令人遗憾的疵点：随意丢弃的瓜皮、抛入草坪的纸杯、不该侵入沙滩的砖石、被折断了枝杈的松树……真想向汇泉浴场那钟楼下的广播室建议：每天上午和下午，各作一次宣布："亲爱的同胞，现在请大家一齐动手五分钟，拾起你身边的杂物，集中到清洁箱去，共同擦拭青岛这颗美丽的珍珠！"这可能吗？也许，并不需要采取这种方式，但我相信，一颗颗热爱青岛的心，将会不约而同地驱使人们这样去将她爱护……

胶州湾这张"荷叶"将更加纯净，青岛市这颗"珍珠"将更加晶莹。我心爱的"荷叶"和"珍珠"啊，今夏相别后，何时再相亲？

1984 年 8 月 12 日

只恐楠溪舴艋舟，载不动许多……

早年读易安居士《武陵春》："闻说双溪春尚好，也拟泛轻舟。只恐双溪舴艋舟，载不动许多愁。"因为那时"少年不知愁滋味"，所以并未从那秀句中引出惆怅，而只是痴痴地想：舴艋舟什么模样呢？是同蚱蜢相似吧？

金华至今没有去过，那里还有没有双溪，双溪中还有没有舴艋舟，都不知道。但最近去了温州地区永嘉县境内的楠溪江，在那里见到了舴艋舟，舟短而体胖，中有乌篷，趴浮水中确有一种大蚱蜢的感觉。

国内海外，都游了一些风景区，自然都美，都留下了些难以磨灭的印象，但有些美景可以归类，有些可以比附，如"恍似黄山"，"浑如三峡"，而楠溪江的溪景却令我吃了快乐的一惊，它那独具一格的风姿，实在令人骨酥神驰！

我们从大楠溪的渡头乘上竹筏，顺流而下，过狮子岩后斜转到支流上的枫林镇，流程约十多公里，历时约两小时，从天光透亮至夕阳西敛。

曾在武夷山玉女峰下的九曲溪中乘过竹筏，那乐趣一是看山，二是认石（有许多可想象为动物或人形、神怪），或许可以再加上观倒影和听潺湲；楠溪江中的乘筏之乐却全然不同，天边也有浅黛的山影，远近也有绿竹蓊郁掩映的村落，有大片的冷杉林，衬出满枝红实的乌桕，筏下也有潺潺的弹奏，空中也有飞鸟的欢鸣，然而都只不过是主要乐趣之外的一种补充——那主要乐趣便是欣赏两岸平铺而错落的滩林！

楠溪江又称溪又称江，确有道理。它大部分都很浅。绝未污染的净水从斑斓的卵石上泻过，这点颇似九曲溪，但它又远比九曲溪牙阔，并且又时有深域出现，如由狮子岩等两个巨型的"天然盆景"切开的那部分河道，水流便由清亮见底变为深绿旋动；竹筏有时似乎是从河底的卵石上摩擦而过，偶尔却又使筏工弯尽身子才能将篙杆插下河底，而筏边全旋着惊心的涡谷。

不要怕溅到竹筏上的溪水弄湿衣衫，有条件你无妨侧卧在竹筏上，尽情观览岸上的风光——更无妨一会儿左侧一会儿右侧卧，或爽性仰卧而随意扭动脖颈——那扑向你的眼你的心你的情感你的思绪的真如一幅水墨长卷、一首纯情长诗、一阕缥缈仙乐，一个完整的梦境！

滩上的砾石卵石洁净自然，没有任何人工铺敷的痕迹，其间生长着丛丛灌木和草本植物，迄今也都没有遭到人为的修饰或破坏，正当秋日，灌木林黄绿相间、高矮不一，而从石缝中窜出的芦苇、山荻和白茅草，叶丛高过灌木林，当中高耸着散开的巨大花穗，或紫红而沉着银光，或雪白而纤毫毕现，或如烛炬，或似折扇，在微风中摇曳，如一列列吟唱着幽曲的灵物；最可爱的是紧靠近水边一丛丛矮小而纠缠难分的红蓼，枝叶似乎全是棍状线状，恍若珊瑚，而又全无华贵之感，只充溢着山野的自然气息。扑眼而来的景物全然不用你费神去猜测它像什么动物或什么神仙，它们就是纯朴的大自然，它们从两岸不动声色然而温馨地拥抱着你，你该在它们的怀抱中深深地体味落生在这个星球的幸运和对自己乡土的爱恋！

在悠远深邃的神思中，从筏上看到了河湾处泊着的几只舴艋舟，大概是因为秋后水面宽度未减而深度大不如旺水期，所以都静止未用，令人想起"野渡无人舟自横"的名句。据说春末水涨时，大楠溪中舴艋舟常成队行驶，夏日更扯起古代的布帆，从岸上望去，宛若宋人词境。

大楠溪风景区在1988年已被正式认定为国家重点风景名胜区，但她迄今却似乎仍"美在深闺人未识"，其实她的独特之美，是堪与武夷、漓江、张家界、九寨沟并列的。

一时波平如镜，一时溶溶漾漾，一时潺潺奔泻，一时深涡急旋的楠溪江啊，当越来越多的中外游客亲近到你以后，在"只恐楠溪舴艋舟，载不动许多……"这个句子最后，我们该补上哪一个最恰切的字眼呢？

1991 年 11 月 13 日大楠溪归来

温州管窥

去了趟温州，走马观花，不得要领。温州话好难懂，比外国话还外国话，但倘若写到纸上，却大都仍能用方块字体现。比如，温州人嘴里发出一串平舌音"刺刺西西刺刺西"，听来莫名其妙，写出来是"吃吃嬉嬉视视戏"，即"吃吃玩玩看看戏"的意思。温州一面临海，三面环山，至今不通铁路，其社会文化发展既与中原一带相通，也因封闭自足的地理环境而有独特的一面；温州话里包括一大批古词语，如将"玩"说成"嬉"，"看"说成"视"（原来写时要用一个"目"字边加一个"氏"字，是"视"的异体字，更见古气），这种语言，也反映出那里还存有浓郁的古风。

恨今人不古，以及逢古便恨，都属于在复杂的社会生活面前失之于极端化，我以为要懂得温州，懂得温州人，尤应避免这种偏颇。

近十年来，又尤其近六七年，温州的社会生态状况越来越成为人们争议的热门话题。我没有资格在这种争议中插嘴，但既去了趟温州，眼见耳闻心领神会之中，也有些管窥之见，愿意贡献给读者，聊供参考。

温州的永嘉县境内，有个绝佳的楠溪江风景区，那真如一位"养在深闺人未识"的美女，这次去楠溪江游览，十停景点只去了三停，已觉心醉神迷。尤其那乘竹筏顺大楠溪（楠溪江干流）而下，观赏独具秀色的滩林美景的印象，真是如诗如梦，令人永生难忘。但楠溪江景区眼下还缺乏足够的旅游设施，也缺乏应有的知名度，尚不能如张家界、九寨沟那样成为中外游客争欲一游的胜地。整个景区只有一处叫陶公洞的地方颇为人知，每年重九，省内和闽北的香客总有万人奔赴那里，去朝拜洞中所供奉的偶像。我对陶公洞却是万分的失望。洞本为一奇特的天然景观，传为南朝道教陶弘景大师修炼之地，后陆续修筑起洞中楼阁，又渐次被火所焚，现在洞内的建筑均为近人所构，一进去供的是佛像，再往后攀上斜梯达一平台，则供的是一位非佛非道的"胡公元帅"，所以现在陶公洞又称"胡公庙"，造像既毫无艺术性，香客点燃的蜡烛和粗香又把洞壁熏得乌黑，弥漫着一股令人不快的气息。

　　楠溪江景区中还保存着若干古村，依稀可见千年前的面貌，构成引人遐思的人文景观。如苍坡古村以文房四宝为整体布局的构想，面对村西的笔架山，筑出一条窄长的巷道，意味着"笔"，凿出方形的砚池，又配以五米长的石条为"墨"，整个村落显长方形，卵石铺地，又构成了"纸"，体现出浙南古代耕读文化的美学追求，极富雅趣。可是苍坡村中有座仁济庙，所供的却也非佛非道亦非儒，而是笔记小说《世说新语》里提到的一个叫周处的人，现仍经常演出的京剧《除三害》讲的就是他的故事。他原是一泼皮无赖，横行乡里，后经一老人说明，知道自己被乡邻们视为与恶蛟、白额虎并列的一害，才幡然悔悟、改恶从善，此人据说是晋时江苏宜兴人，与温州毫不搭界，苍坡村中却有一座堂皇的仁济庙专供奉他，令人费解。

　　多走几处，便可发现温州地区有许多这类与儒道释都无关系的风俗神庙，而且各不雷同，又都还有香火，有的村子普遍富起来后，村后们还集资加以了翻修，构成极为独特的社会景观。这怕是一道"禁止迷信"的命令所无法勾销的，用简单的道理和粗率的方式去批判处置信奉风俗小神的当地人，恐怕只会引出复杂而难以收拾的效应。但这一社会现象确实值得从社会学、伦理学、民俗学、宗教学、心理学、文化学等等角度作深入细致的研究，也许从中可以探测出温州人特有的社会文化心理积淀，甚至可以据此而加深理解那里的个体经济"野火烧不尽，春风吹又生"的深刻根由。

　　温州地区的景观中，有一令人大败兴的景象，近年若干报刊上都有揭橥，就是好好的山峦上，却伐去树木、废掉山田，筑成一种触目惊心的"椅子坟"，往往密集成群、四围俱有，你想不看，它也要固执地跳入你的视野，令你气闷。据说那坟形酷似一种"比利时式沙发椅"，并非传统形式，是富起来了的温州人的一种"创新"。我与当地一位干部谈及此事，他叹口气说："禁而不止，难以抑制。我们这地方的普通人重宗族血统，重风水，他们发了财，认为是父母积德的结果，所以要为父母造个好坟，以作报答；还有不少人觉得这十年才过上了富日子，父母和早逝的亲友没赶上，给他们造个坟，自己心里头也就轻松点。"这样看来，满山的"椅子坟"又是许多活着的温州人心灵的寄托和感情的补偿物，要刹住"造坟风"看来也还需从研究温州人特有的心理结构入手。

温州市区的街道，正在逐步改换新颜，包括二十层气派不弱香港中环一带建筑的"温州大厦购物中心"等等新楼仍在施工中，新展拓的马路也尚未清理成形，大多数地区仍是几十年前的窄街狭巷，因而车辆行人真是地地道道的一锅粥，灌肠般地淤集滑动着，路口不见红绿灯，也很少看到指挥交通的民警，富起来的温州人拥有那么多的小"菲亚特"轿车，那么多堂皇铃木、本田大摩托，兼以搭着长形遮阳棚的三轮车和密度不让北京的自行车，全都搅作一团，全都争先运行，我这北京人驻足看去真觉心惊肉跳。但十几天里我却没有目睹到一起车祸，也几乎没有遇上过因拥挤碰撞而构成的吵骂和围观——人们生龙活虎地奔自己的前程，却又在一种潜在的约定俗成的令外方人难解的游戏规则统率下达到一种可贵的默契，一种无序中的有序，一种杂驳而五光十色的奇观。

温州的夜市那才是名副其实的夜市。北京的夜市，无非一些小吃摊从傍晚时搭棚售卖到八点钟左右便收摊，然后便是空旷和寂静。温州的夜市几乎遍布城区所有主要街道，吃食摊档将所备材料一盘盘陈列在长案上，琳琅满目，未吃已引得你眼花心乱，难忍寂寞。夜里九、十点钟那是全城最热闹的时候，不仅吃食摊食客如云，衣物百货摊档前也人流熙攘，到午夜时分，居然又有第二轮摊档和第二批顾客出现，而到清晨四点，还有第三轮的夜市，那其实已是早市了——天光微明中，新煮的鱼丸和汤团飘出浓郁的香味，而售卖"祖传松糕"的小贩的叫卖声调子格外悠扬——温州难道总有许多人不睡觉吗？他们白天从事着繁忙的社会活动特别是经济活动，晚上又如此这般地近乎贪婪地享受生活，哪来那么大的劲头？以什么驱动他们那旺盛的活力？真是一个谜。

现在温州已建成飞机场，开辟出包括直飞乌鲁木齐的许多条航线，在温州—北京航线上运行的是三架崭新的大飞机，我们来时乘坐的是麦道82，已经爆满，而且绝大部分乘客是自费旅行的普通公民。即将开始铺敷的金华至温州的铁路将进一步使温州文化与外界的文化相激相荡，交汇相融，从而起到激活、净化我们中华大文化的作用。

温州还有"东方第一纽扣市场",位于离温州市很远的永嘉县境内的一个山区小镇,名叫桥头;也还有中国第一所农民盖起的城市,那原是一个穷得叮当响的小小渔村,名叫龙港;它们几乎都没有让国家花上一分钱的投资,便发展壮大为一种令人瞠目的奇迹;这两处我都去了,只待了一天,没有发言权,我只感到惊奇,只觉得神秘。

温州真是一个谜。这个谜仍在发展着,每一个猜谜者都不能过分自信,因为也许唯有历史,才能揭示出最准确的谜底。

1992 年 1 月 8 日

美哉楠溪江

楠溪江静静地流淌在浙南永嘉县的山陵谷地中。上海辞书出版社 1983 年出版的厚达一千多面的《中国名胜词典》里,永嘉县名下只收"大若岩"一条,未提楠溪江。在普及本的中国分省地图册中,也找不到楠溪江的名字。楠溪江"养在深闺人未识",然而她真如"梨花一枝春带雨",盈盈秀色,醉人心怀。以她的天生丽质,相信不久便会像张家界、九寨沟一样,从默默无闻而名噪中外,成为游人们争欲一睹芳容的胜地。

楠溪江水域及沿岸山陵谷地中有众多各具特色的景区,飞瀑湍流,奇岩怪石,茂林芳草,古村小庙,妙景奇观难以备述。我同一些文友羊年深秋到楠溪江作三日游,十停美景只游到三停,已觉目不暇接、美不胜收,回京后竟魂牵梦萦,难释痴醉。

秋水筏如天上过

江上泛舟之乐,以往也领略过,所以刚在大楠溪(楠溪江主干)渡头镇登上竹筏时,也并未格外欣喜。竹筏用粗竹扎捆,一端用火烤炙使之弯翘,还带着焦黑的痕迹,那便是筏头;筏尾没有挡头,竹筏后部捆扎一块木板上面摆放 4 只小竹椅,游客 4 人一组坐定后,筏老大便点篙进发了。

筏入溪流后,才发现溪水出奇的纯净,用"清澈"二字还不足以形容,因为一股清澈的溪水下尚可见到河床底部的荇藻绿苔,而这里水下只有粒粒可数的斑斓五色卵石，没有萍菱荇藻，只有秋阳透进的闪烁波纹，给人一种如聆竖琴弹奏的感觉。楠溪江沿岸没有污染源，水质堪称世界一流，绵软晶莹，在形成落差时只呈透明帘幕或闪亮水线而全无白沫，掬饮一捧，入口微甜，实在与瓶装优质矿泉水无异。

漓江泛舟，乐趣在看奇峰，观倒影；武夷山玉女峰下的九曲溪，乘筏之乐除了看峰观影外，还有观石（沿溪许多怪石可想象为动物、人形或神怪）；楠溪江的筏趣却并不相同——那令人心醉神迷的是两岸的滩林！

楠溪江又称溪又称江，本觉累赘，乘筏一游才理解，她确既有溪的特点，即大部分是浅流平滩，又有江的宽阔和丰沛的流量，其中部分水域，如被称作"天然盆景"的狮子岩的两座小岛所中分的地方，则有深潭，水流一变而为青绿，旋着神秘的涡谷，竹筏驶过时筏老大便提醒游客要格外小心。

楠溪江两岸的溪滩十分开阔舒旷，从竹筏上望去，远山已化为浅黛的缥缈衬景，尽管滩后时时露出密密的竹林、成片的冷杉，以及在它们衬托下显得格外迷人的满树红实的乌桕和浑身金黄的古枫．还有掩映在其中的青瓦褐木灰墙荆篱的农舍，但那也都被推到了视野的深处，凸现在你眼前的，则是砾石、卵石、细沙所构成的边缘线错落有致的溪滩，滩上丛生着高矮不一的灌木，秋来浓绿浅碧淡紫微蓝不一，间以绛红鹅黄的色泽，本已绚丽悦目，更有近水处从卵石缝中窜出的芦苇、山荻和茅草，它们并不连成一片，而是至多两三棵聚作一丛，修长的叶片直刺蓝天又从高处弯垂而下，如保持着一种曼妙的舞姿，比叶片更高的巨大花穗或似火炬，散开的穗丝紫红而闪着银光，或似狐尾，通体肥圆而末端纤毫毕现，又有似折扇侧垂的，似小伞倒撑的，从筏上左顾右盼，丛丛苇荻茅草渐次退出视野，又渐次自远而近，微风吹过，摇曳飞绒，仿佛吟诵着一首无言的长诗，又仿佛演奏着一阕无音的仙乐，这才体会到楠溪江泛筏那不同于漓江和九曲溪等处的独特风味，不禁骨酥神驰。筏过一段浅滩，我爽性仰卧筏上，时而筏从鹅卵石上摩擦而过，水声潺潺，时而筏若空无所依，飘飘欲仙，这时只觉天溪合一，如梦如幻。同行的诗人邵燕祥曰："杜甫曾说春水船如天上坐，我们现在是秋水筏如天上过。"信然！我拟改两字为"秋水筏如梦中过"，愿天下有更多的游人能享受到楠溪江乘筏的醇酽妙趣！

在楠溪江的一些湾区中，我们看到些静泊在那里的乌篷船，船体短小而粗胖，那就是李清照《武陵春》词"只恐双溪舴艋舟，载不动许多愁"里提及的舴艋舟，据说现在的形状与宋时无大异，是浙南江流中的活文物，仲春后水涨时，楠溪江中常有一队队舴艋舟张帆而行，从岸岗上望去，是活现的宋人词境。竹筏到枫林镇靠岸时，才知已驶过了 10 多公里，这时夕阳西敛，但天边并无彩云丽霞——楠溪江流域的空气也未受到污染，尘埃绝少，所以朝阳夕照都格外鲜洁澄明，这也是难得的自然景观。

石桅待发思悠悠

楠溪江一带有许多峡谷飞瀑，据称小楠溪（楠溪江支流）北岸的百丈瀑比雁荡的大龙湫落差还大形态还美，更有石门台的九漈瀑，水流分九层而泻，蔚为壮观，还有小楠溪南岸的藤溪瀑布群，珠帘广垂，水雾弥谷，恍如仙境。

这里且不说瀑，说说石桅岩景区的绝佳景色。

石桅岩在楠溪江支流小三峡以东。岩体相对高度达 306 米，耸立于周遭比它矮小的山陵之中，据地质专家考察，是一整块浑然的巨岩，形态宛若高耸的船桅上挂着梯形巨帆，故名石桅岩，岩顶密覆着古树，垂下长长的根系和藤条，岩体缝隙中也生长着树木花草。岩上树林中有野猴群居，当地旅游部门每年拨款 1000 元给附近村庄里的农民，请他们定期将薯干等食物搁放到岩下向阳的石坡上，以供群猴果腹，这样可保持生态平衡，也可防止饿坏了的猴群潜入附近农田破坏庄稼。

石桅岩三面环水，溪流蜿蜒曲折朝西注入楠溪江，同时也在岩下形成几处深潭，其中一处可乘船进入岩侧凹壁，那里修筑了一架陡峭的钢梯，抓住扶手上攀，则可到达一处神秘的洞穴，名水仙洞，洞口有虬曲古榕，下望幽空玄妙。

不过石桅岩景区的最大特色还并非奇突险峻和神秘莫测，倒是一派天然拙朴之美。石桅岩北面的谷地中，冷杉、香榧、甜槠、红槭构成的树林里，忽然现出一大片碧绿密实而又绵软无垢的芳草地，不是现今都市绿地里的那种须状草，而是叫不出名字的圆叶草，游人无妨到那片开阔的芳草地上侧卧、仰卧、打滚，以及放肆地摆成一个"大"字，其与天地亲近的乐趣，真能浸入骨髓！

越过芳草地，踏着石凳涉过浅溪再翻过一座为蕨草紧裹的小山坡，迎面是密密的修竹，顺竹中小径曲折前行，忽然又豁然开朗，再经石凳越过一条宽溪，便是名叫下呇的山村那绿荫森森的村口，登上石阶，进入村庄，则枇杷杨梅文旦蜜橘红柿麻栗各种果木树掩映着青瓦白墙的村舍。在村中小学教师家中，一间前后敞开的大穿堂辟为了旅游点的接待站，供应刚从地里架上挖出摘下的菜蔬瓜豆烧炒出的客饭，那天我们吃到了一钵只搁油盐和少量葱花炒成的鲜芋头，清香滑腻，佐以新漉出的打了鸡蛋花的热黄酒，真觉得此菜只应桃源有，俗世哪得几回尝。

当地旅游部门对石桅岩景区的布置和导游设计，实在很具匠心。舍弃一切不必要而浪费钱财的人工亭台楼阁的装点，实堪褒扬！我最怕在本来天然秀丽的景物中去加添些水泥构筑的小亭子，那是不折不扣的煞风景，尤其是把亭子顶用油漆涂成鸡屎黄，把亭柱子涂成鸡血红，实在是俗不可耐，惨不忍睹。石桅岩景区不来这一套，但也不是毫无建设布置，沿溪小径和涉溪石凳都用当地的石料自然铺砌嵌置，不以水泥加固而拙朴结实，那一大片芳草地旁边的树林中，取等大的鼓形石卵摆成一圈供游人憩坐，便得天然妙趣，而安排游客越小山入下呇村用餐歇息，品尝农蔬瓜果，一扫都市浊气，令人在乡村农家的淳厚人情中得到一种身心俱畅的难得享受，更是精心妙设。

高耸的石桅岩，令人浮想联翩。同行的汪曾祺先生提议为这一楠溪江的重点景观命名为"石桅永泊"，他并挥毫为当地旅游部门题诗曰："石桅泊河时，卓立千万载，壁尽几沧桑，青春总不改。"他的思绪凝聚到对永恒的敬畏上。的确，远离尘嚣的山野令人想到超越人事的永恒，古人有过"山静似太古，日长如小年"的感叹，但那偏于消极，汪老对永恒的颂赞则是突出着对青春永驻的追求，鹤发童颜的汪老确有一颗不泯的童心。但我望着石桅岩，却总觉得那既然并非一根突兀的光桅，而是挂起了风帆的高桅形状，就不如命名为"石桅待发"。我想到永恒其实是许多个瞬间，许多个阶段，嬗递延续而汇聚成的，静是动的孕育，泊停是进发的前奏，我愿将青春和生命作积极的消耗，以融入壮美的永恒！

文房四宝苍坡村

楠溪江流域不仅有秀美的自然景观，还有难得的人文景观——若干保存基本完整的古村落便是景区中这方面的璀璨明珠。苍坡村又是古村落中保存得最好的一个。

苍坡村的西面，有座笔架山，山形酷似高耸的笔架，那是括苍山系的余脉。1000 多年前，五代时周显德乙卯（公元 955 年），从闽入浙的李氏家族在这山下定居，到宋淳熙戊戌（公元 1178 年），其 9 世传人李嵩请名师李时日规划设计了全新的村寨，现苍坡村即基本保持着当年的形制。李时日规划设计的直接灵感一定来源于笔架山。他将整个村落设计为长方形，如从空中鸟瞰，则在四周金黄的稻田中，以石条和卵石铺砌成的地面，恰似一张白纸，青瓦顶的村舍或横竖交错，或呈田字形，恰似白纸上挥洒出的遒劲墨迹；与笔架山一处倒圆弧垂直相对则刻意筑成了一条狭巷，成为直直的"笔杆"，估计那顶端处当年还栽种了一簇楔形的小树林，象征着"笔尖"，现在已不复成形；笔巷底端，则凿有很大的一个方方正正的"砚池"，池旁放置着一块长 5 米宽约半米高约 30 公分的完整石条，不消说，那便是"墨"。这样，苍坡村便成为了名副其实的文房四宝村。

文房四宝苍坡村，体现出浙南一带农村中源远流长的"耕读文化"的美学追求。"耕"体现出一种"农本"精神，"读"则含有出则仕退则隐的人生意愿。苍坡村中现仍存有仁济庙、太阳宫和水月堂等古建筑，虽经历代翻修，仍不失宋时风貌。仁济庙所供非佛非道亦非儒，而是南朝刘义庆的笔记小说《世说新语》中的一个人物周处，传说周处少时横行乡里，为人切齿，后遇一老人，被告知他已与恶蛟、白额虎并列为里中三害，遂幡然悔悟，改邪归正，现仍时常在京剧舞台上演出的《除三害》讲的就是这个故事；奇怪的是周处既非浙人亦非闽人，而是晋时江苏宜兴人，李氏为何在村中为他设庙，殊不可解。这说明楠溪江一带的文化构成是杂驳而微妙的，难以用一个简单的标签判定，到今天更是如此。太阳宫是一组两层楼呈"国"字形中有大天井有水池有戏台的建筑群，现正在其中筹办民俗博物馆，已从景区中搜罗到一些晚清以前的宁式床、提盒、妆台、鹅盆、矮凳、灯台……最有趣的是一件用细竹片制成的竹衣，那是供当年伶人炎暑扮戏时，穿在贴身处防暑去汗的；另外也仿制了一些传统民俗用品，陈列在大厅中的一具节庆时用的龙船，色彩艳丽，做工精细，散发出浓郁的乡土气息。水月亭则是一处精巧的园林式建筑，旁有千年古柏。

苍坡村东南角还有一座望兄亭，与隔着一大片田畴的方巷村村头的送弟阁遥遥相对。据说李氏 7 代传人李秋山李嘉木兄弟分居两村后，因手足情深，仍每天来往，析文作诗，饮酒畅谈，往往促膝至夜深人静；那时两村间的田野上入夜常有猛兽出没，所以分修上述亭阁，到夜晚分手后，一方总要在这边亭阁中伫立良久，直到对方平安到达，在那边村头亭阁中举灯笼为号，才回去安歇。这兄弟和睦相处情深谊长的故事世代为当地人所传诵，即使在"文革"中，当地人也未积极参与批判这一"四旧"，望兄亭与送弟阁亦未遭破坏，这说明楠溪江流域的宗族血统观念和构筑在爱心和义气上的传统人情有着多么坚韧的生命力。这一切都很值得当今的社会学家、文化学家、民俗学家、宗教学家、伦理学家、心理学家们去细细考究。一般游客虽不必对苍坡村的种种人文景观作深入的思考，但从古风古俗的扑面熏染中，想也都能或多或少地得到一些有益的启迪。

自然景观和人文景观的相辅相成，构成楠溪江风景区的一大特色。但人文景观中古村落的保护，看来是一个亟待加以重视的课题。对古村落的破坏来自两个方面，一是因重视不够或经费不足不加维护修葺，任其朽坏坍塌，如一处叫芙蓉村的地方，是按"七星八斗"的如意形状设计的，比苍坡村的结构更复杂也更有意趣，如今却已坍塌了若干珍贵的古建筑，如不及时抢救，将不复成景！另一方面的破坏则是任由富起来的农民在古村中盖出一些水泥构件组合成的形状单调的"现代化"小楼，使古村总貌有一种出土铜鼎磨锈涂漆般的感觉，这类"现代化"小楼多了，古村也便不复成为一种旅游景观。苍坡村砚池西端，笔架山的剪影下，便盖起了那样一栋3层的平顶民居，实在煞风景！我想让屋主将它再拆去怕难实行，就向当地旅游部门建议，给那小楼加上一个古式的青瓦坡顶，以多少挽回一点"观瞻"，不知此建议可被采纳否。

浓沫不宜留淡妆

楠溪江到目前为止，景点中广为人知的还只是大若岩的那个陶公洞，每逢重九前后，浙南闽北的数万香客便蜂拥而至，进洞朝拜求签，香火极盛。陶公洞因南北朝南朝齐、梁时期的道教大师陶弘景而得名，传说他隐居洞中时撰成道教经典《真诰》一书，故大若岩又名真诰岩，曾被视为道教的"十二福地"之一。但我对如今的陶公洞并无好感。洞为天然形成的自然奇观，内极高阔，原有宋代遗留下的多重木楼，后已焚毁，现在里面令人莫名其妙。一进去是水泥仿制的佛教殿堂，殿堂后有一斜梯通向另一层面，上面所供是一尊与儒道释三教都无关的"胡公元帅"，众香客顶礼膜拜求签赐福的竟是这个名不见经传的风俗神像。所以现在的陶公洞又俗称"胡公庙",里面的建筑和造像都毫无艺术性可言,又被香烛把洞壁也连同熏成了一派乌黑,令人气闷。

大若岩其实应写成大箬岩,箬是一种矮生的箬竹,唐人张志和的小词《渔歌子》:"青箬笠,绿蓑衣,斜风细雨不须归。"那个青箬就是这种植物,在楠溪江一带随处可见。楠溪江这个名字的写法也很可疑,因为这一带并无楠木,何以称为楠溪?有人说楠是梅字的误写,久讹成正,但若称梅溪,那梅又指的是哪种梅?开梅花的那种梅树(这里有,但不如苏、杭一带多且不结梅子),还是每到农历五月满山满谷结出殷红裸果的杨梅?看来,楠溪江风景区的开发,仅从追溯文化源流和引导旅游审美意识上,就有很多细微而艰苦的工作要做。

离别永嘉县时,楠溪江风景区管理局金荣耀局长赠我一厚册精装本的《景区总体规划》,是由北京大学、清华大学及省内、地区内和县内一大批专家、学者和部门负责人经过深入考察、严肃研讨制定的,上报后楠溪江已由国务院在 1988 年确定为国家重点风景名胜区,现正紧锣密鼓地加紧开发。旅游管理是一门科学,旅游业又是一方土地的"无烟工业",是取之不尽、用之不竭的"摇钱树",我对旅游科学既是个外行,对永嘉县开发楠溪江风景名胜区的热情完全理解,本不应随便插嘴,更不好泼冷水,但出于对楠溪江风景的由衷喜爱,还是想提出这样的建议:这个风景名胜区除少数景点,如陶公洞、狮子岩村等处,可以搞得热闹一点,旅游设施可以"现代化"一点,也可以为经济效益弃雅就俗一点而外,最好尽量保持并发扬其淳厚朴拙的天然风韵,如现在石桅岩景区那样的布置,便很好;有一种设想,是把大楠溪沿岸划分为垂钓区、游泳区、野炊野营区、橡皮舟遨游区、汽艇嬉戏区……那当然可以较快地获得经济效益,但我以为除垂钓以外,其余活动都很难避免对滩林自然景观的破坏和对几可称为"天下第一溪"的纯净水质的污染,而一些水泥构件和合成材料搭建的旅舍、餐厅、商店、公厕如果凸现于泛舟溪流的视野中,就更令人扼腕叹息了。

西湖风景是"淡妆浓抹总相宜",楠溪江不然,她是只宜淡妆而切忌浓抹的。《牡丹亭》里杜丽娘说:"一生爱好是天然",天然美是众美中最难得的一种,楠溪江是一个鲜丽而淳朴的村姑,应让她的这一丽质永驻不移。

1992 年 1 月

楠溪江遇上海客

　　我常常在风景区产生一种烦躁感——不是我对自然风光缺乏感受力，而是熙熙攘攘的游客仿佛蜂群围裹住了花丛，使我与其说是在赏花，不如说是在面对一个蜂巢，而每当我意识到在那些与我摩肩接踵的游客眼中，我也许更像一只多余的蜜蜂（乃至黄蜂）时，就简直游兴全消了。

　　但倘若极美妙的自然景物中，只有自己和寥寥几个伙伴，除此而外全别的游客，我又会产生一种惋惜感——这"养在深闺人未识"的"美女"，固然不一定非得"一朝选在君王侧"而令"六宫粉黛无颜色"，但那"梨花一枝春带雨"的芳容娇姿，究竟也不该如"寂寞空庭春欲晚，梨花满地不开门"般地冷清。

　　羊年深秋应邀到温州地区永嘉县境内的楠溪江风景区游览，惊叹于那迄今尚鲜为人知的楠溪江风景的独特与曼妙。著名的雁荡山风景区距楠溪江很近，目前正在打通之间的公路。雁荡之美用不着再加宣传，即使在旅游淡季，那里也总有操着东西南北各种口音的一群群游客，按图索骥地来往于合掌峰、大龙湫等各个景点之间，脸上大都显露出一种如愿以偿的表情。

　　眼下到楠溪江旅游，交通、食宿方面都还不那么方便，便却野趣盎然。楠溪江风景区包括许多景点，这里只说三处。一是石桅岩及其周遭的美景：高耸的山峰如巨大的桅杆挂满风帆，下有曲折的山涧溪流和神秘的洞穴深潭。二是基本保持宋代风貌的苍坡古村，背靠笔架山，凿巨池为砚，修长巷为笔，置条石为墨，而方正的村子以卵石和石块铺地构成纸，以"文房四宝"设计全村，形成一种绝妙的人文景观，与周遭自然景观相映生辉。三是乘古拙的竹筏和宋词中咏及的舴艋顺溪而下，那两岸令游人陶醉之处，与泛舟于漓江或武夷山玉女峰下的九曲溪大不相同，主要不是观山认石赏倒影，而是纵览宽阔、秀美的滩林，以及感受那几乎没有丝毫污染的晶亮水流的纯净与潺湲。

初置身于楠溪江的美景中，我一度产生过"怎么没遇上我们以外的游客"的惋惜感。但游到石桅岩下时遇到了二十几位上海人。他们大多数是工厂中的工人和技术人员，利用攒下的休假时间结成一个旅游团，来到楠溪江旅游，同他们攀谈中，我得知其中有几位还并没有游过离上海更近的旅游热点普陀山和雁荡山。在消耗游资大体相同的前提下，他们宁愿选择楠溪江这个生僻的景区，因为，正如他们当中一位在山涧乱石中行走时显得并不怎么轻松的中年人所说："要探探险才开心！"

这群上海游客下榻在楠溪江边由一座古老祠堂改造成的狮子岩饭店中，晚上突然停了电，当地的旅游局长直跟他们道歉，他们却都并不埋怨，而是聚到敞厅里同我们这些北京来的游客联欢，后来又兴致勃勃地跑到江边去看渔翁驾着竹筏指挥鸬鹚捕鱼。

楠溪江的风光使我悟到，可爱的祖国还蕴藏着许多丰饶的珍宝有待开发，而在楠溪江偶遇上海客，又使我窥见了我们民族心灵深处的那永难泯灭的探新觅险的可贵精神。真是不虚此行！

1992 年 3 月 22 日

【附】《垂柳集》序·冰心

　　刘心武同志把他的散文集《垂柳集》给我看了让我作序，我倒想借这机会说几句我对于现在有些散文的看法。

　　我一直认为：散文是一个能用文字来表达或抒写自己思想感情的人，可用的最方便最自由的一种工具。在他感情涌溢之顷，心中有什么，笔下就写什么，话怎么说，字就怎么写；有话即长，无话即短；思想感情发泄完了，文章也就写完了，这样，他写出来的不论是书信，是评论，是抒情，是叙事……的文章，应该都是最单纯、最朴素的发自内心的欢呼或感叹，是一朵从清水里升起来的"天然去雕饰"的芙蓉。

　　这些年来，我看到不少的散文，似乎都"雕饰"起来了，特别是抒情或写景的，喜欢用华丽的词藻堆砌起来。虽然满纸粉装玉琢，珠围翠绕，却使人读了"看"不到景，也"感"不到情。只觉得如同看到一朵如西洋人所说的"镀了金的莲花"，华灿而僵冷，没有一点自然的生趣，只配做佛桌上的供品！

　　我自己也曾"努力出棱，有心作态"地写过这种镀金莲花似的、华而不实的东西，现在重新看来，都使我愧汗交下。我恳切地希望我的年轻有为的朋友，要珍惜自己的真实情感和写作的时间，不要走我曾走过的这条卖力不讨好的道路。

　　《垂柳集》中的散文，不论是回忆，是游记，是随笔，是评论，还都没有以上的毛病，这是难能可贵的！作者虽然谦虚地说：自己飞得较早，进步很慢，但是我觉得像他这样地年轻，又有了一双能飞的翅膀，趁着春光正好，春风正劲，努力地飞吧，飞到最空阔最自由的境界里去！

　　　　　　　　　　　　　　　　　　　　　　　　　　一九八二年七月十二日

刘心武文学活动大事记

1942 年

6 月 4 日生于四川省成都市育婴堂街。

后在重庆度过童年。

父母兄姊均热爱文学艺术，深受家庭熏陶。

1950 年

随父母迁居北京，从此定居北京。

在隆福寺小学上小学，在北京 21 中上初中。

1958 年

在北京 65 中上高中。

给若干报刊投稿，屡被退稿。

8 月，在《读书》杂志发表《谈〈第四十一〉》一文，是投稿第一次成功。

1959 年

在《北京晚报》"五色土"副刊陆续发表一些儿童诗、小小说。

为中央人民广播电台少儿部《小喇叭》（对学龄前儿童广播）编写若干节目；其中快板剧《咕咚》经编辑加工、录制后大受欢迎；"文革"中录音带被销毁；1991 年重新录制播出。

1961 年

毕业于北京师范专科学校，分配到北京 13 中任教。

至"文革"前,在《北京晚报》《中国青年报》《人民日报》《光明日报》《大公报》《北京日报》《体育报》《儿童时代》《大众电影》等报刊上发表了约 70 篇小小说、散文、杂文、评论等文章。

1966—1976 年

"文革"中,因 1964 年曾发表过一篇关于京剧的文章,以"反江青"罪名被冲击。

1974 年后再试写作,曾写一关于"教育革命"的长篇小说,由出版社联系获准脱产修改,但终未达到当时出版要求。

1976 年

写出一个大院里孩子们同坏蛋斗争的中篇小说《睁大你的眼睛》并得以出版(北京人民出版社)。

又按照当时政治要求写出一些短篇小说、散文,有的到次年才收入多人合集中出版。

调到北京人民出版社(后恢复"文革"前社名:北京出版社)文艺编辑室当编辑。

1977 年

11 月,在《人民文学》杂志发表短篇小说《班主任》,产生重大影响——被认为是"伤痕文学"的开山作,也是"新时期文学"的发端;从此成名。

从《班主任》后,写作冲破懵懂,沿着认定的方向跋涉,穿越风云,锲而不舍。

1978 年

参加《十月》杂志(开始以丛书名义出版)创刊工作,在创刊号上发表短篇小说《爱情的位置》,经转载和广播,影响巨大。

在《中国青年》杂志上发表短篇小说《醒来吧,弟弟》,反应亦极强烈。

《班主任》《爱情的位置》《醒来吧,弟弟》均被改编为广播剧,由中央人民广播电台多次广播,《醒来吧,弟弟》被搬上话剧舞台;此年发表的短篇小说《穿米黄色大衣的青年》亦由电台播出。

1979 年

在首届全国优秀短篇小说评奖中《班主任》获第一名。颁奖会上,从茅盾先生手中接过奖状。

参加中国作家协会第三次全国代表大会,被选为中国作家协会理事。

成为中华全国青年联合会常务委员,至 1993 年卸任。

9 月,参加中国作家代表团访问罗马尼亚,此系"文革"后第一个作家出访团。

在《人民文学》杂志发表短篇小说《我爱每一片绿叶》,写作技巧有长足进步。

1980 年

调至北京市文联当专业作家。

《我爱每一片绿叶》获 1979 年全国优秀短篇小说奖。

《看不见的朋友》获 1954—1979 年第二届全国少年儿童文学创作奖。

在《十月》杂志发表中篇小说《如意》,其弘扬人道主义的追求引起争议。

出版《刘心武短篇小说选》(北京出版社)。

1981 年

在《十月》杂志发表中篇小说《立体交叉桥》,引出更大争议,一些评论家认为"调子低沉"是步入了写作上的歧途,另有评论家则认为此作标志着刘心武的小说创作在反映现实、探索人性及艺术工力上均达到了新的水平。

5 月,应日本文艺春秋社邀请访问日本。

1982 年

应导演黄健中之请,改编《如意》;北京电影制片厂拍成彩色艺术片《如意》。

1983 年

11 月,参加中国电影代表团赴法国,在南特"三大洲电影节"上,《如意》在开幕式上放映,获好评;后陆续在法国、西德电视台播出。

1984 年

冬,应邀访问西德,参加"中德大学生会见活动",并在波恩大学、波鸿大学与威尔兹堡大学介绍中国当代文学。

年底，参加中国作家协会第四次全国代表大会，再次当选为理事。

在《当代》文学双月刊第5、6期连载长篇小说《钟鼓楼》。

1985 年

出版长篇小说《钟鼓楼》（人民文学出版社），并获第二届茅盾文学奖。

因《钟鼓楼》获北京市政府嘉奖。

7月，在《人民文学》杂志发表纪实小说《5·19长镜头》，反响强烈。

11月，又在《人民文学》杂志发表纪实小说《公共汽车咏叹调》，引起轰动。

1986 年

年初，应当代文艺出版社邀请访问香港。

6月，调中国作家协会人民文学杂志社，任常务副主编。

在《收获》杂志设《私人照相簿》专栏，进行图文交融的文本尝试。

散文集《垂柳集》出版，冰心为之作序。

1987 年

1月，被任命为《人民文学》杂志主编。

2月，《人民文学》杂志1、2期合刊发表马建写的小说《亮出你的舌苔或空空荡荡》违反民族政策，承担责任，停职检查。

9月，复职。

冬，应邀赴美国访问。参观美洲华侨日报；在哥伦比亚大学、三一学院、哈佛大学、麻省理工学院、康奈尔大学、芝加哥大学、旧金山大学、斯坦福大学、伯克利加州大学、洛杉矶加州大学、圣迭戈加州大学等处演讲，介绍中国当代文学，并参观耶鲁大学；参加爱荷华大学"作家写作中心"的纪念活动；游览华盛顿等地。

1988 年

3月，应香港《大公报》邀请，赴香港参加五十周年报庆活动；在《大公报》安排的大型报告会上作关于改革开放与文学创作的报告。

5月，应法国文化部邀请，参加中国作家代表团访问法国，除在巴黎活动外，还访问了西部港口城市圣·拉扎尔。

《私人照相簿》在香港出版（南粤出版社）。

《我可不怕十三岁》获1980—1985年全国优秀儿童文学奖。

以上数年中，若干小说、散文还分别获得过《当代》《十月》《小说月报》《小说选刊》《中篇小说选刊》《儿童文学》《北方文学》等杂志，《人民日报》《文汇报》等报纸副刊的奖；拍成电视剧播出的有《没工夫叹息》《熄灭》（电视剧名《火苗》）《今夏流行明黄色》《到远处去发信》《非重点》《公共汽车咏叹调》和八集连续剧《钟鼓楼》；若干作品被英国、美国、西德、苏联、日本、瑞士、瑞典、法国、意大利等国翻译为英、德、俄、日、法、意、瑞典等文字出版；自1987年起被世界上有威望的英国欧罗巴出版社《世界名人录》收入词条。

1989年

春，应香港中文大学翻译中心邀请，与妻子吕晓歌赴香港访问。

1990年

3月，以任届期满，免去《人民文学》杂志主编职务。

香港中文大学翻译中心编译的英文小说集《黑墙与其他故事》出版。

秋，以"鱼山"笔名在《钟山》杂志发表中篇小说《曹叔》。

1991年

出版小说集《一窗灯火》。

除小说外，开始发表大量散文、随笔。

1992年

长篇小说《风过耳》在内地（中国青年出版社）、香港（勤＋缘出版社）分别出版，反响颇为强烈。

长篇小说《四牌楼》完稿，交上海文艺出版社出版。

《献给命运的紫罗兰——刘心武谈生存智慧》由上海人民出版社出版，受到读者欢迎。

在《收获》杂志发表中篇小说《小墩子》，后由中国电视剧制作中心改编拍摄为电视连续剧。

至该年，在海内外出版的个人专著按不同版本计已达 43 种。

在《红楼梦学刊》1992 年第二辑上发表论文《秦可卿出身未必寒微》，在"红学"界和读者中均引起注意；另有若干《红楼梦》人物论和《红楼边角》专栏文章发表。

冬，应瑞典学院邀请（斯堪的纳维亚航空公司赞助）赴北欧访问；在挪威奥斯陆大学、瑞典斯德哥尔摩大学和隆德大学、丹麦哥本哈根大学和奥胡斯大学的东亚系汉学专业以《九十年代初的中国小说》为题作学术报告；12 月 7 日，参加诺贝尔文学奖有关活动，听 1992 年得主德里克·沃尔科特发表受奖演说。

1993 年

华艺出版社出版《刘心武文集》（1—8 卷）。

出版长篇小说《四牌楼》。

1994 年

1 月，应台湾《中国时报》邀请赴台参加"两岸三地文学研讨会"。

《四牌楼》获上海优秀长篇小说大奖，到沪领奖。

1995 年

出版随笔集《人生非梦总难醒》（上海人民出版社）。

出版小说集《仙人承露盘》（华艺出版社）。

1996 年

出版长篇小说《栖凤楼》（人民文学出版社）。至此，由《钟鼓楼》《四牌楼》《栖凤楼》构成的"三楼"长篇小说系列竣工。

应《南洋商报》邀请赴马来西亚访问并顺访新加坡。

1997 年

应日本文化交流基金会邀请，与妻子吕晓歌访问日本。其长篇小说《钟鼓楼》、

儿童文学作品《我是你的朋友》、短篇小说《王府井万花筒》等此前已相继译为日文
在日本出版。

1998 年

建筑评论集《我眼中的建筑与环境》由中国建筑工业出版社出版,在建筑界产
生影响。

应美国科罗拉多大学邀请,赴美参加金庸作品国际研讨会,在会上提交关于《鹿
鼎记》的论文《失父:一种生存困境》。

1999 年

出版纪实性长篇小说《树与林同在》(山东画报出版社)。

出版《红楼三钗之谜》(华艺出版社)。

赴新加坡出席国际环境文学研讨会。

2000 年

应邀访问法国,并应英中协会和伦敦大学邀请,从巴黎赴伦敦讲《红楼梦》。

至此年底在海内外出版的个人专著(不含文集)按不同版本计达 101 种。

2001 年

出版包含建筑评论的随笔集《在忧郁中升华》(文汇出版社)。

在北京电视台录制播出《刘心武谈建筑》系列节目。

2002 年

出版小说集《京漂女》(中国文联出版社),自绘插图。

应澳大利亚雪梨华文写作协会邀请赴澳大利亚访问。

2003 年

以马来西亚《星洲日报》世界华人文学"花踪奖"评委身份赴吉隆坡参加相关活动。

台湾联经出版社出版小说集《人面鱼》。此前台湾已出版过刘心武多种作品,
如皇冠出版社出版了《钟鼓楼》,幼狮文化事业公司出版了《四牌楼》《为他人默默
许愿》(散文集)。

2004 年

赴法参加巴黎书展活动。书展上展出了译为法文的著作有小说《树与林同在》《护城河边的灰姑娘》《尘与汗》《人面鱼》《如意》与歌剧剧本《老舍之死》。

建筑评论集《材质之美》由中国建材工业出版社出版。

小说集《站冰》出版（人民文学出版社），自绘封面插图。

2005 年

出版集历年研红成果的《红楼望月》（书海出版社）。

应 CCTV-10（中央电视台科学教育频道）《百家讲坛》邀请，录制播出《刘心武揭秘〈红楼梦〉》系列节目 23 集，反响强烈，引出争议。

《刘心武揭秘〈红楼梦〉》第一、二部相继出版（东方出版社），畅销。

2006 年

应美国华美协会邀请，赴纽约在哥伦比亚大学讲《红楼梦》。

应邀参加香港书展。

出版《刘心武揭秘古本〈红楼梦〉》（人民出版社）。

2007 年

继续应邀到 CCTV-10《百家讲坛》录制节目，并出版《刘心武揭秘〈红楼梦〉》第三部、第四部（东方出版社）。

访问俄罗斯。

2008 年

出版随笔集《健康携梦人》（中国海关出版社）。

自 1986 年出版《垂柳集》，至此所出版的散文随笔集已逾 30 种。

2009 年

在《上海文学》杂志开《十二幅画》专栏，每期发表一篇写人物命运的大散文，并配发自己的画作。

4 月，妻子吕晓歌病逝，著长文《那边多美呀！》悼念。

2010 年

再应 CCTV-10《百家讲坛》邀请，录制播出《〈红楼梦〉的真故事》系列节目。
至此在《百家讲坛》录制播出关于《红楼梦》的个人系列讲座累计达 61 集。

出版《〈红楼梦〉的真故事》（凤凰联动·江苏人民出版社），在争议声中畅销。

4 月，应台湾新地文学社邀请赴台参加"21 世纪世界华文文学高峰会议"。

出版《命中相遇——刘心武话里有画》（上海文艺出版社）。

加快《刘心武续〈红楼梦〉》的写作，次年完成推出。

至本年底，在海内外出版的个人专著，文集不算在内，重印亦不算，按不同版本计达 182 种（按不同书名计则为 141 种）。

年底，筹备编辑《刘心武文存》。

刘心武著作书目

只包括在中国大陆、台湾、香港和海外出版的书（同一著作每种版本单列）；不包括散发于报刊尚未出书的篇目，亦不包括多人合集中的篇目。第一个数字表示不同版本的排序；[ ]中的数字表示剔除同一书名的版本后的排序；注意：文集8卷不参加排序。

1976 年

1.[1]《睁大你的眼睛》[儿童文学·中篇小说]

北京人民出版社 1976 年 1 月第一版

1978 年

2.[2]《母校留念》[儿童文学·小说集]

中国少年儿童出版社 1978 年 7 月第一版

1979 年

3.[3]《小猴吃瓜果》[低幼读物·画册]

少年儿童出版社 1979 年 4 月第一版

1980 年 6 月第二次印刷

4.[4]《班主任》[短篇小说集]

中国青年出版社 1979 年 6 月第一版

1980 年

5.[5]《我是你的朋友》[儿童文学·中篇小说]

北京出版社 1980 年 7 月第一版

6.[6]《绿叶与黄金》[中短篇小说集]

广东人民出版社 1980 年 8 月第一版

7.[7]《刘心武短篇小说集》

北京出版社 1980 年 9 月第一版

1981 年

8.《这里有黄金》[中短篇小说集]

广东人民出版社 1981 年 4 月第二次印刷

有平装、软精装两种

9.[8]《大眼猫》[中短篇小说集]

浙江人民出版社 1981 年 8 月第一版

1982 年

10.[9]《如意》[中篇小说集]

北京出版社 1982 年 5 月第一版

1983 年

11.[10]《中国现代作家选（Ⅲ）刘心武〈我爱每一片绿叶〉〈深谷小溪默默流〉》

[日本] 东方书店 1983 年第一版

12.[11]《同文学青年对话》

文化艺术出版社 1983 年 10 月第一版

1984 年

13.[12]《到远处去发信》[中短篇小说集]

四川人民出版社 1984 年 4 月第一版

有平装、软精装两种

14.[13]《如意》[电影文学剧本](与戴宗安联合署名)

中国电影出版社 1984 年 6 月第一版

1985 年

15.[14]《嘉陵江流进血管》[中篇小说集]

陕西人民出版社 1985 年 2 月第一版

16.[15]《日程紧迫》[中短篇小说集]

群众出版社 1985 年 5 月第一版

17.[16]《我可不怕十三岁》[儿童文学集]

新世纪出版社 1985 年 8 月第一版

18.[17]《钟鼓楼》[长篇小说]

人民文学出版社 1985 年 11 月第一版

有平装、软精装两种

1986 年 5 月第二次印刷

1986 年

19.[18]《公共汽车咏叹调》[纪实小说]

湖南文艺出版社 1986 年 1 月第一版

20.[19]《都会咏叹调》[小说集]

作家出版社 1986 年 3 月第一版

21.[20]《垂柳集》[散文集]

陕西人民出版社 1986 年 4 月第一版

22.[21]《立体交叉桥》[中短篇小说集]

人民文学出版社 1986 年 6 月第一版

有平装、软精装两种

23.[22]《巴黎郁金香》[访法散文集]

群众出版社 1986 年 11 月第一版

24.[23]《木变石戒指》[中短篇小说集]

青海人民出版社 1986 年 12 月第一版

1987 年

25. *Little Monkey Triesto Eat Fruit* [科学童话·英文]

海豚出版社 1987 年第一版

有平装、精装两种

26.[24]《斜坡文谈》[文学理论]

上海文艺出版社 1987 年 4 月第一版

27.[25]《王府井万花筒》[中篇小说集]

湖南文艺出版社 1987 年 9 月第一版

有平装、精装两种

28.[26]《5·19 长镜头》[小说自选集]

四川文艺出版社 1987 年 11 月第一版

29.げくけきの友たちだ [《我是你的朋友》日译本]

[日本] 福武书店 1987 年 12 月第一版

1989 年 3 月第二版

1991 年 2 月第三版

1988 年

30.[27]《她有一头披肩发》[中短篇小说集]

台湾林白出版社 1988 年 4 月第一版

31.《钟鼓楼》[长篇小说]

香港天地图书有限公司 1988 年第一版

1993 年第二版

32.[28]《私人照相簿》[纪实文学]

香港南粤出版社 1988 年 11 月第一版

33.[29]《刘心武代表作》

黄河文艺出版社 1988 年 12 月第一版

1989 年

34.《小猴吃瓜果》[科学童话]

　　　　　　　　　　　开明出版社、海豚出版社 1989 年 3 月第一版

35.《钟鼓楼》[长篇小说]

　　　　　　　　　　　　　　台湾皇冠出版社 1989 年 4 月第一版

36.[30]《一片绿叶对你说》[文艺随笔集]

　　　　　　　　　　　　　　河北教育出版社 1989 年 12 月第一版

1990 年

37.[31]*BLACK WALLS AND OTHER STORIES*[小说集·英译本]

　　　　　　　　　　香港中文大学翻译中心出版社 1990 年第一版

38.[32]《王府井万花镜》[小说集·日译本]

　　　　　　　　　　　　[日本] 德间书店 1990 年 9 月第一版

1991 年

39.《母校留念》[小说]

　　　　　　　　　　　[日本] 骏河台出版社 1991 年 4 月第一版

40.[33]《一窗灯火》[中短篇小说集]

　　　　　　　　　　　　　华艺出版社 1991 年 10 月第一版

　　　　　　　　　　　　　　　　1993 年第二次印刷

1992 年

41.[34]《列奥纳多·达·芬奇》[传记]

　　　　　　　　　　　　　江苏教育出版社 1992 年 5 月第一版

42.[35]《有家可归》[散文随笔集]

　　　　　　　　　　　　　广东旅游出版社 1992 年 5 月第一版

43.[36]《风过耳》[长篇小说]

　　　　　　　　　　　　　中国青年出版社 1992 年 6 月第一版

1992 年 12 月第二次印刷

1993 年 3 月第三次印刷

1995 年 8 月第五次印刷

1996 年 3 月第六次印刷

44.《风过耳》[长篇小说]

香港勤＋缘出版社 1992 年 6 月第一版

45.[37]《献给命运的紫罗兰——刘心武谈生存智慧》

上海人民出版社 1992 年 6 月第一版

1992 年 11 月第二次印刷

1995 年第三次印刷

1996 年 12 月第五次印刷

46.《刘心武代表作》

河南人民出版社 1992 年 6 月第二次印刷·精装本

47.[38]《蓝夜叉》[中篇小说集]

香港勤＋缘出版社 1992 年 9 月第一版

1993 年

48.《北京下町物语》[长篇小说·《钟鼓楼》日译本]

[日本] 东京恒文社 1993 年 2 月第一版

1994 年第二版

49.[39]《为你自己高兴》[随笔集]

内蒙古人民出版社 1993 年 3 月第一版

50.[40]《杀星》[小说集]

香港勤＋缘出版社 1993 年 6 月第一版

51.《我是你的朋友》[儿童文学·中篇小说·增订本]

希望出版社 1993 年 6 月第一版

52.[41]《四牌楼》[长篇小说]

上海文艺出版社 1993 年 6 月第一版

1994 年 4 月第二次印刷

1996 年 11 月第三次印刷

53.[42]《我是怎样的一个瓶子》[随笔集]

成都出版社 1993 年 9 月第一版

54.[43]《沉默交流》[随笔集]

中国华侨出版社 1993 年 11 月第一版

55.[44]《富心有术》[随笔集]

群众出版社 1993 年 12 月第一版

1995 年第二次印刷

56.[45]《中国当代名人随笔·刘心武卷》

陕西人民出版社 1993 年 12 月第一版

☆《刘心武文集》[1—8 卷]

华艺出版社 1993 年 12 月第一版

☆《刘心武文集·〈钟鼓楼〉〈风过耳〉》(简装本)

☆《刘心武文集·〈四牌楼〉〈无尽的长廊〉》(简装本)

华艺出版社 1997 年 5 月第一版

1994 年

57.[46]《仰望苍天》[随笔集]

知识出版社 1994 年 1 月第一版

1995 年第二次印刷

东方出版中心 1996 年 7 月第三次印刷

58.[47]《男扮女妆与女扮男妆》[随笔集]

中原农民出版社 1994 年 2 月第一版

59.[48]《相对一笑》[小小说集]

中共中央党校出版社 1994 年 2 月第一版

60.[49]《秦可卿之死》[专著]

华艺出版社 1994 年 5 月第一版

61.《四牌楼》[长篇小说]

台湾幼狮文化事业公司 1994 年 8 月第一版

62.[50]《为他人默默许愿》[散文集]

台湾幼狮文化事业公司 1994 年 10 月第一版

63.[51]《中国小说名家新作丛书·刘心武卷》

海峡文艺出版社 1994 年 11 月第一版

64.[52]《红楼梦（缩写本）》

接力出版社 1994 年 12 月第一版

1995 年第二次印刷

1997 年 9 月第三次印刷

1995 年

65.[53]《人生非梦总难醒》[名人日记·随笔集]

上海人民出版社 1995 年 1 月第一版

1995 年 3 月第二次印刷

66.[54]《仙人承露盘》[中短篇小说集]

华艺出版社 1995 年 3 月第一版

67.[55]《女性与城市》[杂文集]

中国城市出版社 1995 年 6 月第一版

68.《我是你的朋友》[增订版·"小学生成才书架"系列之一]

希望出版社 1995 年 10 月第一版

69.《在胡同里转悠》[随笔集]

陕西人民出版社 1995 年 11 月第二次印刷

70.[56]《刘心武海外游记》

　　　　　　　　　　　　　华文出版社 1995 年 12 月第一版

1996 年

71.[57]《刘心武小说精选》

　　　　　　　　　　　　　太白文艺出版社 1996 年 2 月第一版

72.[58]《开发心大陆》[随笔集]

　　　　　　　　　　　　　吉林人民出版社 1996 年 3 月第一版

　　　　　　　　　　　　　　　1997 年 3 月第二次印刷

73.[59]《你哼的什么歌》[散文集]

　　　　　　　　　　　　　湖南文艺出版社 1996 年 6 月第一版

74.[60]《刘心武张颐武对话录——"后世纪"的文化了望》

　　　　　　　　　　　　　漓江出版社 1996 年 7 月第一版

75.[61]《边缘有光》[随笔集]

　　　　　　　　　　　　　汉语大辞典出版社 1996 年 8 月第一版

76.[62]《刘心武怪诞小说自选集》

　　　　　　　　　　　　　漓江出版社 1996 年 8 月第一版

　　　　　　　　　　　　　　　有平装、精装两种

77.[63]《我是刘心武》

　　　　　　　　　　　　　团结出版社 1996 年 9 月第一版

78.[64]《刘心武》[中国当代作家选集丛书]

　　　　　　　　　　　　　人民文学出版社 1996 年 10 月第一版

79.[65]《刘心武杂文自选集》

　　　　　　　　　　　　　百花文艺出版社 1996 年 11 月第一版

80.《秦可卿之死》[修订本]

　　　　　　　　　　　　　华艺出版社 1996 年 11 月第二版

81.[66]《栖凤楼》[长篇小说]

> 人民文学出版社 1996 年 12 月第一版
>
> 1998 年 3 月第二次印刷

1997 年

82.[67]《封神演义（缩写本）》

> 接力出版社 1997 年 1 月第一版
>
> 1997 年 9 月第二次印刷

83.[68]《胡同串子》[中短篇小说集]

> 北京燕山出版社 1997 年 8 月第一版

84.《私人照相簿》

> 上海远东出版社 1997 年 9 月第一版
>
> 1998 年 2 月第二次印刷
>
> 2000 年换封面版权页称 2000 年 6 月第二次印刷

85.[69]《中国儿童文学名家作品精选丛书·刘心武作品精选》

> 河北少年儿童出版社 1997 年 8 月第一版

86.[70]《把嘴张圆》[随笔集]

> 上海远东出版社 1997 年 12 月第一版

1998 年

87.[71]《我眼中的建筑与环境》[建筑评论随笔集]

> 中国建筑工业出版 1998 年 5 月第一版
>
> 1999 年 5 月第二次印刷
>
> 2000 年 6 月第三次印刷
>
> 2001 年 6 月第四次印刷

88.《钟鼓楼》[茅盾文学奖获奖书系]

> 人民文学出版社 1998 年 3 月第一次印刷
>
> 1998 年 7 月第二次印刷

1998 年 8 月第三次印刷

1999 年 3 月第四次印刷

2000 年 1 月第五次印刷

2001 年 1 月第六次印刷

2001 年 8 月第七次印刷

2002 年 8 月第八次印刷

2003 年 1 月第九次印刷

1999 年

89.[72]《树与林同在》[非虚构长篇小说]

山东画报出版社 1999 年 3 月第一版

2006 年 7 月第二次印刷

90.[73]《八十六颗星星》(*The Eighty-Six Stars*) [儿童文学小说·汉英对照]

希望出版社 1999 年 6 月第一版

91.[74]《红楼三钗之谜》[刘心武红学探佚精品]

华艺出版社 1999 年 9 月第一版

92.[75]《蓝玫瑰》[中短篇小说集]

中国华侨出版社 1999 年 10 月第一版

93.[76]《过隧道的心情》[随笔集]

华东师范大学出版社 1999 年 12 月第一版

2000 年

94.[77]《一切都还来得及》[随笔集]

中国青年出版社 2000 年 1 月第一版

95.[78]《善的教育》[儿童文学]

辽宁少年儿童出版社 2000 年 2 月第一版

96.[79] Le Talisman（version bilingue)[《如意》中、法文对照版]

Librarie You Feng 2000 年 4 月第一版

97.[80]《作家刘心武〈班主任〉手迹》

线装书局 2000 年 5 月第一版

98.[81]《楼前白玉兰》[小小说集]

中国广播电视出版社 2000 年 7 月第一版

99.[82]《刘心武侃北京》

上海文艺出版社 2000 年 10 月第一版

100.[83]《我爱吃苦瓜》[茅盾文学奖获奖作家散文精品]

广州出版社 2000 年 10 月第一版

2002 年 10 月第二次印刷

101.[84]《了解高行健》

香港开益出版社 2000 年 12 月第一版

2001 年

102.[85]《亲近苍莽》

中国旅游出版社 2001 年 1 月第一版

103.[86]《在忧郁中升华》

文汇出版社 2001 年 2 月第一版

《刘心武谈建筑——在忧郁中升华》2007 年 8 月第二次印刷

104.[87]《人在风中》

作家出版社 2001 年 8 月第一版

105.《风过耳》

时代文艺出版社 2001 年 10 月第一版

有平装、精装两种

2002 年

106.[88]《京漂女》(自绘插图)

中国文联出版社 2002 年 1 月第一版

107.[89]《深夜月当花》

中国工人出版社 2002 年 1 月第一版

108.[90]《春梦随云散》

人民文学出版社 2002 年 4 月第一版

109.[91]《藤萝花饼》

台湾二鱼文化事业有限公司 2002 年 4 月第一版

110.[92]《刘心武自述》

大象出版社 2002 年 10 月第一版

2003 年

111.[93] L'arbre et la forêt [《树与林同在》法译本]

Bleu de Chine 2003 年 1 月第一版

112.[94]《人面鱼》

台湾联经出版事业股份有限公司 2003 年 2 月初版

113.[94] La Cendrillon Du Canal [《护城河边的灰姑娘》法译本]

Bleu de Chine 2003 年 4 月第一版

114.[95]《画梁春尽落香尘》["红学"专著]

中国广播电视出版社 2003 年 6 月第一版

2003 年 9 月第二次印刷

2004 年 1 月第三次印刷

2005 年 6 月第四次印刷

115.[96]《眼角眉梢》

新华出版社 2003 年 8 月第一版

116.[97]《钟鼓楼》[初中生语文新课标必读]

人民日报出版社 2003 年 9 月第一版

117.[98]《天梯之声》

中国青年出版社 2003 年 10 月第一版

2004 年

118.[99] Poussiêre et sueur [《尘与汗》法译本]

Bleu de Chine 2004 年 1 月第一版

119.[100] La mort de Lao SHe [《老舍之死》歌剧剧本法译本]

Bleu de Chine 2004 年 3 月第一版

120.[101] Poisson à face humaine [《人面鱼》法译本]

Bleu de Chine 2004 年 3 月第一版

121.《如意》[电影伴读中国文学文库·附电影光盘]

中国青年出版社 2004 年 1 月第一版

122.[102]《泼妇鸡丁》

台湾二鱼文化事业有限公司 2004 年 4 月第一版

123.[103]《在柳树臂弯里——刘心武随笔》

光明日报出版社 2004 年 5 月第一版

124.[104]《材质之美——刘心武城市文化酷评》

中国建材工业出版社 2004 年 5 月第一版

125.[105]《站冰——刘心武小说新作集》(自绘插图)

人民文学出版社 2004 年 6 月第一版

126.《四牌楼》

上海文艺出版社 2004 年 8 月第二版

127.[106]《大家文丛：刘心武》

古吴轩出版社 2004 年 8 月第一版

2005 年

128.《钟鼓楼》（中国文库·文学类）

人民文学出版社 2005 年 1 月第一版第一次印刷（平装）

2005 年 1 月第一版第一次印刷（精装）

129.《钟鼓楼》（茅盾文学奖获奖作品全集之一）

人民文学出版社 1985 年 11 月第一版、2005 年 1 月第一次印刷

2005 年 5 月第二次印刷

2005 年 7 月第三次印刷

2006 年 3 月第四次印刷

2008 年 4 月第七次印刷

2009 年 8 月第八次印刷

2010 年 1 月第九次印刷

2011 年 7 月第 15 次印刷

2011 年 9 月第 16 次印刷

2011 年 11 月第 17 次印刷

130.[107]《心灵体操》

时代文艺出版社 2005 年 1 月第一版

131.[108]《刘心武作文示范》

少年儿童出版社 2005 年 1 月第一版

132.[109] La Démone bleue（《蓝夜叉》法译本）

Bleu de Chine 2005 年第一版

133.[110]《红楼望月》

书海出版社 2005 年 4 月第一版

2005 年 6 月第二次印刷

2005 年 7 月第三次印刷

2005 年 8 月第四次印刷

2005 年 9 月第五次印刷

2005 年 9 月第六次印刷

134.[111]《刘心武揭秘〈红楼梦〉》

东方出版社 2005 年 8 月第一版

至 2005 年 19 月共十三次印刷

2005 年 11 月第二版

至 2005 年 12 月已第十八次印刷

至 2007 年 7 月已第二十八次印刷

2007 年 12 月第三十次印刷

2008 年 4 月第三十二次印刷

135.《红楼解梦——画梁春尽落香尘》

中国广播电视出版社 2005 年 9 月第二版第五次印刷

136.《楼前白玉兰——刘心武最新小小说集》

中国广播电视出版社 2005 年 9 月第二版第二次印刷

137.[112]《刘心武揭秘〈红楼梦〉》[第二部]

东方出版社 2005 年 12 月第一版

至 2007 年 7 月已第十五次印刷

2007 年 12 月第十七次印刷

2008 年 4 月第十九次印刷

138.[113]《刘心武解读人世情》

时代文艺出版社 2005 年 12 月第一版

139.[114]《刘心武感悟平常心》

时代文艺出版社 2005 年 12 月第一版

2006 年

140.[115]《刘心武自选集》

云南人民出版社 2006 年 1 月第一版

141.[116]《刘心武点评〈红楼梦〉》

团结出版社 2006 年 1 月第一版

142.《刘心武精品集·第一卷·钟鼓楼》

东方出版社 2006 年 1 月第一版

143.《刘心武精品集·第二卷·四牌楼》

东方出版社 2006 年 1 月第一版

144.《刘心武精品集·第三卷·栖凤楼》

东方出版社 2006 年 1 月第一版

145.《刘心武精品集·第四卷·献给命运的紫罗兰》

东方出版社 2006 年 1 月第一版

146.[117]《戴敦邦绘刘心武评〈金瓶梅〉人物谱》

作家出版社 2006 年 4 月第一版

147.[118]《红楼拾珠》

云南人民出版社 2006 年 5 月第一版

148.[119]《藤萝花饼》

云南人民出版社 2006 年 5 月第一版

149.《刘心武揭秘〈红楼梦〉》[第一部]

台湾好读出版有限公司 2006 年 6 月初版

150.《刘心武揭秘〈红楼梦〉》[第二部]

台湾好读出版有限公司 2006 年 6 月初版

151.《我是刘心武》

天津人民出版社 2006 年 8 月第一版

152.[120]《刘心武揭秘古本〈红楼梦〉》

人民出版社 2006 年 12 月第一版

同月第二次印刷

2007 年

153.[121]《四棵树》

二十一世纪出版社 2007 年第一版

154.[122]《用心去游》

上海三联书店 2006 年 12 月第一版

2007 年 1 月第一次印刷

155.[123] Dés de poulet façon mégère [《泼妇鸡丁》法译本]

Bleu de Chine 2007 年 4 月第一版

156.《一切都还来得及》

中国青年出版社 2005 年 5 月第一版

157.[124]《刘心武揭秘〈红楼梦〉》[第三部·黛玉之谜及古本之秘]

东方出版社 2007 年 7 月第一版

至 2007 年 8 月已第四次印刷

2007 年 12 月第六次印刷

2008 年 3 月第七次印刷

158.[125]《刘心武说世道人心》

中国青年出版社 2007 年 7 月第一版

159.[126]《刘心武说寻美感悟》

中国青年出版社 2007 年 7 月第一版

160.[127]《刘心武说草根情怀》

中国青年出版社 2007 年 7 月第一版

161.[128]《长吻蜂》

上海人民出版社 2007 年 8 月第一版

162.《私人照相簿》

华龄出版社 2007 年 10 月第一版

163.《善的教育》

华龄出版社 2007 年 10 月第一版

164.[129]《刘心武揭秘〈红楼梦〉》[第四部·宝钗湘云之谜暨红楼心语]

东方出版社 2007 年 11 月第一版

2008 年 3 月第三次印刷

2008 年

165.[130]《健康携梦人》

中国海关出版社 2008 年 4 月第一版

166.[131]《刘心武小说》

吉林文史出版社 2008 年 5 月第一版

167.[132]《刘心武散文》

吉林文史出版社 2008 年 5 月第一版

2009 年

168.《钟鼓楼》(共和国作家文库)

作家出版社 2009 年 4 月第一版

169.《四牌楼》(共和国作家文库)

作家出版社 2009 年 4 月第一版

170.[133]《人在胡同第几槐》

中国文联出版社 2009 年 6 月第一版

171.《钟鼓楼》(新中国 60 年长篇小说典藏)

人民文学出版社 2009 年 7 月第一版

172.[134]《刘心武短篇小说》

现代教育出版社 2009 年 8 月第一版

173.[135]《刘心武中篇小说》

现代教育出版社 2009 年 8 月第一版

174.[136]《刘心武散文随笔》

现代教育出版社 2009 年 8 月第一版

175.《刘心武揭秘〈红楼梦〉》上卷(共和国作家文库)

作家出版社 2009 年 8 月第一版

176.《刘心武揭秘〈红楼梦〉》下卷(共和国作家文库)

作家出版社 2009 年 8 月第一版

2010 年

177.[137]《人情似纸》

江苏文艺出版社 2010 年 1 月第一版

178.[138]《红楼梦八十回后真故事》

江苏人民出版社 2010 年 3 月第一版

179.[139]《刘心武小说精选集》

[台湾]新地文化艺术有限公司 2010 年 4 月第一版

180.《红楼望月》

江苏人民出版社 2010 年 6 月第一版

2010 年 9 月第二次印刷

181.[140]《命中相遇——刘心武话里有画》

上海文艺出版社 2010 年 7 月第一版

182.[141]《红楼眼神》

重庆出版社 2010 年 9 月第一版

2011 年

183.[142]《刘心武续红楼梦》

江苏人民出版社 2011 年 3 月第一版

江苏人民出版社 2011 年 4 月第 4 次印刷

184.[143]《红楼梦》（曹雪芹著刘心武续）

江苏人民出版社 2011 年 3 月第一版

185.《刘心武续红楼梦》[繁体字竖排本]

香港明报出版社有限公司 2011 年 3 月初版

186.《刘心武揭秘〈红楼梦〉》精华本（一）

江苏人民出版社 2011 年 4 月第一版

187.《刘心武揭秘〈红楼梦〉》精华本（二）

江苏人民出版社 2011 年 4 月第一版

188.《刘心武揭秘〈红楼梦〉》精华本（三）

江苏人民出版社 2011 年 4 月第一版

189.《刘心武揭秘〈红楼梦〉》精华本（四）

江苏人民出版社 2011 年 4 月第一版

190.《刘心武续红楼梦》［繁体字竖排本］

台湾城邦文化事业股份有限公司商周出版 2011 年 4 月第一版

191.《〈红楼梦〉的真故事》

台湾人类智库数位科技股份有限公司 2011 年 6 月第一版

192.[144]《听刘心武说房子的事儿》

中国商业出版社 2011 年 8 月第一版

193.[145]《刘心武心灵随感》

时代文艺出版社 2011 年 11 月第一版

2012 年

194.[146]《刘心武种四棵树》

漓江出版社 2012 年 1 月第一版

195.[147]《风雪夜归正逢时——我是刘心武》

漓江出版社 2012 年 1 月第一版

196.《献给命运的紫罗兰》

漓江出版社 2012 年 1 月第一版

197.[148]《人生有信》

江苏人民出版社 2012 年 3 月第一版

198.Poussière et sueur［《尘与汗》法译本 folio 袖珍版］

Gallimard 2012 年 8 月出版

199.La Cendrillon du canal［《护城河边的灰姑娘》法译本 folio 袖珍版］

Gallimard 2012 年 8 月出版